लोक
व्यवहार

लोक व्यवहार

प्रभावशाली व्यक्तित्व की कला

डेल कारनेगी

अनुवाद : डॉ. सुधीर दीक्षित

MANJUL
मंजुल पब्लिशिंग हाउस

MANJUL

मंजुल पब्लिशिंग हाउस

कॉरपोरेट एवं संपादकीय कार्यालय

द्वितीय तल, उषा प्रीत कॉम्प्लेक्स, 42 मालवीय नगर, भोपाल-462 003

विक्रय एवं विपणन कार्यालय

• सी-16, सेक्टर 3, नोएडा, उत्तर प्रदेश, 201301

वेबसाइट : www.manjulindia.com

वितरण केन्द्र

अहमदाबाद, बेंगलुरू, भोपाल, कोलकाता, चेन्नई,
हैदराबाद, मुम्बई, नई दिल्ली, पुणे

डेल कारनेगी द्वारा लिखित मूल अंग्रेजी पुस्तक
हाउ टु विन फ़्रेंड्स ऐंड इंफ़्लुएंस पीपल का हिन्दी अनुवाद

संस्करण कॉपीराइट © मंजुल पब्लिशिंग हाउस प्राइवेट लिमिटेड, 2016
इस संस्करण की विषय-वस्तु और तथ्य लोक अधिकार (पब्लिक डोमेन)
से ली गई जानकारी पर आधारित है

यह हिन्दी संस्करण 2003 में पहली बार प्रकाशित
25वीं आवृत्ति 2018

ISBN 978-81-8322-742-1

हिन्दी अनुवाद : डॉ. सुधीर दीक्षित

मुद्रण व जिल्दसाज़ी : रेप्रो इंडिया लिमिटेड

यह पुस्तक एक ऐसे व्यक्ति को समर्पित है
जिसे यह पुस्तक पढ़ने की ज़रूरत ही नहीं है :
मेरे प्रिय मित्र
होमर क्रॉय को।

यह पुस्तक आपके लिए
आठ काम करेगी

1. आपके दिमाग़ पर लगी ज़ंग साफ़ करेगी, नए विचार देगी, आपमें नए सपने जगाएगी और नई महत्वाकांक्षाओं की प्रेरणा देगी।

2. आपको ऐसा तरीक़ा बताएगी जिससे आप जल्दी से और आसानी से दोस्त बना सकेंगे।

3. आपकी लोकप्रियता बढ़ाएगी।

4. लोगों से आपकी बात मनवाने में मदद करेगी।

5. आपके प्रभाव, मान-सम्मान को बढ़ाएगी और काम कराने की योग्यता को बढ़ाएगी।

6. शिकायतों से निपटने, बहस से बचने, और संबंधों को मधुर बनाने के तरीक़े सिखाएगी।

7. एक अच्छा वक्ता और दिलचस्प बातें करने वाला बनाएगी।

8. आपके साथियों में उत्साह भरने का तरीक़ा सिखाएगी।

इस पुस्तक ने छत्तीस से भी ज़्यादा भाषाओं में एक करोड़ से भी ज़्यादा पाठकों के लिए यही काम किए हैं।

विषय–सूची

खंड एक

लोगों को प्रभावित करने के मूलभूत तरीक़े

खंड दो

लोगों का चहेता बनने के छह तरीक़े

संशोधित संस्करण की प्रस्तावना

हाऊ टु विन फ्रैंड्स एंड इन्फ़्लुएंस पीपुल का पहला संस्करण 1936 में छपा। इसकी केवल पाँच हज़ार प्रतियाँ छापी गईं। न तो डेल कारनेगी को, न ही प्रकाशकों *साइमन एंड शुस्टर* को उम्मीद थी कि इस पुस्तक की इससे ज़्यादा प्रतियाँ बिकेंगी। उन्हें बहुत हैरानी हुई जब यह पुस्तक रातोंरात लोकप्रिय हो गई और जनता ने इसकी इतनी माँग की कि इसके एक के बाद एक संस्करण छापने पड़े। *हाऊ टु विन फ्रैंड्स एंड इन्फ़्लुएंस पीपुल* पुस्तकों के इतिहास में सार्वकालिक अंतर्राष्ट्रीय बेस्टसेलर बन चुकी है। हम यह नहीं कह सकते कि इसकी लोकप्रियता का कारण यह था कि उस समय मंदी का दौर ख़त्म ही हुआ था। दरअसल इसने जनमानस की ऐसी नस को छुआ है, एक ऐसी इंसानी ज़रूरत को पूरा किया है कि यह आधी सदी बाद भी लगातार बिक रही है।

डेल कारनेगी कहा करते थे कि दस लाख डॉलर कमाना आसान है, परंतु अँग्रेज़ी भाषा में एक वाक्यांश लोकप्रिय करना मुश्किल है। *हाऊ टु विन फ्रैंड्स एंड इन्फ़्लुएंस पीपुल* एक ऐसा ही वाक्यांश है जिसे लोगों ने उद्धृत किया है, पैराफ्रेज़ किया है, पैरोडी किया है और राजनीतिक कार्टूनों से लेकर उपन्यासों तक अनंत संदर्भों में प्रयुक्त किया है। इस पुस्तक का अनुवाद लगभग सारी लिखी जाने वाली भाषाओं में हो चुका है। हर पीढ़ी ने इसे नए सिरे से खोजा है और इसकी प्रासंगिकता और इसके मूल्य को पहचाना है।

अब हम तार्किक प्रश्न पर आते हैं : ऐसी पुस्तक को रिवाइज़

करने की क्या ज़रूरत थी जो इतनी लोकप्रिय और शाश्वत महत्व की है? सफलता के साथ छेड़छाड़ क्यों?

इसका जवाब जानने के लिए हमें यह एहसास होना चाहिए कि डेल कारनेगी स्वयं जीवन भर अपनी पुस्तकों को रिवाइज़ करते रहे। *हाऊ टु विन फ्रैंड्स एंड इन्फ़्लुएंस पीपुल* एक पाठ्यपुस्तक के रूप में लिखी गई थी, *इफ़ैक्टिव स्पीकिंग एंड ह्यूमन रिलेशन्स* के कोर्सेज़ की पाठ्यपुस्तक के रूप में। यह पुस्तक आज भी इसी रूप में प्रयुक्त हो रही है। 1955 में अपनी मृत्यु तक वे लगातार कोर्स को सुधारते और रिवाइज़ करते रहे ताकि बदलती हुई दुनिया की बदलती हुई ज़रूरतों का बेहतर ध्यान रखा जा सके। वर्तमान दुनिया के बदलते हुए स्वरूप के प्रति डेल कारनेगी से ज़्यादा संवेदनशील कोई नहीं था। उन्होंने अपने शिक्षा देने के तरीक़ों को भी लगातार सुधारा। उन्होंने *इफ़ैक्टिव स्पीकिंग* की अपनी पुस्तक को कई बार अपडेट किया। अगर वे कुछ समय और जीवित रहते तो उन्होंने ख़ुद ही *हाऊ टु विन फ्रैंड्स एंड इन्फ़्लुएंस पीपुल* को रिवाइज़ किया होता ताकि यह बदलती हुई दुनिया में अधिक प्रासंगिक हो सके।

पुस्तक में दिए गए कई महत्वपूर्ण लोगों के नाम इसके प्रथम प्रकाशन के समय जाने-पहचाने थे, परंतु आज के पाठक उन्हें नहीं पहचान सकते। कुछ उदाहरण और वाक्यांश अब पुराने लगते हैं, उसी तरह से जिस तरह हमें किसी विक्टोरियन उपन्यास का सामाजिक माहौल पुराना लगता है। इस पुस्तक का महत्वपूर्ण संदेश और संपूर्ण प्रभाव उस हद तक कमज़ोर हो गया था।

इस रिवीज़न में हमारा उद्देश्य इस पुस्तक को आधुनिक पाठक के लिए स्पष्ट और सुदृढ़ करना है, इसके मूल भाव से छेड़छाड़ किए बिना। हमने *हाऊ टु विन फ्रैंड्स एंड इन्फ़्लुएंस पीपुल* को "बदला" नहीं है, हमने इसमें से छुटपुट चीज़ें हटाई हैं और कुछ समकालीन उदाहरण जोड़े हैं। कारनेगी की उतावली, जोशीली शैली अब भी बरक़रार है- यहाँ तक कि तीस के दशक का स्लैंग भी मौजूद है। डेल कारनेगी ने उसी तरह लिखा जिस तरह वे बोलते थे, उत्साही, बातूनी, चर्चा करने वाली शैली में।

तो उनकी आवाज़ में, इस पुस्तक में अब भी उतना ही दम है जितना पहले था। दुनिया भर में हज़ारों लोग कारनेगी कोर्सेज़ में प्रशिक्षित हो रहे हैं और इनकी संख्या हर साल बढ़ रही है। और लाखों लोग *हाऊ टु विन फ्रैंड्स एंड इन्फ़्लुएंस पीपुल* को पढ़कर अपने जीवन को सुधारने के लिए प्रेरित हो रहे हैं। उन सभी के सामने हम यह रिवाइज़्ड पुस्तक प्रस्तुत कर रहे हैं, जिसमें हमारा योगदान सिर्फ़ इतना सा है कि हमने एक सुंदर उपकरण को थोड़ा सा चमका दिया है और तराश दिया है।

– डोरोथी कारनेगी
(मिसेज़ डेल कारनेगी)

यह पुस्तक कैसे और क्यों लिखी गई

बीसवीं सदी के शुरुआती पैंतीस सालों में अमेरिका में दो लाख से भी अधिक किताबें छपीं। उनमें से ज़्यादातर बेजान और नीरस थीं और बिक्री के लिहाज़ से भी उनमें से कई घाटे का सौदा थीं। मैंने क्या कहा, 'कई?' एक बड़े प्रकाशन समूह के प्रेसिडेंट ने यह स्वीकार किया कि हालाँकि उनकी कंपनी को प्रकाशन का पचहत्तर वर्षों का अनुभव है, फिर भी कंपनी को आठ में से सात किताबों में घाटा उठाना पड़ता है।

सवाल यह है कि यह जानने के बाद भी मैं यह किताब लिखने की ज़ुर्रत क्यों कर रहा हूँ। और अगर मैं ऐसा कर रहा हूँ, तो आप इसे पढ़ने का कष्ट क्यों करें?

दोनों ही सवाल वाजिब हैं, और मैं इन दोनों का जवाब देने की कोशिश करूँगा।

1912 से मैं न्यूयॉर्क में बिज़नेस से जुड़े व्यक्तियों और प्रोफ़ेशनल लोगों के लिए अपना शैक्षणिक पाठ्यक्रम चला रहा हूँ। शुरुआत में तो मैं सिर्फ़ लोगों को सार्वजनिक रूप से बोलने की कला सिखाता था- ऐसे कोर्स जिनका लक्ष्य था वयस्क लोगों के दिल से बोलने का डर दूर करना, उनमें इतना आत्मविश्वास पैदा करना कि वे अपने पैरों पर खड़े होकर ज़्यादा स्पष्ट तरीक़े से अपने विचार व्यक्त कर सकें, चाहे वे बिज़नेस इंटरव्यू में बोल रहे हों या समूह में चर्चा कर रहे हों।

परंतु कुछ समय बाद मुझे यह महसूस हुआ कि न सिर्फ़

प्रभावी ढंग से बोलने की कला महत्त्वपूर्ण है, बल्कि लोगों के लिए यह भी महत्वपूर्ण है कि वे रोज़मर्रा के बिज़नेस और सामाजिक जीवन में लोगों के साथ किस तरह व्यवहार करें।

मैंने यह भी महसूस किया कि मुझे भी ऐसे प्रशिक्षण की सख़्त ज़रूरत थी। जब मैंने पीछे मुड़कर अपने बीते हुए सालों को देखा तो मैं काँप गया कि समझदारी की कमी और इस कला के अज्ञान की वजह से मैंने ज़िंदगी में कितनी सारी ग़लतियाँ की थीं। काश किसी ने मेरे हाथों में ऐसी कोई पुस्तक बीस साल पहले रखी होती! यह मेरे लिए कितना अनमोल तोहफ़ा होता!

अगर आप बिज़नेस में हैं, तो लोगों को प्रभावित करना शायद आपकी सबसे बड़ी चुनौती होगी। अगर आप गृहिणी, या वास्तुविद या इंजीनियर हैं, तो भी आप लोगों को प्रभावित करना चाहते होंगे। कुछ साल पहले *कारनेगी फ़ाउंडेशन फ़ॉर द एडवांसमेंट ऑफ़ टीचिंग* के तत्वावधान में एक रिसर्च की गई। इससे एक बेहद महत्वपूर्ण तथ्य पता चला- एक ऐसा तथ्य जिसे *कारनेगी इंस्टीट्यूट ऑफ़ टेक्नोलॉजी* में हुए अतिरिक्त अध्ययनों ने सही ठहराया। इस शोध से पता चला कि किसी की आर्थिक सफलता का केवल 15 प्रतिशत ही उसके तकनीकी ज्ञान पर निर्भर करता है, जबकि उसकी सफलता का 85 प्रतिशत उसके व्यवहार की कला पर निर्भर करता है, यानी उसका व्यक्तित्व और लोगों का नेतृत्व करने की उसकी कला उसे 85 प्रतिशत सफलता दिलवाती है।

कई सालों तक मैंने फिलाडेल्फिया के इंजीनियर्स क्लब में अपने कोर्स चलाए। इसके अलावा मैं *अमेरिकन इंस्टीट्यूट ऑफ़ इलेक्ट्रिकल इंजीनियर्स* की न्यूयॉर्क शाखा के लिए भी कोर्सेज़ चला चुका हूँ। शायद डेढ़ हज़ार से भी ज़्यादा इंजीनियर मेरी कक्षाओं में आ चुके हैं। वे मेरे पास इसलिए आए क्योंकि वर्षों के अनुभव ने उन्हें यह सिखा दिया था कि इंजीनियरिंग के क्षेत्र में सबसे ज़्यादा तनख़्वाह उन्हें नहीं मिलती जिनके पास इंजीनियरिंग का सबसे ज़्यादा ज्ञान है, बल्कि उन लोगों को मिलती है जिनमें व्यवहार की कला है। केवल तकनीकी ज्ञान या योग्यता के लिए आप किसी भी

इंजीनियर, अकाउंटेंट, आर्किटेक्ट को नाममात्र की तनख़्वाह पर नौकरी पर रख सकते हैं। परंतु अगर किसी व्यक्ति में तकनीकी ज्ञान है, अपने विचारों को व्यक्त करने की कला है, लीडर बनने की योग्यता है और लोगों में उत्साह भरने की क्षमता है- तो उसकी तनख़्वाह निश्चित रूप से अधिक होगी।

अपने सबसे सफल दौर में जॉन डी. रॉकफ़ेलर ने कहा था, "लोगों से व्यवहार करने की कला भी उसी तरह ख़रीदी जाने वाली एक वस्तु है जैसे कि शकर या कॉफ़ी।" जॉन डी. ने यह भी कहा था, "और मैं इस कला के लिए दुनिया की किसी भी चीज़ से ज़्यादा क़ीमत देने के लिए तैयार हूँ।"

क्या आपको नहीं लगता कि जो कला दुनिया की किसी भी चीज़ से ज़्यादा क़ीमती है, उसे सिखाने के लिए दुनिया के हर कॉलेज में कोर्स चलने चाहिए? परंतु मैंने तो आज तक ऐसे किसी कोर्स या कॉलेज का नाम नहीं सुना।

युनिवर्सिटी ऑफ़ शिकागो और *युनाइटेड वाय.एम.सी.ए. स्कूल्स* ने एक सर्वे कराया जिसमें लोगों से यह पूछा गया था कि वे क्या सीखना चाहते हैं।

इस सर्वे पर 25,000 डॉलर ख़र्च हुए और इसमें दो साल का समय लगा। सर्वे का अंतिम हिस्सा मेरिडन, कनेक्टिकट में किया गया। मेरिडन को एक औसत अमेरिकी क़स्बे के रूप में चुना गया था। मेरिडन के हर वयस्क के विचार जाने गए और उनसे 156 सवालों के जवाब पूछे गए- इस तरह के सवाल जैसे, "आपका व्यवसाय या प्रोफ़ेशन क्या है? आपकी शिक्षा? आप अपना ख़ाली समय किस तरह बिताते हैं? आपकी हॉबी क्या हैं? आपकी महत्वाकांक्षाएँ? आपकी समस्याएँ? आप किन विषयों के अध्ययन में सबसे अधिक रुचि रखते हैं?" इत्यादि। इस सर्वे का निष्कर्ष यह था कि वयस्कों की सर्वाधिक रुचि का विषय स्वास्थ्य है। इसके बाद सर्वाधिक रुचि का दूसरे नंबर का विषय था लोगों को समझना और लोगों से मेलजोल बढ़ाने के तरीक़े सीखना, यह जानना कि लोगों

का दिल किस तरह जीता जाए और उन्हें प्रभावित कैसे किया जाए।

तो सर्वे कराने वाली कमेटी ने यह निर्णय लिया कि मेरिडन के वयस्कों के लिए ऐसा कोर्स आयोजित कराना चाहिए। उन्होंने इस विषय पर व्यावहारिक पाठ्यपुस्तक की खोज की, परंतु बड़ी मेहनत और खोजबीन के बाद भी उन्हें इस विषय पर काम की एक भी किताब नहीं मिली। आख़िरकार वे एडल्ट एज्युकेशन के एक विशेषज्ञ के पास गए और उनसे पूछा कि क्या इस विषय पर कोई अच्छी पुस्तक लिखी गई है। उनका जवाब था, "नहीं। मैं समझ सकता हूँ कि ये लोग कैसी पुस्तक चाहते हैं। परंतु इन लोगों को जिस पुस्तक की ज़रूरत और तलाश है, वैसी पुस्तक आज तक लिखी ही नहीं गई।"

मैं अपने अनुभव से जानता था कि यह बात सच थी क्योंकि मैंने भी ऐसी पुस्तक कई वर्षों तक खोजी थी, एक ऐसी पुस्तक जो मुझे लोगों के साथ व्यवहार करने की कला सिखा सके, लोगों को प्रभावित करने के सिद्धांत सिखा सके।

चूँकि ऐसी कोई पुस्तक आज तक नहीं लिखी गई है, इसलिए मैंने अपने कोर्स के लिए ऐसी पुस्तक लिखने की कोशिश की है। मुझे आशा है यह आपको पसंद आएगी।

इस पुस्तक की तैयारी में मैंने बहुत मेहनत की है। इस विषय पर जहाँ से भी जानकारी मिलने की संभावना थी, मैंने वह सब पढ़ा। अख़बार, पत्रिकाओं के लेख, पारिवारिक अदालतों के रिकॉर्ड, नए मनोवैज्ञानिकों और पुराने दार्शनिकों की पुस्तकें- मैंने ये सब पढ़े। इसके अलावा, मैंने एक प्रशिक्षित शोधकर्ता को भी डेढ़ साल तक काम पर रखा ताकि वह विभिन्न पुस्तकालयों में जाकर वह सब कुछ पढ़े जो मुझसे छूट गया था। मनोविज्ञान की जटिल पुस्तकें, पत्रिकाओं के सैकड़ों लेख, अनगिनत जीवनियाँ पढ़ी गईं। ताकि यह जाना जा सके कि सभी युगों के महानतम लीडर लोगों के साथ किस तरह व्यवहार करते थे। हमने उनकी जीवनियाँ पढ़ीं। हमने जूलियस सीज़र से लेकर थॉमस एडीसन तक सभी महान लीडर्स के

जीवनचरित्र पढ़ डाले। मुझे याद है कि हमने अकेले थियोडोर रूज़वेल्ट की ही सौ जीवनियाँ पढ़ीं। हमने यह तय कर लिया था कि हम कोई कसर नहीं छोड़ेंगे, चाहे कितना भी ख़र्च हो जाए। हमने अपने प्रयास में कोई कमी नहीं रखी और हमने लोगों को प्रभावित करने के हर प्रैक्टिकल तरीक़े को जानने की पूरी कोशिश की।

सफल लोगों के मैंने व्यक्तिगत रूप से इंटरव्यू लिए जिनमें से कुछ विश्वप्रसिद्ध थे- मार्कोनी और एडीसन जैसे आविष्कारक, फ्रैंकलिन डी. रूज़वेल्ट और जेम्स फ़ार्ले जैसे राजनीतिज्ञ, ओवेन डी. यंग जैसे बिज़नेस लीडर, क्लार्क गेबल और मैरी पिकफ़ोर्ड जैसे मूवी स्टार्स और मार्टिन जॉनसन जैसे खोजी लोग। मैंने इन सभी लोगों से यह जानने की कोशिश की कि लोगों से व्यवहार करते समय वे किन तकनीकों का इस्तेमाल करते हैं।

इस सारी सामग्री से मैंने एक छोटा सा लेक्चर तैयार किया। मैंने इसे नाम दिया, *"हाऊ टु विन फ्रैंड्स एंड इन्फ़्लुएंस पीपुल"*। मैंने कहा, "छोटा"। शुरुआत में यह छोटा था, परंतु जल्दी ही यह डेढ़ घंटे का लेक्चर बन गया। सालों तक मैं न्यूयॉर्क के *कारनेगी इन्स्टीट्यूट* के कोर्सेज़ में यह लेक्चर देता रहा।

इस लेक्चर के बाद मैं श्रोताओं को प्रेरित करता था कि वे अपनी दुनिया में जाकर इन सिद्धांतों का प्रयोग करें, बिज़नेस और सामाजिक क्षेत्रों में इन्हें आज़माएँ और फिर क्लास में आकर अपने अनुभवों और परिणामों के बारे में बताएँ। यह बहुत दिलचस्प होमवर्क था। ये सभी पुरुष और महिलाएँ आत्म-सुधार के लिए उत्सुक थे और उन्हें इस नई तरह की प्रयोगशाला में काम करने का विचार बहुत आकर्षक लगा। इसमें कोई संदेह नहीं था कि यह एक नए क़िस्म की प्रयोगशाला थी- मानवीय संबंधों की पहली और एकमात्र प्रयोगशाला।

यह पुस्तक उस तरह नहीं लिखी गई है, जैसे आम तौर पर पुस्तकें लिखी जाती हैं। यह तो उस तरह धीरे-धीरे बड़ी हुई है, जिस तरह कोई बच्चा बड़ा होता है। यह एक प्रयोगशाला में बड़ी हुई है,

और इसमें हज़ारों वयस्कों के अनुभवों का निचोड़ है।

सालों पहले, हमने पोस्टकार्ड साइज़ के कार्ड पर लिखे सूत्रों से शुरुआत की थी। अगले साल हमने एक बड़ा कार्ड छपवाया, फिर एक लीफ़लेट, फिर बुकलेट की शृँखला, और इसका आकार और दायरा बढ़ता चला गया। पंद्रह साल के प्रयोगों और शोध के बाद यह पुस्तक आई।

यहाँ जो नियम दिए गए हैं, वे कोरे सिद्धांत या अँधेरे में छोड़े गए तीर नहीं हैं। वे जादू की तरह असर दिखाते हैं। आपको यक़ीन नहीं होगा, परंतु मैंने देखा है कि इन सिद्धांतों पर चलने से कई लोगों की ज़िंदगी में क्रांतिकारी परिवर्तन हुए हैं।

एक उदाहरण लें। 314 कर्मचारियों वाले एक मालिक ने इस कोर्स में भाग लिया। सालों से यह मालिक अपने कर्मचारियों को बिना झिझके या बिना रुके डाँटता-फटकारता आ रहा था। दयालुता, प्रशंसा, प्रोत्साहन जैसे शब्द उसकी डिक्शनरी में थे ही नहीं। इस पुस्तक में दिए गए सिद्धांतों के अध्ययन के बाद इस मालिक ने अपने जीवन की फ़िलॉसफ़ी पूरी तरह बदल डाली। अब उसके ऑफ़िस में एक नए क़िस्म की वफ़ादारी, नया उत्साह, नया टीमवर्क नज़र आता है। पहले उसके 314 दुश्मन हुआ करते थे, अब उसके 314 दोस्त बन चुके हैं। जैसा उसने क्लास के सामने अपने भाषण में गर्व से कहा, "पहले जब मैं अपने ऑफ़िस में घुसता था, तो कोई मुझे नमस्ते तक नहीं करता था। मेरे कर्मचारी मुझे आते देखकर अपना मुँह फेर लेते थे। परंतु अब वे मेरे दोस्त बन चुके हैं और दरबान तक मुझे नाम से सम्मानपूर्वक बुलाता है।"

इस मालिक को अपना व्यवहार बदलने से ज़्यादा मुनाफ़ा हुआ, ज़्यादा फ़ुरसत मिली- और जो चीज़ इनसे बहुत ज़्यादा महत्वपूर्ण है- उसे अपने बिज़नेस और घर में ज़्यादा सुख मिला।

इन सिद्धांतों के इस्तेमाल से अनगिनत सेल्समैन अपनी बिक्री को बहुत तेज़ी से बढ़ाने में कामयाब हुए हैं। कई ने नए ग्राहक बना लिए हैं- ऐसे ग्राहक जो पहले उनसे सामान ख़रीदने के लिए तैयार

नहीं थे। एक्ज़ीक्यूटिव्ज़ अपनी तनख़्वाह और प्रभाव बढ़वाने में कामयाब हुए हैं। एक एक्ज़ीक्यूटिव ने बताया कि इन सच्चे सिद्धांतों पर अमल करने के बाद उसकी तनख़्वाह बहुत बढ़ गई। फिलाडेल्फ़िया गैस वर्क्स कंपनी के एक और एक्ज़ीक्यूटिव का कहना था कि पैंसठ वर्ष की उम्र में अपने लड़ाकू स्वभाव के कारण उसका डिमोशन होने वाला था। इस ट्रेनिंग की वजह से न सिर्फ़ उसका डिमोशन रुक गया बल्कि उसका प्रमोशन हो गया और उसकी तनख़्वाह बढ़ गई।

अनगिनत बार, पत्नियों ने कोर्स ख़त्म होने पर मुझे गुलदस्ते दिए हैं और यह बताया है कि जब से उनके पतियों ने इस कोर्स में भाग लिया है, उसके बाद से उनके घर का माहौल ज़्यादा सुखद हो गया है।

लोगों को अक्सर हैरत होती है कि इन सिद्धांतों में ऐसा क्या है, जिसके ऐसे चमत्कारी परिणाम मिलते हैं। मैं आपको बता दूँ कि इन सिद्धांतों में जादू है। कई बार तो लोग इतने ज़्यादा उत्साहित हो गए कि उन्होंने मुझे रविवार के दिन घर पर फ़ोन किया, क्योंकि वे अपनी उपलब्धि या परिणाम के बारे में बताने के लिए एक दिन का इंतज़ार नहीं कर सकते थे।

एक व्यक्ति इन सिद्धांतों पर हो रही चर्चा में इतना तल्लीन हो गया कि वह क्लास के दूसरे सदस्यों के साथ देर रात तक इन पर विचार करता रहा। तीन बजे सुबह उसके साथी घर चले गए परंतु वह अपनी पिछली ग़लतियों पर विचार करने में इतना मशगूल था, नए और अधिक समृद्ध संसार के खुलने के विचार को लेकर इतना प्रेरित था कि उसकी नींद उड़ गई। वह उस रात नहीं सोया, न ही अगले दिन, न ही अगली रात।

वह कौन था? कोई नादान, या अप्रशिक्षित व्यक्ति जो किसी भी नए सिद्धांत को लेकर उत्साहित हो गया? नहीं। ऐसा बिलकुल नहीं था। वह एक सफल आर्ट डीलर था, जो तीन भाषाओं का विशेषज्ञ था और दो यूरोपियन विश्वविद्यालयों से ग्रैजुएट था।

इस अध्याय को लिखते समय, मुझे पुराने स्कूल के एक

जर्मनीवासी का पत्र मिला। यह व्यक्ति एक सामंत था जिसके पूर्वज कई पीढ़ियों तक सेना के अफ़सर रह चुके हैं। उसने यह पत्र एक जहाज़ से लिखा था। इसमें उसने बताया था कि इन सिद्धांतों पर अमल करने से उसके जीवन में कितने अद्‌भुत परिवर्तन हुए हैं। उसके पत्र की भाषा में लगभग धार्मिक उन्माद झलक रहा था।

न्यूयॉर्क का एक अमीर व्यक्ति जो हार्वर्ड ग्रेजुएट था, एक बड़ी कारपेट फ़ैक्ट्री का मालिक है। उसने बताया कि उसने इस ट्रेनिंग के चौदह हफ़्तों में लोगों को प्रभावित करने की कला के बारे में जितना सीखा उतना कॉलेज में चार साल में नहीं सीखा। बकवास? हास्यास्पद? काल्पनिक? आप अपनी इच्छानुसार इस वक्तव्य को हँसी में उड़ाने वाला कोई भी शब्द इस्तेमाल कर सकते हैं। मैं बिना अपनी तरफ़ से कुछ जोड़े एक बेहद सफल हार्वर्ड ग्रेजुएट का कथन बता रहा हूँ जो उसने न्यूयॉर्क के येल क्लब में मंगलवार, 23 फ़रवरी, 1933 को छह सौ लोगों के सामने कहा था।

"हम जो हो सकते हैं," हार्वर्ड के प्रसिद्ध प्रोफ़ेसर विलियम जेम्स ने कहा था, "हम जो हो सकते हैं, उसकी तुलना में हम सिर्फ़ आधे जागे हुए ही होते हैं। हम अपनी क्षमताओं का बहुत कम हिस्सा ही हासिल कर पाते हैं। हम अपनी शारीरिक और मानसिक योग्यताओं का बहुत थोड़ा हिस्सा ही इस्तेमाल करते हैं। इंसान अपनी संभावनाओं का पूरा दोहन नहीं करते। उनके पास ऐसी बहुत सी क्षमताएँ या शक्तियाँ होती हैं, जिनका उपयोग करने में वे आम तौर पर असफल रहते हैं।"

ऐसी क्षमताएँ या शक्तियाँ जिनका उपयोग करने में आप "आम तौर पर असफल रहते हैं।" इस पुस्तक का एकमात्र लक्ष्य यही है कि आप अपनी सोई हुई क्षमताओं या शक्तियों से परिचित हों और इन शक्तियों को जागृत करें ताकि आपका जीवन सुखमय बन सके।

प्रिंस्टन युनिवर्सिटी के भूतपूर्व प्रेसिडेंट डॉ. जॉन जी. हिब्बन ने कहा था, "शिक्षा जीवन की स्थितियों का सामना करने की योग्यता है।"

अगर पहले तीन अध्याय पढ़ने के बाद आपको यह लगे कि आपने कुछ नहीं सीखा, कि आप जीवन की स्थितियों का सामना करने के बेहतर योग्य नहीं हुए, तो मैं समझूँगा कि आपके प्रकरण में यह पुस्तक पूरी तरह विफल हुई है। क्योंकि जैसा हरबर्ट स्पेंसर ने कहा था, "शिक्षा का महान लक्ष्य ज्ञान नहीं, बल्कि कर्म है।"

और यह पुस्तक कर्म के बारे में है, यह एक एक्शन बुक है।

– डेल कारनेगी
1936

इस पुस्तक का अधिकतम लाभ लेने के नौ तरीक़े

1. अगर आप इस पुस्तक का ज़्यादा से ज़्यादा लाभ लेना चाहते हैं तो आपमें एक चीज़ होनी चाहिए जो किसी भी नियम या तकनीक से ज़्यादा महत्वपूर्ण है। जब तक आपमें यह मूलभूत चीज़ नहीं है, तब तक आपको हज़ार तरीक़े बता देने से भी कोई लाभ नहीं होगा। और अगर आपमें यह मूलभूत चीज़ है, तो आप बिना किसी सलाह के इस पुस्तक से अधिकतम लाभ उठा सकते हैं।

यह जादुई चीज़ क्या है ? और कुछ नहीं, सिर्फ़ यह कि आपमें सीखने की गहरी ललक हो, लोगों का दिल जीतने और उन्हें प्रभावित करने की प्रबल इच्छा हो।

आप इस इच्छा को कैसे विकसित कर सकते हैं ? लगातार अपने आपको यह याद दिलाकर कि ये सिद्धांत आपके लिए सचमुच महत्वपूर्ण हैं। कल्पना करें कि इस कला को सीख लेने से आपका जीवन अधिक समृद्ध, संपूर्ण और सुखद हो जाएगा। ख़ुद से बार-बार यह कहें, "लोगों के साथ मैं किस तरह व्यवहार करता हूँ, इस पर मेरी लोकप्रियता, मेरा सुख और मेरा सम्मान निर्भर करता है।"

2. हर अध्याय को पहले तो तेज़ी से पढ़ जाएँ ताकि आपको मोटी-मोटी बातें समझ में आ जाएँ। फिर शायद आप आगे के अध्याय पढ़ने के लिए उत्सुक होंगे। परंतु ऐसा न करें। अगर आप सचमुच अपने व्यवहार को सुधारना चाहते हैं, अगर आप सचमुच लोगों को प्रभावित करने की कला सीखना चाहते हैं, तो वापस मुड़ें और हर अध्याय को दुबारा पढ़ें। आगे चलकर आप यह जान जाएँगे कि ऐसा

करने से आपका समय भी बचता है और आपको बेहतर परिणाम भी मिलते हैं।

3. पढ़ते समय बीच में रुककर हर सुझाव के बारे में सोचें। ख़ुद से पूछें कि आप इसे अपने जीवन में कब और किस तरह लागू कर सकते हैं।

4. पढ़ते समय पेंसिल, पेन, मैजिक मार्कर या हाइलाइटर हाथ में रखें। जब भी आपको कोई सुझाव उपयोगी लगे तो उसके बग़ल में या नीचे लाइन खींच दें। अगर यह आपको चार-सितारा सुझाव लगे तो आप हर वाक्य के नीचे लाइन खींच दें या इसे हाइलाइट कर दें या इस तरह चार सितारे "★★★★" बना दें। पुस्तक पर निशान लगा देने से पढ़ना ज़्यादा दिलचस्प हो जाता है और जब हम पुस्तक को दुबारा पढ़ते हैं तो हमें बहुत सुविधा होती है।

5. मैं एक ऐसी महिला को जानता हूँ जो पिछले पंद्रह सालों से एक बड़ी बीमा कंपनी में ऑफ़िस मैनेजर है। हर महीने वह उन बीमा कॉन्ट्रैक्ट्स को पढ़ती है जो उसकी कंपनी ने उस माह जारी किए हैं। महीने दर महीने और साल दर साल वह उन्हीं कॉन्ट्रैक्ट्स को पढ़ती है। क्यों? क्योंकि अनुभव ने उसे सिखा दिया है कि इसी तरीक़े से वह इन कॉन्ट्रैक्ट्स के विवरण को याद रख सकती है।

मैंने एक बार सार्वजनिक संवाद की कला पर एक पुस्तक लिखी, जिसमें मुझे लगभग दो साल लगे। परंतु मैंने पाया कि समय-समय पर मुझे अपने लिखे हुए पिछले अध्यायों को बार-बार पढ़ना होता था ताकि मैं याद रख सकूँ कि मैंने अपनी ही पुस्तक में क्या लिखा था। यह बहुत ही आश्चर्यजनक है कि हम कितनी तेज़ी से भूलते हैं।

अगर आप इस पुस्तक से लंबे समय तक फ़ायदा उठाना चाहते हैं, तो यह न सोचें कि केवल एक बार सरसरी तौर पर पढ़ने से ही आपका काम चल जाएगा। इसे पूरे ध्यान से पढ़ने के बाद, आपको हर महीने इसे दोबारा पढ़ना चाहिए। आप इसे हर दिन अपनी मेज़ पर रखें और बीच-बीच में समय निकालकर इस पर

नज़र डालते रहें। ख़ुद को लगातार याद दिलाते रहें कि ऐसा करने से आपके सामने सुधार की बहुत सारी संभावनाएँ खुल जाएँगी। याद रखें कि लगातार पढ़ने और इन पर अमल करने से ही आप इन सिद्धांतों का सही लाभ उठा सकते हैं। याद रखें ये सिद्धांत तभी काम करते हैं, जब इन पर अमल किया जाए। इसके अलावा कोई दूसरा उपाय नहीं है।

6. बर्नार्ड शॉ ने एक बार कहा था, "अगर आप किसी को कुछ सिखाना चाहेंगे तो वह कभी नहीं सीखेगा।" शॉ ने सच कहा था। सीखना एक सक्रिय भागीदारी है। हम करते-करते ही सीखते हैं। अगर आप इस पुस्तक के सिद्धांतों पर अमल करने की इच्छा रखते हैं, तो अपने जीवन में उनका प्रयोग करें। हर मौक़े पर इन नियमों पर अमल करें। अगर आप ऐसा नहीं करेंगे, तो आप इन्हें भूल जाएँगे। दिमाग़ में केवल वही विचार स्थायी तौर पर रहते हैं, जिनका प्रयोग हम लंबे समय तक करते हैं।

शायद आपके लिए इन सुझावों पर हमेशा अमल करना कठिन हो। मैं यह समझ सकता हूँ। मैंने यह पुस्तक लिखी है, फिर भी अपने ही सिखाए हुए सिद्धांतों पर अमल करना मेरे लिए अक्सर मुश्किल होता है। उदाहरण के तौर पर, जब आप ग़ुस्सा होते हैं तो दूसरे के नज़रिए को समझने की कोशिश करना कठिन होता है और उसकी बुराई या आलोचना करना सरल होता है। ग़लती निकालना तारीफ़ ढूँढ़ने से हमेशा आसान होता है। अपनी मनपसंद चीज़ के बारे में बात करना दूसरे की मनपसंद चीज़ के बारे में बात करने से हमेशा आसान होता है। तो जब आप यह पुस्तक पढ़ें तो यह याद रखें कि आप केवल जानकारी हासिल करने की कोशिश नहीं कर रहे हैं। आप नई आदतें डालने की कोशिश कर रहे हैं। और हाँ, आप नई जीवनशैली के लिए प्रयास कर रहे हैं। इसमें समय की आवश्यकता होती है और लगन की भी और दैनिक अभ्यास की भी।

इन पन्नों को अक्सर पढ़ें। ऐसा समझें कि यह मानवीय संबंधों पर एक वर्किंग हैंडबुक है। जब भी आपके सामने कोई भावनात्मक समस्या आए - जैसे बच्चे को डाँटते समय, अपनी पत्नी

को मनाते समय या नाराज़ ग्राहक से बात करते समय – तो अपनी भावनाओं पर क़ाबू रखें। भावनाएँ हमें अक्सर ग़लत रास्ते पर ले जाती हैं। इसके बजाय इस किताब के जादुई सिद्धांतों का इस्तेमाल करें, उन वाक्यांशों को पढ़ें जिन पर आपने निशान लगाए हैं। अगर आप ईमानदारी से इन सिद्धांतों को अपने जीवन में उतारते हैं, तो आप देखेंगे कि इन सिद्धांतों ने आपकी क़िस्मत बदल दी है, जादू कर दिया है।

7. अपनी पत्नी, बच्चे या किसी बिज़नेस सहयोगी के सामने यह प्रस्ताव रखें कि जब भी वह आपको किसी निश्चित सिद्धांत का उल्लंघन करते देखेगा और आपको बताएगा तो आप उसे एक रुपया देंगे। इस खेल से आप नियमों को जल्दी और स्थायी तौर पर सीख पाएँगे।

8. वॉल स्ट्रीट में स्थित एक महत्वपूर्ण बैंक के प्रेसिडेंट ने हमारी क्लास में यह बताया था कि वे आत्म-सुधार के एक अचूक सिस्टम को काम में लाते हैं। यह व्यक्ति ज़्यादा शिक्षित नहीं था, परंतु वह अमेरिका के सर्वाधिक महत्वपूर्ण फ़ायनैंसर्स में से एक था। उन्होंने यह स्वीकार किया कि उनकी सफलता का रहस्य था इस अचूक सिस्टम पर लगातार अमल करना। उनका अचूक सिस्टम यह था। मैं अपनी याददाश्त के आधार पर उनके सिस्टम को उन्हीं के शब्दों में बयान करना चाहूँगा।

"वर्षों से मैं एक अपॉइंटमेंट बुक रख रहा हूँ जो मुझे बताती है कि किस दिन मेरे क्या-क्या अपॉइंटमेंट हैं। मेरा परिवार शनिवार की रात को मेरे लिए कभी कोई योजना नहीं बनाता। मेरे परिवार के लोग जानते हैं कि हर शनिवार की शाम को मैं आत्मविश्लेषण करता हूँ, आत्मचिंतन करता हूँ। डिनर के बाद मैं अकेला बैठकर अपनी अपॉइंटमेंट बुक निकालता हूँ और हफ़्ते भर के इंटरव्यू, चर्चाओं और मीटिंगों को याद करता हूँ। मैं ख़ुद से पूछता हूँ :

" 'मैंने इस सप्ताह क्या ग़लतियाँ कीं ?'

" 'मैंने क्या सही काम किए– और मैं किस तरह अपने प्रदर्शन

को और अधिक सुधार सकता था?'

"'मैं इस अनुभव से क्या सबक़ सीख सकता हूँ?'

"अक्सर होता यह था कि इस साप्ताहिक आत्मचिंतन से मुझे अपनी ग़लतियों पर बहुत दुख होता था। मुझे हैरत होती थी कि मैंने कितनी बड़ी ग़लतियाँ की हैं। समय के साथ-साथ मेरी ग़लतियाँ कम होती गईं। और अब तो मैं कभी-कभार आत्मचिंतन के बाद अपनी पीठ भी ठोक लेता हूँ। इस आत्मचिंतन और आत्मविश्लेषण के सिस्टम ने मुझे जितनी सफलता दिलाई है, उतनी किसी और चीज़ ने नहीं दिलाई।

"इससे निर्णय लेने की मेरी योग्यता में भी काफ़ी सुधार हुआ है- और इसने लोगों के साथ मेरे व्यवहार को सुधारने में बहुमूल्य योगदान दिया है। इस सिस्टम की मैं जितनी भी तारीफ़ करूँ, कम है।"

तो आप भी इस पुस्तक में दिए हुए सिद्धांतों के बारे में इसी तरह के सिस्टम का पालन क्यों नहीं करते? अगर आप ऐसा करेंगे, तो आपको दो फ़ायदे होंगे।

पहला तो यह, कि आप ख़ुद को एक ऐसी शैक्षणिक प्रक्रिया में पाएँगे जो दिलचस्प भी है और अनमोल भी।

दूसरा, लोगों से मिलने-जुलने और उनसे व्यवहार करने की आपकी कला बहुत तेज़ी से विकसित होगी।

९. इस पुस्तक के अंत में आपको ख़ाली पन्ने मिलेंगे जिनमें आपको इसके सिद्धांतों पर अमल के बारे में, उनसे हासिल सफलताओं के बारे में लिखना है। स्पष्ट और विस्तार से लिखें। नाम, तारीख़ और परिणाम का उल्लेख करें। इस तरह का रिकॉर्ड रखने से आपको अधिक प्रयास करने की प्रेरणा मिलेगी। कुछ साल बाद जब आप किसी शाम को इस रिकॉर्ड को देखेंगे तो आपको कितनी रोमांचक अनुभूति होगी।

इस पुस्तक से अधिकतम लाभ लेने के लिए आपको मानवीय संबंधों के सिद्धांतों को सीखने की प्रबल और गहरी इच्छा विकसित

करनी होगी। अगले अध्याय को पढ़ने से पहले हर अध्याय को दुबारा पढ़ना होगा। पढ़ते समय अक्सर थोड़ा ठहरकर ख़ुद से यह पूछना होगा कि आप हर सुझाव को अपने जीवन में कैसे उतार सकते हैं। हर महत्वपूर्ण विचार को अंडरलाइन करना होगा। हर महीने इस पुस्तक को दुबारा पढ़ना होगा। हर अवसर पर इन सिद्धांतों पर अमल करना होगा। इस पुस्तक का प्रयोग आप वर्किंग हैंडबुक की तरह करें जिसमें आपकी रोज़मर्रा की समस्याओं को सुलझाने का व्यावहारिक तरीक़ा सिखाया गया है।

अपने दोस्त से वादा करें कि अगर वह आपको किसी भी सिद्धांत का उल्लंघन करते हुए पकड़ लेगा तो आप उसे पाँच रुपए देंगे और इस तरह खेल-खेल में आत्म-सुधार की राह पर चलें। आपको हर सप्ताह अपनी प्रगति का मूल्यांकन करना होगा। साथ ही ख़ुद से पूछना होगा कि आपने क्या ग़लतियाँ की हैं, आपमें क्या सुधार हुआ है और भविष्य के लिए आपने क्या सबक़ सीखे हैं।

इस पुस्तक के पीछे अपने नोट्स लिखें जिनमें यह दर्ज हो कि आपने इन सिद्धांतों को कब और कैसे लागू किया।

खंड एक

लोगों को प्रभावित करने के मूलभूत तरीक़े

1

"अगर शहद इकट्ठा करना हो, तो मधुमक्खी के छत्ते पर लात न मारें"

7 मई, 1931 को न्यूयॉर्क शहर में एक ज़बर्दस्त मुठभेड़ चल रही थी। मुठभेड़ अपने अंतिम रोमांचक चरण में थी। हफ़्तों तक पीछा करने के बाद पुलिस ने आख़िरकार "दुनाली बंदूक" के नाम से मशहूर हत्यारे क्रॉले को घेर लिया था। वह हत्यारा जो न सिगरेट पीता था, न ही शराब अब चारों तरफ़ से घिरा हुआ था और वेस्ट एंड एवेन्यू में अपनी प्रेमिका के घर में छुपा हुआ था।

डेढ़ सौ पुलिस वाले और जासूस ज़मीन से लेकर छत तक चारों तरफ़ से उसे घेरे हुए थे। वह ऊपरी मंज़िल पर छुपा था। पुलिस वालों ने छत में छेद करके टियरगैस का इस्तेमाल करके इस "पुलिस वालों के नामी हत्यारे" को निकालना चाहा। उन्होंने आस-पास की इमारतों पर मशीनगनें तैनात कर दीं। एक घंटे से भी ज़्यादा समय तक न्यूयॉर्क के इस रहवासी इलाक़े में पिस्तौल और मशीनगन से गोलियाँ चलती रहीं। क्रॉले एक कुर्सी के पीछे छुपकर पुलिस पर लगातार गोलियाँ चला रहा था। दस हज़ार से अधिक रोमांचित लोग इस रोमांचक मुठभेड़ को देख रहे थे। इस तरह का नज़ारा न्यूयॉर्क में पहले कभी नहीं देखा गया था।

जब क्रॉले को पकड़ा गया तो पुलिस कमिश्नर ई. पी. मल्रूनी ने कहा कि वह न्यूयॉर्क के इतिहास में अब तक के सबसे ख़तरनाक अपराधियों में से एक था। कमिश्नर का कहना था, "वह पंख

फड़फड़ाने की आवाज़ पर ही किसी को मौत के घाट उतार देता था।"

परंतु "दुनाली बंदूक" क्रॉले ख़ुद को क्या समझता था? हम यह जानते हैं, क्योंकि जिस समय पुलिस उस पर गोलियाँ चला रही थी, उसने एक पत्र लिखा था। जब वह यह पत्र लिख रहा था, तो उसके घावों से बहते ख़ून के निशान इस पत्र पर छूट गए। इस पत्र में क्रॉले ने कहा था, "मेरे कोट के नीचे एक दुखी परंतु दयालु दिल है- एक ऐसा दिल जो किसी को नुक़सान नहीं पहुँचाना चाहता।"

यह लिखने के कुछ समय पहले की बात है। क्रॉले लाँग आइलैंड पर देहात की सूनी सड़क पर अपनी गर्लफ्रैंड के साथ रंगरेलियाँ मना रहा था। अचानक एक पुलिस वाला कार के पास आया और उसने क्रॉले से लाइसेंस दिखाने के लिए कहा।

बिना कुछ कहे क्रॉले ने अपनी रिवॉल्वर निकाली और उसने पुलिस वाले के सीने में एक के बाद एक गोलियाँ उतार दीं। जब पुलिस अफ़सर ज़मीन पर गिर गया, तो क्रॉले कार से नीचे कूदा, उसने अफ़सर का रिवॉल्वर निकाला और मर चुके पुलिस वाले के शरीर में एक और गोली मारी। और यही निर्मम हत्यारा अब कह रहा था : "मेरे इस कोट के नीचे एक दुखी परंतु दयालु दिल है- एक ऐसा दिल जो किसी को नुक़सान नहीं पहुँचाना चाहता।"

क्रॉले को मौत की सज़ा सुनाई गई। जब उसे सिंग सिंग जेल में मृत्युदंड के लिए ले जाया जा रहा था तो क्या उसने यह कहा, "यह लोगों को मारने की सज़ा है?" नहीं, उसने कहा, "यह ख़ुद को बचाने की सज़ा है।"

इस कहानी का संदेश यह है : "दुनाली बंदूक" क्रॉले ख़ुद को किसी बात के लिए दोष नहीं देता था।

क्या यह अपराधियों में असामान्य बात है? अगर आपको ऐसा लगता है, तो यह सुनें :

"मैंने लोगों का भला करने में अपने जीवन के बेहतरीन साल लगा दिए ताकि वे सुख से रह सकें और इसके बदले में मुझे गालियाँ

सुनने को मिलती हैं और पुलिस से छुपे-छुपे फिरना पड़ता है।"

यह वाक्य अल केपोन के हैं जो अमेरिका का सबसे कुख्यात बदमाश था। शिकागो में उस जैसा ख़तरनाक गैंग लीडर नहीं था। परंतु अल केपोन ख़ुद को दोषी या अपराधी नहीं मानता था। वह ख़ुद को परोपकारी समझता था- एक ऐसा परोपकारी, जिसे जनता ठीक से समझ नहीं पाई थी।

और यही नेवार्क में गैंग्स्टर की गोलियों से मरने से पहले डच शुल्ट्ज़ ने कहा। न्यूयॉर्क के सबसे कुख्यात अपराधियों में से एक डच शुल्ट्ज़ ने एक अख़बार को दिए इंटरव्यू में कहा कि वह जनता की भलाई करता है। और उसे इस बात का पूरा यक़ीन था।

मैंने इस विषय पर न्यूयॉर्क की बदनाम सिंग सिंग जेल के वॉर्डन लुइस लॉस से लंबा पत्र-व्यवहार किया है। वे कहते हैं, "सिंग सिंग जेल के बहुत कम अपराधी अपने आपको बुरा समझते हैं। वे उसी तरह इंसान हैं जैसे कि आप और मैं। इसलिए वे तर्क देते हैं, ख़ुद को सही साबित करते हैं। वे आपको यह बता सकते हैं कि उन्हें तिजोरी क्यों तोड़नी पड़ी या उन्हें गोली क्यों चलानी पड़ी। सही या ग़लत तर्कों के द्वारा अधिकांश अपराधी अपने अपराधों को सही ठहराने की कोशिश करते हैं और यह मानते हैं कि उन्हें सज़ा नहीं मिलनी चाहिए थी।"

अगर अल केपोन, "दुनाली बंदूक" क्रॉले, डच शुल्ट्ज़ और जेल की दीवारों में क़ैद कुख्यात अपराधी अपने आपको दोषी नहीं मानते- तो वे लोग क्या करते हैं जिनसे आप और हम मिलते हैं?

अमेरिकी स्टोर्स की चेन के संस्थापक जॉन वानामेकर ने यह स्वीकार किया था, "तीस साल पहले मैंने समझ लिया था कि किसी को दोष देना मूर्खता है। मेरे पास अपनी ख़ुद की सीमाओं को ही पार करने की मुसीबत काफ़ी है और मैं इस बात पर सिर नहीं धुनता कि ईश्वर ने बुद्धि का उपहार सबको एक जैसा नहीं दिया है।"

वानामेकर ने यह सबक़ जल्दी सीख लिया, परंतु मुझे यह सबक़ सीखने में तैंतीस साल लगे जिस दौरान मुझसे ढेरों ग़लतियाँ

हुईं। और तब जाकर मैं यह समझ पाया कि सौ में से निन्यानवे लोग किसी भी बात के लिए अपने आपको दोष नहीं देते। चाहे वे कितने ही ग़लत हों, परंतु वे अपनी आलोचना नहीं करते, अपनी ग़लती नहीं मानते।

किसी की आलोचना करने का कोई फ़ायदा नहीं होता, क्योंकि इससे सामने वाला व्यक्ति अपना बचाव करने लगता है, बहाने बनाने लगता है या तर्क देने लगता है। आलोचना ख़तरनाक भी है क्योंकि इससे उस व्यक्ति का बहुमूल्य आत्मसम्मान आहत होता है, उसके दिल को ठेस पहुँचती है और वह आपके प्रति दुर्भावना रखने लगता है।

विश्वप्रसिद्ध मनोवैज्ञानिक बी. एफ़. स्किनर ने अपने प्रयोगों से यह सिद्ध कर दिया है कि जिस जानवर को अच्छे व्यवहार के लिए पुरस्कार दिया जाता है वह उस जानवर से ज़्यादा तेज़ी से सीखता है जिसे ख़राब व्यवहार के लिए दंड दिया जाता है। बाद में हुए अध्ययनों से यह पता चला कि यही इंसानों के बारे में भी सही है। आलोचना से कोई सुधरता नहीं है, अलबत्ता संबंध ज़रूर बिगड़ जाते हैं।

एक और महान मनोवैज्ञानिक हैंस सेल्ये ने कहा है, "जितने हम सराहना के भूखे होते हैं, उतने ही हम निंदा से डरते हैं।"

आलोचना या निंदा से कर्मचारियों, परिवार के सदस्यों और दोस्तों का मनोबल कम हो जाता है और उस स्थिति में कोई सुधार नहीं होता, जिसके लिए आलोचना की जाती है।

एनिड, ओक्लाहामा के जॉर्ज बी. जॉन्स्टन एक इंजीनियरिंग कंपनी में सुरक्षा प्रभारी थे। उनकी एक ज़िम्मेदारी यह थी कि जब भी कर्मचारी फ़ील्ड में अपना काम कर रहे हों, तो कर्मचारी अपने हेलमेट लगाए रखें। पहले तो वे जब भी किसी कर्मचारी को बिना हेलमेट लगाए देखते थे, तो उन्हें बर्दाश्त नहीं होता था। वे नियमों का हवाला देते हुए उसे सख़्त आदेश देते थे कि वह नियमों का पालन करे। परिणाम यह होता था कि कर्मचारी मन मारकर उसके

आदेश का पालन तो करते थे, परंतु अक्सर उसके जाने के बाद अपने हेलमेट फिर से हटा देते थे।

उसने दूसरी तरकीब आज़माने का फ़ैसला किया। अगली बार जब उसने कुछ कर्मचारियों को बिना हेलमेट के देखा तो उसने उनसे पूछा कि क्या हेलमेट आरामदेह नहीं हैं या उनकी फ़िटिंग सही नहीं है। फिर मुस्कराते हुए उसने उन लोगों को यह बताया कि हेलमेट उन्हें चोट से बचाने के लिए हैं और इसलिए काम करते समय उन्हें अपनी सुरक्षा के लिए हेलमेट पहनना चाहिए। इसका परिणाम यह हुआ कि कर्मचारियों ने अपनी इच्छा से हेलमेट पहनना शुरू कर दिया और कोई दुर्भावना भी पैदा नहीं हुई।

इतिहास में आपको हज़ारों उदाहरण मिल जाएँगे जो बताते हैं कि आलोचना से कोई लाभ नहीं होता। उदाहरण के तौर पर आप थियोडोर रूज़वेल्ट और राष्ट्रपति टैफ़्ट के विवाद को लें, एक ऐसा विवाद जिसने रिपब्लिकन पार्टी में विभाजन करवा दिया, वुडरो विल्सन को व्हाइट हाउस में बिठा दिया और प्रथम विश्वयुद्ध में बड़े चमकदार अक्षरों में कुछ लाइनें दर्ज करवा दीं और इतिहास का रुख़ बदल दिया। जब रूज़वेल्ट 1908 में व्हाइट हाउस से बाहर गए तो उन्होंने टैफ़्ट का समर्थन किया, जो राष्ट्रपति चुन लिए गए। फिर रूज़वेल्ट शेरों का शिकार करने अफ़्रीका चले गए। लौटने पर उन्होंने जब हालात देखे तो वे बरस पड़े। उन्होंने अनुदारवाद के लिए टैफ़्ट की आलोचना करनी शुरू कर दी और तीसरी बार ख़ुद राष्ट्रपति बनने की कोशिश की। उन्होंने बुल मूस पार्टी का गठन किया और जी.ओ.पी. को लगभग ध्वस्त कर दिया। अगले चुनाव में विलियम हॉवर्ड टैफ़्ट और उनकी रिपब्लिकन पार्टी की बुरी तरह हार हुई और उसे केवल दो राज्यों वरमॉन्ट और ऊटा में ही सफलता मिली। इस पार्टी की अब तक की यह सबसे शर्मनाक पराजय थी।

इस हार के लिए रूज़वेल्ट ने टैफ़्ट को दोषी ठहराया, परंतु क्या राष्ट्रपति टैफ़्ट ने ख़ुद को दोषी माना। बिलकुल नहीं। आँखों में आँसू भरकर, रुँधे गले से टैफ़्ट ने कहा : "मैंने जो किया, उसके सिवाय मैं कर ही क्या सकता था?"

दोष किसका था? रूज़वेल्ट का या टैफ़्ट का? सच कहूँ तो मैं नहीं जानता और न ही मुझे इसकी परवाह है। मैं सिर्फ़ यह बताना चाहता हूँ कि रूज़वेल्ट की आलोचना टैफ़्ट से यह नहीं मनवा सकी कि दोष उनका था। इससे सिर्फ़ यही हासिल हुआ कि टैफ़्ट ख़ुद के बचाव में तर्क देने लगे और आँखों में आँसू भरकर उन्होंने कहा : "मैंने जो किया, उसके सिवाय मैं कर ही क्या सकता था?"

टीपॉट डोम ऑइल स्कैंडल को ही लें। 1920 के दशक की शुरुआत में यह अख़बारों की सुर्ख़ियों में था। इसने देश को हिलाकर रख दिया। लोगों की याददाश्त में अमेरिकी सार्वजनिक जीवन में इतना बड़ा स्कैंडल पहले कभी नहीं हुआ था। यहाँ पर इस स्कैंडल के तथ्य बताये जा रहे हैं : हार्डिंग के कैबिनेट में मंत्री अल्बर्ट बी. फ़ॉल को एल्क हिल और टीपॉट डोम में तेल के सरकारी भंडारों को लीज़ पर देना था- ऐसे तेल के भंडार, जिन्हें नौसेना के भविष्य के उपयोग के लिए अलग रख दिया गया था। क्या फ़ॉल ने इनकी नीलामी की या इनके लिए टेंडर बुलवाए? नहीं। इसके बजाय उन्होंने अपने दोस्त एडवर्ड एल. डोहेनी को यह फ़ायदेमंद ठेका तश्तरी में रखकर दे दिया। और डोहेनी ने क्या किया? उसने तत्काल फ़ॉल को दस लाख डॉलर दे दिए और इसे "लोन" का नाम दिया। फिर फ़ॉल ने जिले की युनाइटेड स्टेट्स मरीन्स को यह आदेश दिया कि वे एल्क हिल भंडारों से रिसने वाले तेल का फ़ायदा उठा रहे प्रतियोगियों को उस जगह से हटा दे। जब प्रतियोगी कंपनियों को बंदूकों और संगीनों की नोंक पर वहाँ से हटाया गया तो उन्होंने दुखी होकर अदालत की शरण ली- तब जाकर टीपॉट डोम स्कैंडल का भंडाफोड़ हुआ। इससे इतना हंगामा हुआ कि हार्डिंग सरकार ख़तरे में पड़ गई, पूरा देश काँप गया, रिपब्लिकन पार्टी का भविष्य अंधकारमय नज़र आने लगा और अल्बर्ट बी. फ़ॉल को जेल जाना पड़ा।

फ़ॉल की हर जगह निंदा हुई। इतनी निंदा सार्वजनिक जीवन में बहुत कम लोगों को सहनी पड़ी थी। परंतु क्या उन्हें कोई पश्चाताप हुआ? कभी नहीं! सालों बाद हरबर्ट हूवर ने एक सामाजिक भाषण में यह कहा कि प्रेसिडेंट हार्डिंग की मौत किसी

दोस्त के विश्वासघात के कारण मानसिक आघात पहुँचने से हुई। जब मिसेज़ फ़ॉल ने यह सुना तो वे अपनी कुर्सी से कूद पड़ीं। रोते हुए अपनी मुट्ठी आसमान की ओर तानते हुए वे चीख़ीं, "क्या! हार्डिंग के साथ फ़ॉल विश्वासघात करेंगे? असंभव! मेरे पति ने कभी किसी के साथ विश्वासघात नहीं किया। सोने से भरा यह घर भी मेरे पति से कोई ग़लत काम नहीं करवा सकता। उल्टे उन्हीं के साथ विश्वासघात किया गया है और उन्हें बलि का बकरा बनाकर सूली पर चढ़ाया गया है।"

* * *

तो यही होता है। यही मानव स्वभाव है। हर ग़लत काम करने वाला अपनी ग़लती के लिए दूसरों को दोष देता है, परिस्थितियों को दोष देता है, परंतु ख़ुद को दोष नहीं देता। हम सब यही करते हैं। इसलिए अगली बार जब हमारी इच्छा किसी की आलोचना करने की हो, तो हम अल केपोन, "दुनाली बंदूक" क्रॉले और अल्बर्ट हॉल को याद रखें। हमें यह एहसास होना चाहिए कि आलोचना बूमरैंग की तरह होती है। यह लौटकर हमारे ही पास आ जाती है, यानी बदले में वह व्यक्ति हमारी आलोचना करना शुरू कर देता है। हमें यह एहसास भी होना चाहिए कि जिस व्यक्ति की हम आलोचना कर रहे हैं या हम जिसे सुधारने की कोशिश कर रहे हैं वह जवाब में ख़ुद की सफ़ाई में कुछ तर्क देगा या फिर विनम्र टैफ़्ट की तरह यही कहेगा : "मैंने जो किया, उसके सिवाय मैं कर ही क्या सकता था?"

15 अप्रैल, 1865 की सुबह अब्राहम लिंकन का पार्थिव शरीर एक सस्ते लॉजिंग हाउस के हॉल में रखा हुआ था। यह हॉल फ़ोर्ड थिएटर के सामने था जहाँ जॉन विल्कीस बूथ ने उन्हें गोली मारी थी। लिंकन का लंबा शरीर एक बिस्तर पर रखा था जो उनके शरीर के हिसाब से काफ़ी छोटा था। रोज़ा बॉन्हर की प्रसिद्ध पेंटिंग *द हॉर्स फ़ेयर* की सस्ती नक़ल बिस्तर के ऊपर टँगी हुई थी और एक गैस बत्ती पीली रोशनी फेंक रही थी।

लिंकन के पार्थिव शरीर के सामने खड़े रक्षा मंत्री स्टैंटन ने

कहा, "लोगों के दिल जीतने वाला सर्वश्रेष्ठ शासक अब दुनिया में नहीं रहा।"

लिंकन लोगों का दिल किस तरह जीत लेते थे, उनकी सफलता का राज़ क्या था? मैंने दस साल तक लिंकन की बहुत सी जीवनियाँ पढ़ी हैं और एक पुस्तक *लिंकन द अननोन* लिखने में पूरे तीन साल लगाए हैं। मेरा विश्वास है कि मैंने लिंकन के व्यक्तित्व और उनके घरेलू जीवन का जितना विस्तृत अध्ययन किया है, उतना शायद ही किसी ने किया होगा। मैंने लोगों के साथ व्यवहार करने की लिंकन की कला का भी विशेष अध्ययन किया। क्या लिंकन आलोचना करते थे? हाँ। इंडियाना की पिजन क्रीक वैली में अपनी जवानी के दिनों में वे न सिर्फ़ लोगों की आलोचना करते थे, बल्कि पत्रों और कविताओं में लोगों का मखौल उड़ाते हुए उन्हें छपवाते भी थे। एक बार ऐसे ही एक पत्र ने नफ़रत की ऐसी आग भड़का दी जो जीवन भर जलती रही।

जब लिंकन इलिनॉय में वकील के रूप में प्रैक्टिस करते थे, तब भी वे खुलेआम अपने विरोधियों पर आक्रमण करते हुए पत्र लिखते थे और उन्हें अख़बारों में छपवाते थे। परंतु एक बार बात कुछ ज़्यादा ही बढ़ गई।

1842 में लिंकन ने जेम्स शील्ड्स नाम के दंभी और नकचढ़े राजनेता पर व्यंग्य लिखा। लिंकन ने एक ग़ुमनाम पत्र के माध्यम से यह व्यंग्य भेजा, जो *स्प्रिंगफ़ील्ड जर्नल* में छपा। पूरा शहर शील्ड्स पर हँस रहा था। संवेदनशील और दंभी शील्ड्स आग-बबूला हो गया। उसने पता लगा लिया कि पत्र किसने लिखा था। वह अपने घोड़े पर चढ़ा और उसने लिंकन को ढूँढ़कर उनके सामने द्वंद्वयुद्ध का प्रस्ताव रख दिया। लिंकन द्वंद्वयुद्ध नहीं करना चाहते थे, परंतु उनके पास बिना सम्मान खोए इससे बचने का रास्ता भी नहीं था। उन्हें हथियारों का विकल्प दिया गया। चूँकि उनकी बाँहें लंबी थीं, इसलिए उन्होंने तलवारबाज़ी को चुना। उन्होंने एक वेस्ट पॉइंट ग्रैजुएट से तलवारबाज़ी का प्रशिक्षण भी लिया। जिस दिन द्वंद्वयुद्ध होना था, उस दिन वे और शील्ड मिसिसिपी नदी के किनारे मिले

और उनमें से एक की मृत्यु तय थी। परंतु आख़िरी मिनट में साथियों के बीच-बचाव के कारण द्वंद्वयुद्ध टल गया।

लिंकन के जीवन की यह सबसे विकट घटना थी। इसने उन्हें लोगों के साथ व्यवहार करने की कला का एक अनमोल सबक़ सिखा दिया। इसके बाद उन्होंने फिर कभी किसी को अपमानजनक पत्र नहीं लिखा। इसके बाद उन्होंने फिर कभी किसी का मखौल नहीं उड़ाया। इसके बाद उन्होंने फिर कभी किसी बात के लिए किसी की आलोचना नहीं की।

गृहयुद्ध के दौरान लिंकन पोटोमैक की सेना के लिए एक के बाद एक नए जनरल को नियुक्त करते रहे और हर जनरल – मैक्लेलन, पोप, बर्नसाइड, हुकर, मीड – ने इतनी बड़ी ग़लतियाँ कीं कि लिंकन हताशा में फ़र्श पर इधर से उधर चक्कर काटते रहे। आधा देश इन अयोग्य सेनापतियों को लानतें भेज रहा था, परंतु लिंकन "जिनके हृदय में किसी के लिए दुर्भावना नहीं थी, बल्कि सबके लिए सद्भावना थी", शांत रहे। उनका प्रिय कोटेशन था, "किसी की आलोचना मत करो, ताकि आपकी भी आलोचना न हो।"

जब मिसेज़ लिंकन और दूसरे लोग दक्षिणी प्रांतों के लोगों की आलोचना करते थे तो लिंकन जवाब देते थे, "उनकी आलोचना मत करो; अगर हम उन परिस्थितियों में होते तो हम भी वैसे ही होते।"

परंतु अगर किसी व्यक्ति के पास आलोचना के अवसर थे, तो निश्चित रूप से वह व्यक्ति लिंकन थे। हम सिर्फ़ एक उदाहरण से यह समझ सकते हैं :

गेटिसबर्ग का युद्ध जुलाई, 1863 के पहले तीन दिनों में लड़ा गया था। 4 जुलाई की रात को जनरल ली दक्षिण दिशा में पीछे हटने लगा। तूफ़ानी बादलों के कारण हुई तेज़ बारिश से बाढ़ आ गई। जब ली अपनी पराजित सेना के साथ पोटोमैक पहुँचा तो उसने देखा कि उसके सामने बाढ़ से उफनती नदी है जिसे पार करना संभव नहीं है और उसके पीछे विजेता यूनियन आर्मी है। ली बुरी तरह फँस चुका था। उसके पास बचने का कोई रास्ता नहीं था। लिंकन यह

बात समझ गए। यह ईश्वर की कृपा से मिला एक सुनहरा मौक़ा था- ली की सेना को हराने का अवसर जिससे युद्ध तत्काल समाप्त हो जाता। इसलिए दिल में आशा का सैलाब लिए हुए लिंकन ने जनरल मीड को आदेश दिया कि वे युद्ध के बारे में कोई मीटिंग न करें बल्कि तत्काल ली पर हमला कर दें। लिंकन ने अपने आदेशों को टेलीग्राफ़ कर दिया और फिर एक विशेष संदेशवाहक को मीड के पास भेजकर तत्काल कार्यवाही करने को कहा।

और जनरल मीड ने क्या किया? उसे जो आदेश मिले थे, उसने उनके ठीक विपरीत काम किया। लिंकन के मना करने के बावजूद उसने सैन्य सभा की मीटिंग बुलाई। वह हमला करने में झिझका। उसने टालमटोल की। उसने सब तरह के बहाने बनाकर उन्हें टेलीग्राफ़ किया। उसने ली पर हमला करने से साफ़ इंकार कर दिया। आख़िरकार बाढ़ का पानी उतर गया और ली अपनी सेना के साथ नदी पार करके सुरक्षित निकल गया।

लिंकन ग़ुस्से से पागल हो गए। "इसका क्या मतलब है?" लिंकन अपने पुत्र के सामने चीख़ रहे थे। "हे भगवान! इसका क्या मतलब है? कितना सुनहरा मौक़ा था? दुश्मन हमारी गिरफ़्त में था। हमें सिर्फ़ अपने हाथ फैलाकर उसे पकड़ना था और फिर भी हमने उसे अपने हाथों से निकल जाने दिया। मेरे आदेशों के बावजूद मेरी सेना टस से मस नहीं हुई। परिस्थितियाँ ऐसी थीं कि कोई भी जनरल ली को हरा सकता था। अगर मैं वहाँ होता, तो मैंने ख़ुद उसे अपने हाथों से कोड़े लगाए होते।"

घोर निराशा में लिंकन बैठे और उन्होंने मीड को यह पत्र लिखा। और याद रहे, अपने जीवन के इस दौर में लिंकन बेहद संयत थे और उनकी शब्दावली बेहद शालीन और संयमित हुआ करती थी। 1863 में लिंकन का लिखा यह पत्र गंभीरतम आलोचना से कम नहीं था।

"प्रिय जनरल,

"मुझे नहीं लगता कि ली के बच निकलने की गंभीरता से

आप परिचित हैं। वह हमारी मुट्ठी में था और उसे पकड़ लेने से युद्ध समाप्त हो जाता। परंतु अब युद्ध लंबे समय तक चलता रहेगा। जब आप पिछले सोमवार को नदी के इस तरफ़ ली पर हमला नहीं कर सके, तो अब आप ऐसा कैसे कर सकते हैं जब वह नदी के उस पार सुरक्षित निकल गया है और आप अपनी दो तिहाई से ज़्यादा सेना उस पार नहीं ले जा सकते? ऐसी आशा करना निश्चित रूप से अतार्किक है और मुझे नहीं लगता कि आप ज़्यादा कुछ कर पाएँगे। सुनहरा मौक़ा आपके हाथ से निकल चुका है और मुझे इस बात का बेहद अफ़सोस है।"

जनरल मीड को यह पत्र पढ़कर कैसा लगा?

मीड को यह पत्र कभी नहीं मिला। लिंकन ने इसे भेजा ही नहीं। यह पत्र लिंकन की मौत के बाद उनकी फ़ाइलों में मिला।

मेरा अंदाज़ा है और यह सिर्फ़ अंदाज़ा है कि यह पत्र लिखने के बाद लिंकन ने खिड़की से बाहर देखा होगा और ख़ुद से कहा होगा, "एक मिनट। शायद मैं जल्दबाज़ी कर रहा हूँ। व्हाइट हाउस के शांत माहौल में बैठकर मीड पर हमला करने की सलाह देना मेरे लिए आसान है, परंतु अगर मैं गेटिसबर्ग में होता, और अगर मैंने इतना ख़ून-ख़राबा देखा होता जितना मीड ने पिछले हफ़्ते के दौरान देखा है, अगर मेरे कानों में भी घायलों और मरने वालों की चीख़-पुकार गई होती, तो शायद मैं भी हमला करने के लिए तत्पर नहीं होता। अगर मैं मीड की तरह सुरक्षात्मक प्रवृत्ति का होता, तो शायद मैंने भी वही किया होता जो उसने किया था। वैसे भी, अब मौक़ा हाथ से निकल चुका है। अगर मैं यह पत्र भेज दूँगा तो इससे मेरी भड़ास तो निकल जाएगी, पर इससे मीड को बहुत ठेस पहुँचेगी। वह मेरी आलोचना करेगा और ख़ुद को सही साबित करने की कोशिश करेगा। इससे दुर्भावना पैदा होगी, सेनापति के रूप में मीड की उपयोगिता बुरी तरह प्रभावित होगी और इसके बाद वह शायद सेना से इस्तीफ़ा भी दे दे।"

तो जैसा मैं पहले ही कह चुका हूँ, लिंकन ने पत्र को एक तरफ़ रख दिया। कटु अनुभव से वे यह जानते थे कि तीखी आलोचना और डाँट-फटकार हमेशा बेमानी होती है और उनसे कोई लाभ नहीं होता।

प्रसिद्ध लेखक मार्क ट्वेन कभी-कभार अपना आपा खो बैठते थे और ग़ुस्से में इतने गर्म पत्र लिखते थे कि काग़ज़ तक जलने लगता था। उदाहरण के तौर पर, एक बार उन्होंने ग़ुस्से में एक व्यक्ति को लिखा, "आपको तो ज़िंदा दफ़ना दिया जाना चाहिए। अगर आप ऐसा चाहते हैं, तो मुझे बता दें ताकि मैं बाक़ी इंतज़ाम कर दूँ।" एक और मौक़े पर उन्होंने एक संपादक को पत्र लिखकर यह बताया कि उनका प्रूफ़रीडर "मेरी स्पेलिंग और विरामचिन्हों" को सुधारने की कोशिश करता है। ट्वेन ने आदेश दिया : "अगली बार आप मेरे लिखे अनुसार ही छापें और प्रूफ़रीडर से कहें कि वह अपने सुझावों को अपने सड़े हुए दिमाग़ में ही रखे।"

इस तरह के ज़हर बुझे पत्र लिखने से मार्क ट्वेन को राहत मिलती थी। इससे उनके दिल की भड़ास निकल जाती थी और इनसे कोई नुक़सान भी नहीं होता था, क्योंकि मार्क की पत्नी ऐसे पत्रों को चुपके से फाड़ दिया करती थी। उन्हें कभी डाक के डिब्बे में डाला ही नहीं जाता था।

क्या आप किसी ऐसे व्यक्ति को जानते हैं जिसे आप बदलना, सुधारना और बेहतर बनाना चाहते हों ? बहुत बढ़िया! यह बहुत अच्छा विचार है। मैं भी इसके पक्ष में हूँ। परंतु क्यों न ख़ुद से ही शुरुआत की जाए ? विशुद्ध स्वार्थी ढंग से सोचें तो भी दूसरों को सुधारने के बजाय ख़ुद को सुधारना हमारे लिए ज़्यादा फ़ायदेमंद होगा- हाँ, और कम ख़तरनाक भी। कन्फ़्यूशियस ने कहा था, "जब आपके ख़ुद के घर की सीढ़ियाँ ही साफ़ न हों तो अपने पड़ोसी की छत पर पड़ी बर्फ़ के बारे में शिकायत मत करो।"

जब मैं युवा था और लोगों को प्रभावित करने की कोशिश कर रहा था तो मैंने रिचर्ड हार्डिंग डेविस नाम के लेखक को एक

मूर्खतापूर्ण पत्र लिखा। मैं लेखकों के बारे में एक पत्रिका के लिए लेख तैयार कर रहा था और मैंने डेविस से उनके काम करने के तरीक़े के बारे में पूछा। कुछ सप्ताह पहले ही मुझे किसी का ऐसा पत्र मिला था, जिसके नीचे लिखा था, "डिक्टेट किया गया, परंतु पढ़ा नहीं गया।" मैं इस वाक्य से बहुत प्रभावित हुआ। मुझे लगा कि लेखक बहुत बड़ा और व्यस्त और महत्वपूर्ण व्यक्ति होगा तभी उसने ऐसा लिखा। मैं क़तई व्यस्त नहीं था, परंतु मैं रिचर्ड हार्डिंग डेविस पर इम्प्रेशन जमाना चाहता था, इसलिए मैंने अपनी छोटी चिट्ठी के आख़िर में यह शब्द लिख दिए, "डिक्टेट किया गया, परंतु पढ़ा नहीं गया।"

उसने मेरे पत्र का जवाब देने का कष्ट नहीं किया। उसने इस पत्र के आख़िर में एक लाइन लिखकर लौटती डाक से मेरे पास भिजवा दिया : "आपके बैड मैनर्स का कोई जवाब नहीं।" बात सच थी। मैंने ग़लती की थी और शायद मेरी भर्त्सना भी होनी चाहिए थी। परंतु चूँकि मैं इंसान था इसलिए मुझे इस बात का बुरा लगा। मुझे इतनी चोट पहुँची थी कि जब दस साल बाद मैंने रिचर्ड हार्डिंग डेविस की मौत की ख़बर पढ़ी तो मेरे दिमाग़ में एक ही विचार घूम रहा था – और मुझे यह स्वीकार करने में शर्म आती है – वह चोट जो उन्होंने मुझे पहुँचाई थी।

अगर आप और मैं कल किसी के मन में अपने लिए विद्वेष पैदा करना चाहते हों, जो दशकों तक पलता रहे और मौत के बाद भी बना रहे, तो हमें और कुछ नहीं करना है सिर्फ़ चुनिंदा शब्दों में चुभती हुई आलोचना करनी है – इस बात से कोई फ़र्क़ नहीं पड़ता कि हमारी आलोचना कितनी सही या जायज़ है।

लोगों के साथ व्यवहार करते समय हमें यह ध्यान रखना चाहिए कि हम तार्किक लोगों से व्यवहार नहीं कर रहे हैं। हम भावनात्मक लोगों से व्यवहार कर रहे हैं जिनमें पूर्वाग्रह भी हैं, ख़ामियाँ भी हैं; गर्व और अहंकार भी है।

कटु आलोचना के कारण ही थॉमस हार्डी जैसे अँग्रेज़ी साहित्य

के महान उपन्यासकार ने उपन्यास लिखना हमेशा के लिए छोड़ दिया। आलोचना के कारण ही अँग्रेज़ कवि थॉमस चैटरटन ने आत्महत्या कर ली।

बैंजामिन फ्रैंकलिन जो अपनी युवावस्था में अभद्र थे, आगे चलकर इतने कूटनीतिक बन गए, लोगों के साथ व्यवहार करने में इतने कुशल हो गए कि उन्हें फ्रांस में राजदूत के रूप में भेजा गया। उनकी सफलता का राज़ क्या था? "मैं किसी के बारे में बुरा नहीं बोलूँगा," उनका कहना था, "... और हर एक के बारे में अच्छा ही बोलूँगा।"

कोई भी मूर्ख बुराई कर सकता है, निंदा कर सकता है, शिकायत कर सकता है- और ज़्यादातर मूर्ख यही करते हैं।

परंतु समझने और माफ़ करने के लिए आपको समझदार और संयमी होना पड़ता है।

कार्लायल ने कहा था, "महान व्यक्ति छोटे लोगों के साथ व्यवहार करने में अपनी महानता दिखाते हैं।"

बॉब हूवर एक प्रसिद्ध टेस्ट पायलट थे जो एयर शो में अक्सर प्रदर्शन किया करते थे। एक बार वे सैन डिएगो से एयर शो में हिस्सा लेने के बाद लॉस एंजेलिस में अपने घर की तरफ़ लौट रहे थे। जैसा फ़्लाइट ऑपरेशन्स पत्रिका में वर्णन किया गया है, हवा में तीन सौ फ़ुट की ऊँचाई पर दोनों इंजन अचानक बंद हो गए। कुशल तकनीक से उन्होंने हवाई जहाज़ उतार लिया और हालाँकि इस प्रक्रिया में हवाई जहाज़ को तो काफ़ी नुक़सान पहुँचा परंतु किसी को चोट नहीं आई।

इस घटना के बाद हूवर ने सबसे पहले हवाई जहाज़ के ईंधन की जाँच की। जैसी उन्हें शंका थी, उनके द्वितीय विश्वयुद्ध वाले प्रोपेलर जहाज़ में गैसोलीन की जगह जेट का ईंधन डाल दिया गया था।

हवाई अड्डे लौटने के बाद उन्होंने उस मैकेनिक के बारे में पूछा जिसने उनके हवाई जहाज़ की सर्विसिंग की थी। युवा मैकेनिक

अपनी गंभीर ग़लती पर बुरी तरह शर्मिंदा था। जब हूवर उसके पास पहुँचे तो उसके चेहरे पर आँसू बह रहे थे। उसकी ग़लती की वजह से एक बहुत महँगा हवाई जहाज़ नष्ट हो गया था, और तीन ज़िंदगियाँ भी जा सकती थीं।

आप हूवर के ग़ुस्से का अनुमान लगा सकते हैं? इस लापरवाही के लिए यह कुशल और स्वाभिमानी पायलट कितनी कड़ी फटकार लगा सकता था। परंतु हूवर ने मैकेनिक को फटकार नहीं लगाई, उन्होंने उसकी आलोचना भी नहीं की। इसके बजाय, उन्होंने अपनी बाँह को उसके कंधे पर रखकर कहा, "तुम्हें यह बताने के लिए कि मुझे तुम पर पूरा भरोसा है और अब तुम दुबारा ऐसा नहीं करोगे, मैं चाहता हूँ कि तुम कल मेरे एफ़-51 हवाई जहाज़ की सर्विसिंग करो।"

ज़्यादातर माँ-बाप अपने बच्चों की आलोचना करते हैं। आप सोच रहे होंगे कि मैं आपको ऐसा करने से रोकूँगा। नहीं, मैं ऐसा नहीं करूँगा। मैं सिर्फ़ यह कहना चाहता हूँ, "इसके पहले कि आप उनकी आलोचना करें, अमेरिकी पत्रकारिता के एक क्लासिक लेख 'फ़ादर फ़ॉरगेट्स' को पढ़ लें।" यह लेख पहली बार *पीपुल्स होम जर्नल* के संपादकीय के रूप में छपा था। हम इस लेख को लेखक की अनुमति से छाप रहे हैं। *रीडर्स डाइजेस्ट* में इसका संक्षिप्त रूपांतरण इस तरह प्रकाशित हुआ था :

"फ़ादर फ़ॉरगेट्स" उन छोटे लेखों में से एक है - जो गहन अनुभूति के किसी क्षण में लिखे जाते हैं - जो पाठकों के दिल को छू जाते हैं। अब यह लेख लगातार पुनर्प्रकाशित हो रहा है। इसके लेखक डब्ल्यू. लिविंगस्टन लारनेड के अनुसार यह लेख "हज़ारों पत्रिकाओं और अख़बारों में छप चुका है। इसे कई विदेशी भाषाओं में भी उतनी ही लोकप्रियता मिली है और उनमें भी यह लेख बहुत ज़्यादा बार छपा है। मैंने हज़ारों लोगों को व्यक्तिगत अनुमति दी है कि वे इसका प्रयोग स्कूल, चर्च और लेक्चर प्लेटफ़ॉर्म से कर सकें। यह अनगिनत बार असंख्य कार्यक्रमों में रेडियो पर भी आ चुका है। हैरानी की बात है कि कॉलेज की पत्रिकाओं और हाई स्कूल की

पत्रिकाओं में भी यह लेख छपा। कई बार एक छोटा सा लेख रहस्यमयी कारणों से "क्लिक" हो जाता है। इस लेख के साथ यही हुआ है।"

फ़ादर फ़ॉरगेट्स (हर पिता यह याद रखे)

डब्ल्यू. लिविंगस्टन लारनेड

सुनो बेटे! मैं तुमसे कुछ कहना चाहता हूँ। तुम गहरी नींद में सो रहे हो। तुम्हारा नन्हा सा हाथ तुम्हारे नाज़ुक गाल के नीचे दबा है। और तुम्हारे पसीना-पसीना ललाट पर घुँघराले बाल बिखरे हुए हैं। मैं तुम्हारे कमरे में चुपके से दाख़िल हुआ हूँ, अकेला। अभी कुछ मिनट पहले जब मैं लायब्रेरी में अख़बार पढ़ रहा था, तो मुझे बहुत पश्चाताप हुआ। इसीलिए तो आधी रात को मैं तुम्हारे पास खड़ा हूँ, किसी अपराधी की तरह।

जिन बातों के बारे में मैं सोच रहा था, वे ये हैं, बेटे। मैं आज तुम पर बहुत नाराज़ हुआ। जब तुम स्कूल जाने के लिए तैयार हो रहे थे, तब मैंने तुम्हें ख़ूब डाँटा... तुमने टॉवेल के बजाय पर्दे से हाथ पोंछ लिए थे। तुम्हारे जूते गंदे थे, इस बात पर भी मैंने तुम्हें कोसा। तुमने फ़र्श पर इधर-उधर चीज़ें फेंक रखी थीं... इस पर मैंने तुम्हें भला-बुरा कहा।

नाश्ता करते वक़्त भी मैं तुम्हारी एक के बाद एक ग़लतियाँ निकालता रहा। तुमने डाइनिंग टेबल पर खाना बिखरा दिया था। खाते समय तुम्हारे मुँह से चपड़-चपड़ की आवाज़ आ रही थी। मेज़ पर तुमने कोहनियाँ भी टिका रखी थीं। तुमने ब्रेड पर बहुत सारा मक्खन भी चुपड़ लिया था। यही नहीं जब मैं ऑफ़िस जा रहा था और तुम खेलने जा रहे थे और तुमने मुड़कर हाथ हिलाकर

"बाय-बाय, डैडी" कहा था, तब भी मैंने भृकुटी तानकर टोका था, "अपनी कॉलर ठीक करो।"

शाम को भी मैंने यही सब किया। ऑफ़िस से लौटकर मैंने देखा कि तुम दोस्तों के साथ मिट्टी में खेल रहे थे। तुम्हारे कपड़े गंदे थे, तुम्हारे मोज़ों में छेद हो गए थे। मैं तुम्हें पकड़कर ले गया और तुम्हारे दोस्तों के सामने तुम्हें अपमानित किया। मोज़े महँगे हैं- जब तुम्हें ख़रीदने पड़ेंगे तब तुम्हें इनकी क़ीमत समझ में आएगी। ज़रा सोचो तो सही, एक पिता अपने बेटे का इससे ज़्यादा दिल किस तरह दुखा सकता है?

क्या तुम्हें याद है जब मैं लाइब्रेरी में पढ़ रहा था तब तुम रात को मेरे कमरे में आए थे, किसी सहमे हुए मृगछौने की तरह। तुम्हारी आँखें बता रही थीं कि तुम्हें कितनी चोट पहुँची है। और मैंने अख़बार के ऊपर से देखते हुए पढ़ने में बाधा डालने के लिए तुम्हें झिड़क दिया था, "कभी तो चैन से रहने दिया करो। अब क्या बात है?" और तुम दरवाज़े पर ही ठिठक गए थे।

तुमने कुछ नहीं कहा था, बस भागकर मेरे गले में अपनी बाँहें डालकर मुझे चूमा था और "गुडनाइट" कहकर चले गए थे। तुम्हारी नन्ही बाँहों की जकड़न बता रही थी कि तुम्हारे दिल में ईश्वर ने प्रेम का ऐसा फूल खिलाया है जो इतनी उपेक्षा के बाद भी नहीं मुरझाया। और फिर तुम सीढ़ियों पर खट-खट करके चढ़ गए।

तो बेटे, इस घटना के कुछ ही देर बाद मेरे हाथों से अख़बार छूट गया और मुझे बहुत ग्लानि हुई। यह क्या होता जा रहा है मुझे? ग़लतियाँ ढूँढ़ने की, डाँटने-डपटने की आदत सी पड़ती जा रही है मुझे। अपने बच्चे के बचपने का मैं यह पुरस्कार दे रहा हूँ। ऐसा नहीं है, बेटे, कि मैं तुम्हें प्यार नहीं करता, पर मैं एक बच्चे से ज़रूरत

से ज़्यादा उम्मीदें लगा बैठा था। मैं तुम्हारे व्यवहार को अपनी उम्र के तराज़ू पर तौल रहा था।

तुम इतने प्यारे हो, इतने अच्छे और सच्चे। तुम्हारा नन्हा सा दिल इतना बड़ा है जैसे चौड़ी पहाड़ियों के पीछे से उगती सुबह। तुम्हारा बड़प्पन इसी बात से नज़र आता है कि दिन भर डाँटते रहने वाले पापा को भी तुम रात को "गुडनाइट किस" देने आए। आज की रात और कुछ भी महत्वपूर्ण नहीं है, बेटे। मैं अँधेरे में तुम्हारे सिरहाने आया हूँ और मैं यहाँ पर घुटने टिकाए बैठा हूँ, शर्मिंदा।

यह एक कमज़ोर पश्चाताप है। मैं जानता हूँ कि अगर मैं तुम्हें जगाकर यह सब कहूँगा, तो शायद तुम नहीं समझ पाओगे। पर कल से मैं सचमुच तुम्हारा प्यारा पापा बनकर दिखाऊँगा। मैं तुम्हारे साथ खेलूँगा, तुम्हारी मज़ेदार बातें मन लगाकर सुनूँगा, तुम्हारे साथ खुलकर हँसूँगा और तुम्हारी तकलीफ़ों को बाँटूँगा। आगे से जब भी मैं तुम्हें डाँटने के लिए मुँह खोलूँगा, तो इसके पहले अपनी जीभ को अपने दाँतों में दबा लूँगा। मैं बार-बार किसी मंत्र की तरह यह कहना सीखूँगा, "वह तो अभी बच्चा है... छोटा सा बच्चा!"

मुझे अफ़सोस है कि मैंने तुम्हें बच्चा नहीं, बड़ा मान लिया था। परंतु आज जब मैं तुम्हें गुड़ी-मुड़ी और थका-थका पलंग पर सोया देख रहा हूँ, बेटे, तो मुझे एहसास होता है कि तुम अभी बच्चे ही तो हो। कल तक तुम अपनी माँ की बाँहों में थे, उसके कांधे पर सिर रखे। मैंने तुमसे कितनी ज़्यादा उम्मीदें की थीं, कितनी ज़्यादा!

लोगों की आलोचना करने के बजाय हमें उन्हें समझने की कोशिश करनी चाहिए। हमें यह पता लगाना चाहिए कि जो काम वे करते हैं, उन्हें वे क्यों करते हैं। यह आलोचना करने से बहुत ज़्यादा रोचक और लाभदायक होगा। यही नहीं, इससे सहानुभूति,

सहनशक्ति और दयालुता का माहौल भी बनेगा। "सबको समझ लेने का मतलब है सबको माफ़ कर देना।"

डॉ. जॉनसन ने कहा था, "भगवान ख़ुद इंसान की मौत से पहले उसका फ़ैसला नहीं करता।"

फिर आप और मैं ऐसा करने वाले कौन होते हैं?

सिद्धांत 1
"बुराई मत करो, निंदा मत करो, शिकायत मत करो।"

2

लोगों के साथ व्यवहार करने का अचूक रहस्य

इस दुनिया में सिर्फ़ एक ही तरीक़ा है जिससे आप किसी से कोई काम करवा सकते हैं। क्या आपने कभी यह सोचा है? हाँ, सिर्फ़ एक तरीक़ा। और वह तरीक़ा है उस व्यक्ति में वह काम करने की इच्छा पैदा करना।

याद रखें, इसके अलावा कोई दूसरा तरीक़ा है ही नहीं।

हाँ, आप किसी के सीने पर रिवॉल्वर रखकर उसमें घड़ी देने की इच्छा पैदा कर सकते हैं। आप अपने कर्मचारियों को नौकरी से निकालने की धमकी देकर उन्हें सहयोग देने के लिए विवश कर सकते हैं (तभी तक जब तक आप उनके सामने हैं)। बच्चे को पीटकर या पिटाई का डर दिखाकर आप उससे अपनी बात मनवा सकते हैं। परंतु इन जंगली तरीक़ों के परिणाम अच्छे नहीं होंगे।

केवल एक ही तरीक़े से मैं आपसे कोई चीज़ हासिल कर सकता हूँ और वह तरीक़ा है आपको वह देना जो आप चाहते हैं।

आप क्या चाहते हैं?

सिगमंड फ्रॉयड ने कहा था कि किसी भी काम को करने के पीछे मनुष्य की दो मूलभूत आकांक्षाएँ होती हैं : सेक्स की आकांक्षा और महान बनने की आकांक्षा।

अमेरिका के महान दार्शनिक जॉन ड्यूई ने इसी बात को ज़रा

अलग ढंग से कहा था। डॉ. ड्यूई ने कहा था कि मानव प्रकृति में सबसे गहन आकांक्षा "महत्वपूर्ण बनने की आकांक्षा" होती है। इस वाक्यांश को याद रखें : "महत्वपूर्ण बनने की आकांक्षा।" यह महत्वपूर्ण है। हम इस पुस्तक में इस वाक्यांश के बारे में बार-बार सुनेंगे।

आप क्या चाहते हैं? वैसे तो हम ढेर सारी चीज़ें चाहते हैं, परंतु बहुत कम चीज़ों को हम इतनी प्रबलता से चाहते हैं कि उनके बिना हमारा काम नहीं चल सकता। ज़्यादातर लोगों में नीचे दी गई चीज़ों की आकांक्षा होती है :

1. स्वास्थ्य और जीवन का संरक्षण
2. भोजन
3. नींद
4. पैसा और पैसे से ख़रीदी जाने वाली वस्तुएँ
5. परलोक सुधारना
6. सेक्स की संतुष्टि
7. बच्चों का कल्याण
8. महत्व की भावना

और लगभग यह सभी आकांक्षाएँ आम तौर पर पूरी हो जाती हैं या संतुष्ट हो जाती हैं- सिवाय एक के। वह आकांक्षा जो उतनी ही गहन और प्रचंड होती है जितनी कि भोजन या नींद की आकांक्षा- और वह आकांक्षा शायद ही कभी संतुष्ट होती है। इस आकांक्षा को फ्रॉयड ने "महान बनने की आकांक्षा" कहा है और ड्यूई ने "महत्वपूर्ण बनने की आकांक्षा" कहा है।

लिंकन ने एक बार एक पत्र की शुरुआत में लिखा था, "हर एक को तारीफ़ अच्छी लगती है।" विलियम जेम्स ने कहा था, "हर मनुष्य के दिल की गहराई में यह लालसा छुपी होती है कि उसे सराहा जाए।" ग़ौर करें उसने इस आकांक्षा को इच्छा, या चाहत या

कामना नहीं कहा। उसने कहा सराहे जाने की "लालसा।"

यह एक ऐसी मानवीय भूख है जो स्थायी है। और वह दुर्लभ व्यक्ति जो लोगों की इस प्रशंसा की भूख को संतुष्ट करता है, लोगों को अपने वश में कर सकता है। लोग उससे इतना प्रेम करेंगे कि दफ़नाने वाले तक उसकी मौत पर दुखी होंगे।

इंसानों और जानवरों में यही फ़र्क़ है कि इंसानों में महत्वपूर्ण बनने की आकांक्षा होती है। जब मैं मिसूरी में फ़ार्म ब्वॉय था तो मेरे पिता अच्छी नस्ल के बेहतरीन ड्यूरॉक-जर्सी सुअरों और मवेशियों को पालते थे। हम अपने सुअरों और मवेशियों को मेलों में होने वाली प्रदर्शनियों में ले जाते थे और पूरे मिडिल वेस्ट में जानवरों की प्रदर्शनियों में हिस्सा लेते थे। हमने दर्जनों बार प्रथम पुरस्कार जीते। मेरे पिताजी ने सफ़ेद मलमल के टुकड़े पर नीले रिबन लगा दिए और जब भी उनके दोस्त या आगंतुक घर में आते थे तो वे अपने सफ़ेद मलमल के लंबे टुकड़े को गर्व से दिखाते थे। एक सिरे को वे पकड़ते थे और दूसरे सिरे को मैं। और इस तरह वे अपने नीले रिबन प्रदर्शित किया करते थे।

सुअरों को अपने जीते हुए रिबनों की क़तई परवाह नहीं थी। परंतु मेरे पिताजी को थी। पुरस्कार उन्हें महत्वपूर्ण होने का एहसास दिलाते थे।

अगर हमारे पूर्वजों में महत्वपूर्ण होने की यह आकांक्षा इतनी प्रबल नहीं होती, तो सभ्यता का विकास असंभव था। इसके बिना, हम आज भी जानवरों की तरह ही रह रहे होते।

महत्वपूर्ण बनने की इसी आकांक्षा के कारण एक अशिक्षित और ग़रीब ग्रॉसरी क्लर्क क़ानून की किताबें पढ़ने के लिए प्रेरित हुआ, जो उसने रद्दी वाले से पचास सेंट में ख़रीदी थीं। आपने शायद उस ग्रॉसरी क्लर्क का नाम सुना होगा। उसका नाम लिंकन था।

महत्वपूर्ण बनने की इसी आकांक्षा ने डिकेन्स को अपने अमर उपन्यास लिखने के लिए प्रेरित किया। इसी आकांक्षा ने सर क्रिस्टोफ़र रेन को पत्थरों में सिम्फ़नी लिखने के लिए प्रेरित किया।

इसी आकांक्षा की वजह से रॉकफ़ेलर ने करोड़ों डॉलर जमा किए और कभी ख़र्च नहीं किए। इसी आकांक्षा के कारण आपके शहर का सबसे अमीर परिवार एक ऐसा घर बनाता है जो उसकी ज़रूरत के हिसाब से बहुत बड़ा होता है।

यही आकांक्षा आपसे लेटेस्ट फ़ैशन के कपड़े पहनवाती है, लेटेस्ट कार ख़रिदवाती है और अपने होशियार बच्चों के बारे में बातें करवाती है।

यही आकांक्षा कई लड़के-लड़कियों को गैंग में शामिल करवाकर उनसे अपराध करवाती है। न्यूयॉर्क के भूतपूर्व पुलिस कमिश्नर ई. पी. मल्रूनी के अनुसार औसत युवा अपराधी में इतना ईगो होता है कि गिरफ़्तार होने के बाद उसकी सबसे पहली माँग उन अख़बारों को पढ़ने की होती है जिन्होंने उसे हीरो बना दिया। वे बाद में मिलने वाली सज़ा को लेकर उतने चिंतित नहीं होते, जितने कि अख़बार में नामी खिलाड़ियों, फ़िल्म और टीवी स्टार्स और राजनेताओं के साथ अपनी तस्वीर छपी देखकर ख़ुश होते हैं।

आप मुझे बता दें कि किस बात से आपको महत्वपूर्ण होने का अनुभव होता है, और मैं आपको बता दूँगा कि आप क्या हैं। इस बात से आपका चरित्र निर्धारित होता है। यह आपके बारे में सबसे महत्वपूर्ण बात है। उदाहरण के तौर पर, जॉन डी. रॉकफ़ेलर को चीन के पीकिंग शहर में एक अस्पताल बनवाने के लिए करोड़ों डॉलर का दान देने में महत्व का एहसास होता था। ऐसे लाखों ग़रीब लोगों के भले के लिए, जिन्हें न कभी उन्होंने देखा है और न कभी देख पाएँगे। दूसरी तरफ़ डिलिंजर एक लुटेरा, बैंक डकैत और हत्यारा बनने में महानता का अनुभव करता था। जब एफ़.बी.आई. के एजेंट उसे खोज रहे थे तो वह मिनेसोटा के एक फ़ार्महाउस में घुसा और उसने कहा, "मैं डिलिंजर हूँ!" उसे इस बात पर गर्व था कि वह देश का सबसे चर्चित अपराधी है। उसने कहा, "मैं तुम्हें नुक़सान नहीं पहुँचाऊँगा, परंतु मैं डिलिंजर हूँ!"

हाँ, डिलिंजर और रॉकफ़ेलर में यह महत्वपूर्ण अंतर था कि

उन्हें महत्वपूर्ण होने का अनुभव अलग-अलग चीज़ों से होता था।

इतिहास ऐसे रोचक उदाहरणों से भरा पढ़ा है कि प्रसिद्ध लोगों ने महत्वपूर्ण होने की अपनी आकांक्षा को किस तरह अभिव्यक्त किया। जॉर्ज वॉशिंगटन "हिज़ माइटिनेस, द प्रेसिडेंट ऑफ़ युनाइटेड स्टेट्स" कहलाना पसंद करते थे। कोलंबस ने "एडमिरल ऑफ़ द ओशन एंड वायसराय ऑफ़ इंडिया" के टाइटल के लिए आवेदन किया था। कैथरीन महान ऐसे पत्रों को नहीं पढ़ती थी जिन पर "हर इम्पीरियल मेजेस्टी" नहीं लिखा होता था। और मिसेज़ लिंकन व्हाइट हाउस में मिसेज़ ग्रांट पर शेरनी की तरह झपटते हुए चिल्लाई थीं, "तुमने बिना मेरी इजाज़त के मेरे सामने बैठने की ज़ुर्रत कैसे की ?"

हमारे देश के करोड़पतियों ने एडमिरल बर्ड के अंटार्कटिका अभियान के लिए 1928 में इस शर्त पर धन दिया कि बर्फ़ीले पर्वतों की श्रेणियों का नाम उनके नाम पर रखा जाए। प्रसिद्ध लेखक विक्टर ह्यूगो चाहते थे कि पेरिस शहर का नाम उनके नाम पर रखा जाए। महान शेक्सपियर भी अपने परिवार के लिए *कोट ऑफ़ आर्म्स* हासिल करके अपने नाम को अधिक महत्वपूर्ण बनाना चाहते थे।

सहानुभूति और ध्यान आकर्षित करने के लिए तथा महत्वपूर्ण होने का अनुभव करने के लिए लोग बीमार होने का बहाना करते हैं। उदाहरण के तौर पर मिसेज़ मैकिन्ले को ही लें। उन्हें महत्वपूर्ण होने का एहसास तब होता था जब वे अपने पति को यानी कि अमेरिका के राष्ट्रपति को देश के महत्वपूर्ण मामलों की उपेक्षा करने के लिए विवश कर देती थीं। अमेरिका के राष्ट्रपति की यह पत्नी चाहती थीं कि उनके पति अपने सारे काम-धाम छोड़कर उनके पास घंटों बैठे रहें, अपनी बाँहों में लेकर उन्हें शांत करने की कोशिश करें। वे अपने पति का ध्यान खींचने के लिए इतनी व्याकुल थीं कि उन्होंने ज़ोर देकर कहा कि दाँतों के डॉक्टर के पास जाते समय भी उनका पति उनके साथ रहे। एक बार जब उन्हें दाँतों के डॉक्टर के पास अकेले जाना पड़ा, (क्योंकि उस समय उनके पति का गृहमंत्री जॉन हे के साथ अपॉइंटमेंट था), तो इस छोटी सी बात पर इन श्रीमतीजी ने तूफ़ान खड़ा कर दिया।

लेखिका मैरी रॉबर्ट्स राइनहार्ट ने मुझे एक स्वस्थ और प्रतिभाशाली महिला के बारे में बताया, जो महत्वपूर्ण होने का एहसास हासिल करने के लिए बिस्तर पर पड़ गई। "एक दिन," मिसेज़ राइनहार्ट ने कहा, "इस महिला को किसी मुश्किल परिस्थिति का सामना करना पड़ा, शायद उसकी उम्र का। उसे अपनी आगे की ज़िंदगी में अकेलापन दिख रहा था और उसकी ज़िंदगी में कोई सपना, कोई आशा नहीं थी।

"वह बीमार होकर बिस्तर पर पड़ गई और दस साल तक उसकी बूढ़ी माँ उसकी चाकरी करती रही, उसके लिए भोजन की थाली ले जाती रही, उसकी सेवा करती रही। एक दिन बूढ़ी माँ सेवा की थकान के कारण मर गई। कुछ हफ़्तों तक बीमार युवती दुख मनाते हुए बिस्तर पर पड़ी रही, फिर वह उठी, उसने अपने कपड़े बदले और एक बार फिर ज़िंदगी जीना शुरू कर दिया।"

कई विशेषज्ञों का मानना है कि महत्वपूर्ण होने का एहसास ही कई लोगों को पागल हो जाने के लिए प्रेरित करता है। जो लोग पागल हो जाते हैं, वे पागलपन के स्वप्नलोक में अपने आपको महत्वपूर्ण बना लेते हैं। वे ख़ुद को वह महत्व दे देते हैं जो उन्हें असली दुनिया में नहीं मिल पाता। अमेरिका में मानसिक रोगों से जितने मरीज़ पीड़ित हैं उनकी संख्या बाक़ी सारी बीमारियों से पीड़ित रोगियों से अधिक है।

पागलपन का क्या कारण है?

इस सवाल का ठीक-ठीक जवाब तो कोई नहीं दे सकता, पर हम यह ज़रूर जानते हैं कि कुछ बीमारियाँ जैसे सिफ़िलिस मस्तिष्क कोशिकाओं को नष्ट कर देती हैं और इसका परिणाम पागलपन होता है। दरअसल लगभग आधे मानसिक रोगों के पीछे शारीरिक कारणों को ज़िम्मेदार समझा जा सकता है जैसे मानसिक आघात, अल्कोहल, मादक या विषैले पदार्थ और दुर्घटनाएँ। परंतु बाक़ी आधे - और यह इस कहानी का सबसे भयावह हिस्सा है - बाक़ी आधे पागल होने वाले लोगों की मस्तिष्क कोशिकाओं में कोई शारीरिक गड़बड़ी नहीं

होती। पोस्टमॉर्टम परीक्षणों में जब मरने वालों के मस्तिष्क ऊतकों को माइक्रोस्कोप के नीचे देखा गया तो वे उतने ही स्वस्थ दिख रहे थे जितने कि आपके या मेरे।

फिर ये लोग पागल क्यों होते हैं ?

मैंने यह सवाल चार सबसे प्रमुख मनोचिकित्सालयों में से एक के मुख्य चिकित्सक से पूछा। इस प्रसिद्ध चिकित्सक को अपने विषय के ज्ञान के लिए ढेर सारे पुरस्कार और सम्मान मिले थे, परंतु उसने मुझसे स्पष्ट रूप से कहा कि वह नहीं जानता कि लोग पागल क्यों होते हैं। कोई भी इसका पूरी तरह सही कारण नहीं जानता। परंतु उसने यह भी कहा कि जो लोग पागल हो जाते हैं उनमें से कई पागलपन की अवस्था में उस महत्व का अनुभव करते हैं जो उन्हें असली दुनिया में नसीब नहीं होता। इस प्रसिद्ध मनोचिकित्सक ने मुझे एक कहानी सुनाई :

"मेरी एक मरीज़ है जिसकी शादी का दुखद अंत हुआ था। उसे प्रेम, शारीरिक संतुष्टि, बच्चे और सामाजिक प्रतिष्ठा चाहिए थे, परंतु ज़िंदगी ने उसकी आशाओं पर पानी फेर दिया। उसका पति उससे प्रेम नहीं करता था। वह उसके साथ बैठकर भोजन भी नहीं करता था और उससे कहता था कि वह उसका भोजन ऊपरी मंज़िल पर उसके कमरे में परोसे। उनके कोई बच्चा भी नहीं था और उनकी सामाजिक प्रतिष्ठा भी नहीं थी। वह पागल हो गई और अपनी कल्पना में उसने अपने पति को तलाक़ दे दिया और एक बार फिर अपने कुँआरेपन का नाम रख लिया। उसे विश्वास है कि अब वह एक अमीर आदमी की पत्नी बन गई है और वह इस बात पर ज़ोर देती है कि उसे लेडी स्मिथ के नाम से बुलाया जाए।

"और जहाँ तक बच्चों का सवाल है वह कल्पना करती है कि हर रात को वह एक नए बच्चे को जन्म देती है। जब भी मैं उसे देखने जाता हूँ वह कहती है, 'डॉक्टर, कल रात को मेरे यहाँ एक बच्चे ने जन्म लिया है।' "

उसके सपनों के जहाज़ हक़ीक़त की चट्टानों से टकराकर

चूर-चूर हो गए हैं, परंतु पागलपन के काल्पनिक टापुओं पर वह अपने सपनों को सच कर रही है।

क्या यह दुखद है? मैं नहीं जानता। वैसे उस डॉक्टर ने यह भी कहा, "अगर मैं उसका पागलपन दूर करके एक बार फिर से उसकी सोचने-समझने की शक्ति लौटा सकता, तो भी शायद मैं ऐसा नहीं करता। वह आज जितनी ख़ुश है, उतनी ख़ुश पहले कभी नहीं रही।"

अगर कई लोग महत्व की भावना के इतने भूखे हैं कि वे उसके लिए सचमुच पागल भी हो सकते हैं, तो ज़रा सोचिए कि मैं और आप अपने आस-पास के लोगों को सच्ची प्रशंसा देकर कितना बड़ा चमत्कार कर सकते हैं और कितना कुछ हासिल कर सकते हैं।

चार्ल्स श्वाब अमेरिकी उद्योग के उन पहले व्यक्तियों में से एक थे, जिन्हें एक साल में दस लाख डॉलर से ज़्यादा तनख़्वाह (तब इन्कम टैक्स नहीं हुआ करता था और पचास डॉलर प्रति सप्ताह कमाने वाला आदमी संपन्न समझा जाता था) मिला करती थी। उन्हें एन्ड्रयू कारनेगी ने 1921 में युनाइटेड स्टेट्स स्टील कंपनी के पहले प्रेसिडेंट के रूप में नियुक्त किया और उस वक़्त श्वाब की उम्र केवल अड़तीस वर्ष थी। (बाद में श्वाब यू.एस. स्टील छोड़कर मुश्किल में फँसी बेथलहम स्टील कंपनी के प्रेसिडेंट बने और उन्होंने इसे अमेरिका की सर्वाधिक लाभदायक कंपनियों में से एक बना दिया।)

एन्ड्रयू कारनेगी ने चार्ल्स श्वाब को एक साल में दस लाख डॉलर या प्रतिदिन तीन हज़ार डॉलर से अधिक तनख़्वाह क्यों दी? क्यों? क्या इसलिए कि श्वाब जीनियस थे? नहीं। तो फिर क्या इसलिए कि वे स्टील उद्योग के सबसे बड़े जानकार थे? नहीं। ख़ुद चार्ल्स श्वाब का मानना था कि उनके नीचे काम कर रहे कई लोग स्टील बनाने के बारे में उनसे ज़्यादा जानते थे।

श्वाब कहते हैं कि उन्हें इतनी ज़्यादा तनख़्वाह मिलने का सबसे बड़ा कारण यह था कि वे लोगों के साथ व्यवहार करने की कला में निपुण थे। मैंने उनसे पूछा कि उन्होंने ऐसा किस तरह

किया। मैं उनका रहस्य उन्हीं के शब्दों में बता रहा हूँ - ऐसे शब्द जिन्हें काँसे में ढलवा लेना चाहिए और हर घर और स्कूल, हर दुकान और ऑफ़िस में रखना चाहिए - ऐसे शब्द जिन्हें बच्चों को कंठस्थ कर लेना चाहिए, बजाय उस लेटिन ग्रामर या ब्राज़ील की सालाना वर्षा की मात्रा को कंठस्थ करने के जो जीवन में कभी उनके काम नहीं आएगी - ऐसे शब्द जिनके हिसाब से चलने पर आपका और मेरा जीवन बदल जाएगा।

श्वाब ने कहा, "मैं मानता हूँ कि मेरी सबसे बड़ी पूँजी अपने कर्मचारियों का उत्साह बढ़ाने की कला है और मैं सराहना और प्रोत्साहन के द्वारा लोगों से सर्वश्रेष्ठ प्रदर्शन करवा लेता हूँ।

"कोई भी बात किसी व्यक्ति की महत्वाकांक्षाओं को इतनी बुरी तरह से नहीं कुचलती जितनी कि सुपीरियर्स की आलोचना। मैं कभी किसी की आलोचना नहीं करता। मैं प्रोत्साहन देने में विश्वास करता हूँ ताकि व्यक्ति काम करने के लिए प्रेरित हो। इसलिए मैं तारीफ़ करने के लिए तत्पर रहता हूँ और ग़लती निकालने में कंजूसी बरतता हूँ। अगर मुझे कोई बात पसंद आती है, तो *मैं दिल खोलकर तारीफ़ करता हूँ और मुक्त कंठ से सराहना करता हूँ।"*

तो श्वाब यह करते थे। परंतु सामान्य लोग क्या करते हैं? इसका ठीक उल्टा। अगर उन्हें कोई बात पसंद नहीं आती, तो वे अपने कर्मचारियों पर अपनी भड़ास निकाल देते हैं। अगर उन्हें कोई बात पसंद आती है, तो वे कुछ भी नहीं कहते। एक पुरानी कहावत है : "मैंने एक बार ग़लत काम किया जिसके बारे में मुझे हमेशा सुनना पड़ा। मैंने दो बार अच्छा काम किया, परंतु उसके बारे में मैंने कभी नहीं सुना।"

श्वाब का मानना था, "जीवन के मेरे लंबे अनुभव के दौरान मैं दुनिया के कई देशों के महान लोगों से मिला हूँ और मुझे आज तक ऐसा व्यक्ति नहीं मिला, चाहे वह कितने भी ऊँचे पद पर हो, जो आलोचना के बजाय तारीफ़ के माहौल में ज़्यादा बेहतर काम न कर सकता हो।"

श्वाब के अनुसार यही एन्ड्रयू कारनेगी की अद्भुत सफलता के प्रमुख कारणों में से एक था। कारनेगी अपने सहयोगियों की सार्वजनिक रूप से और अकेले में भी प्रशंसा किया करते थे।

कारनेगी तो अपनी क़ब्र के पत्थर पर भी अपने कर्मचारियों की तारीफ़ करना नहीं भूले। उन्होंने ख़ुद के लिए यह स्मृति-लेख लिखा था : "यहाँ पर वह आदमी सोया है जो जानता था कि अपने से समझदार लोगों को अपने आस-पास इकट्ठा कैसे किया जाए।"

सच्ची प्रशंसा ही वह रहस्य था जिसकी वजह से जॉन रॉकफ़ेलर इतने सफल हुए। उदाहरण के तौर पर जब उनके पार्टनर एडवर्ड टी. बेडफ़ोर्ड की वजह से दक्षिण अमेरिका के एक कॉन्ट्रैक्ट में फ़र्म को 40 प्रतिशत नुक़सान हुआ, तो रॉकफ़ेलर उनकी आलोचना कर सकते थे, परंतु वे जानते थे कि बेडफ़ोर्ड ने अपनी तरफ़ से पूरी कोशिश की थी - और वैसे भी अब तो नुक़सान हो चुका था। इसलिए रॉकफ़ेलर ने उन्हें बधाई देने का कारण खोज ही लिया। उन्होंने बेडफ़ोर्ड को बधाई दी कि उन्होंने निवेश की 60 प्रतिशत रक़म डूबने से बचा ली। "यह बहुत बढ़िया रहा," रॉकफ़ेलर ने कहा। "हम हमेशा दिमाग़ का इतना बढ़िया इस्तेमाल नहीं कर पाते।"

अब मैं एक कहानी सुनाना चाहता हूँ जो हालाँकि सच नहीं है, परंतु उसमें सच्चाई ज़रूर छुपी है और यही वजह है कि मैं उसे सुना रहा हूँ :

एक देहाती महिला ने दिन भर की कठोर मेहनत के बाद अपने परिवार के सामने भोजन की जगह भूसे का ढेर रख दिया। जब पति और बेटों ने झुंझलाकर इस अजीब हरकत का कारण पूछा तो उस महिला ने जवाब दिया, "मुझे लगता था कि तुम्हारा ध्यान इस तरफ़ जाता ही नहीं है कि तुम्हारे सामने खाना रखा जाता है या भूसा। बीस साल से मैं तुम लोगों के लिए खाना बना रही हूँ परंतु तुम लोगों ने मुझे कभी यह नहीं बताया कि तुम लोग भूसा नहीं खा रहे हो।"

कुछ समय पहले घर से भागने वाली पत्नियों पर एक शोध हुआ कि उनके घर से भागने के पीछे सबसे बड़ा कारण क्या होता है? क्या आप बता सकते हैं वह कारण क्या था? "प्रशंसा का अभाव।" और मैं शर्त लगाता हूँ कि यही घर से भागने वाले पतियों के बारे में भी सच होगा। हम अक्सर अपने पति-पत्नी को यह बताने की ज़रूरत ही नहीं समझते कि हम उनसे प्रभावित हैं।

मेरी क्लास में के एक सदस्य ने अपने जीवन की एक घटना सुनाई जिसमें उसकी पत्नी ने उससे एक आग्रह किया था। उसकी पत्नी और अन्य महिलाएँ चर्च में एक आत्म-सुधार कार्यक्रम में शामिल हुए। एक दिन उसकी पत्नी ने उससे पूछा कि वह उसकी छह कमियाँ बताए जिन्हें सुधारने से वह बेहतर पत्नी बन जाए। उसका पति यह सुनकर हैरान रह गया। उसने कक्षा के सामने कहा, "मुझे इस आग्रह से बड़ी हैरानी हुई। सच कहा जाए तो मैं बड़ी आसानी से उसे छह ऐसी बातों की सूची थमा सकता था जिनमें सुधार की ज़रूरत थी - और ईश्वर जानता है, कि वह ऐसी हज़ार बातों की सूची थमा सकती थी जिनमें मुझे सुधार की ज़रूरत थी - परंतु मैंने ऐसा नहीं किया। इसके बजाय मैंने उससे कहा, 'मुझे इस बारे में सोचने का समय दो और मैं तुम्हें सुबह इसका जवाब दे दूँगा।'

"अगली सुबह मैं बहुत जल्दी उठ गया और फूल वाले को फ़ोन करके उससे अपनी पत्नी के लिए छह गुलाबों का तोहफ़ा भिजवाने के लिए कहा जिसके साथ यह चिट्ठी लगी हो, 'मुझे तुम्हारी छह कमियाँ नहीं मालूम, जिनमें सुधार की ज़रूरत हो। तुम जैसी भी हो, मुझे बहुत अच्छी लगती हो।'

"उस शाम को जब मैं घर लौटा तो क्या आप बता सकते हैं दरवाज़े पर किसने मेरा स्वागत किया : बिलकुल ठीक। मेरी पत्नी ने। उसकी आँखों में आँसू भरे हुए थे। यह कहने की ज़रूरत नहीं है कि मैं इस बात पर बहुत ख़ुश था कि मैंने उसके आग्रह के बावजूद उसकी आलोचना नहीं की थी।

"अगले रविवार को चर्च में उसने बाक़ी महिलाओं को यह

घटना सुनाई और बहुत सी महिलाओं ने आकर मुझसे कहा, 'इतनी बुद्धिमानी की बात हमने पहले कभी नहीं सुनी।' तब जाकर मुझे सराहना की शक्ति का एहसास हुआ।"

लॉरेंज ज़िगफ़ेल्ड ब्रॉडवे में धूम मचाने वाले प्रसिद्ध प्रोड्यूसर रहे हैं। उनकी छवि एक ऐसे प्रोड्यूसर की थी जिनमें "अमेरिकी युवतियों को ग्लैमरस" बनाने की अद्भुत प्रतिभा थी। हर बार वे ऐसी साधारण युवतियों को लेते थे, जिनकी तरफ़ कोई दुबारा पलटकर नहीं देखता और उन्हें स्टेज पर वे ग्लैमरस और रहस्यमयी युवतियों में बदल देते थे। प्रशंसा और आत्मविश्वास के महत्व को जानने के कारण वे जानते थे कि सिर्फ़ प्रशंसा और महत्व दिए जाने पर साधारण सी महिला भी अपने आपको सुंदर मानने लगती है। वे प्रैक्टिकल थे : उन्होंने कोरस में काम करने वाली लड़कियों की तनख़्वाह तीस डॉलर प्रति सप्ताह से बढ़ाकर एक सौ पचहत्तर डॉलर प्रति सप्ताह कर दी। और वे विशाल हृदय भी थे। फ़ॉलीज़ के मंचन की पहली रात को उन्होंने सभी स्टार्स को टेलीग्राम भेजे और शो में काम करने वाली हर कोरस गर्ल को अमेरिकन ब्यूटी रोज़ेस भेंट किए।

एक बार मुझ पर डाइटिंग का भूत सवार हो गया और मैं छह दिनों तक भूखा रहा। यह मुश्किल नहीं था। छठवें दिन मुझे उतनी भूख नहीं लग रही थी, जितनी कि मुझे दूसरे दिन लग रही थी। हम सभी जानते हैं कि अगर किसी के परिवार या कर्मचारियों को छह दिनों तक खाना न मिले, तो वह व्यक्ति अपने आपको अपराधी मानेगा। परंतु अगर वह व्यक्ति परिवार या कर्मचारियों की सच्ची तारीफ़ छह दिन, छह हफ़्तों या साठ साल तक न करे तो उसे ज़रा भी अपराधबोध का अनुभव नहीं होता। हम यह भूल जाते हैं कि तारीफ़ भी भोजन की ही तरह हमारी अनिवार्य आवश्यकता है।

जब महान अभिनेता अल्फ्रेड लुंट ने *रियूनियन इन विएना* में मुख्य भूमिका निभाई तो उन्होंने कहा, "मुझे जिस चीज़ की सबसे अधिक ज़रूरत है वह है अपने आत्मसम्मान के लिए पोषण।"

हम अपने बच्चों, दोस्तों और कर्मचारियों के शरीर को पोषण

देते हैं, परंतु हम उनके आत्मसम्मान को कितना कम पोषण देते हैं ? हम उन्हें ऊर्जा के लिए बीफ़ और आलू उपलब्ध करवाते हैं, परंतु हम उन्हें प्रशंसा के दयालुतापूर्ण शब्द देना भूल जाते हैं जो सालों तक उनकी यादों में सुबह के सितारों के संगीत की तरह गूँजेंगे।

पॉल हार्वे ने अपने एक रेडियो ब्रॉडकास्ट "द रेस्ट ऑफ़ द स्टोरी" में बताया कि किस तरह सच्ची प्रशंसा किसी इंसान की ज़िंदगी बदल सकती है। उन्होंने एक घटना सुनाई। कई साल पहले डेट्रॉइट की एक टीचर ने स्टेवी मॉरिस से कहा कि वह क्लासरूम में गुम हो गए चूहे को खोजने में उसकी मदद करे। आप इस बात पर ग़ौर करें, उसने इस बात की प्रशंसा की कि प्रकृति ने भले ही स्टेवी को आँखें नहीं दी थीं, परंतु इसके बदले में स्टेवी को सुनने की अद्भुत शक्ति प्रदान की थी। स्टेवी में ऐसा कुछ था जो उस क्लास में किसी और के पास नहीं था। परंतु दरअसल यह पहली बार था जब किसी ने उसकी सुनने की शक्ति के लिए स्टेवी की तारीफ़ की थी। अब सालों बाद स्टेवी मानते हैं कि यह प्रशंसा एक नए जीवन की शुरुआत थी। उस घटना के बाद उन्होंने अपनी सुनने की कला को विकसित किया और स्टेवी वंडर के स्टेज नाम को अपनाकर वे सत्तर के दशक के महान पॉप सिंगर और गीतकार बन गए।

कई पाठक इन शब्दों को पढ़ते समय यह सोच रहे होंगे, "अच्छा, चापलूसी! मक्खन पॉलिश! मैंने इनका इस्तेमाल करके देखा है। समझदार लोगों के सामने यह तरीक़े काम नहीं आते।"

सही बात है। चापलूसी समझदार लोगों के सामने सफल नहीं होती। यह उथली, स्वार्थी और झूठी होती है। इसे असफल होना ही चाहिए और यह असफल होती भी है। वैसे कई लोग तो तारीफ़ के इतने भूखे होते हैं कि वे चापलूसी को भी तारीफ़ समझकर उसे निगल लेते हैं, ठीक उसी तरह जिस तरह भूख से मरता आदमी घास और कीड़े-मकोड़े तक खा लेता है।

महारानी विक्टोरिया को भी चापलूसी पसंद थी। प्रधानमंत्री बेंजामिन डिज़राइली ने यह स्वीकार किया कि वे महारानी की

चापलूसी किया करते थे। उनके शब्दों में वे "बड़ी चम्मच से मक्खन लगाया करते थे।" परंतु डिज़राइली ब्रिटेन के सबसे सुसंस्कृत, योग्य और चतुर व्यक्तियों में से एक थे। वे इस कला में जीनियस थे। जो चीज़ उनके लिए काम कर गई, ज़रूरी नहीं कि वह आपके और मेरे लिए भी काम कर जाए। लंबे समय में चापलूसी से आपको फ़ायदा कम और नुक़सान ज़्यादा होगा। चापलूसी नक़ली सिक्का है। अगर आप इसे असली सिक्के की तरह बाज़ार में चलाने की कोशिश करेंगे तो आप परेशानी में पड़ सकते हैं।

प्रशंसा और चापलूसी में क्या फ़र्क़ है? इसका जवाब बहुत आसान है। एक सच्ची होती है और दूसरी झूठी। एक दिल से निकलती है, दूसरी दाँतों से। एक निःस्वार्थ होती है, दूसरी स्वार्थपूर्ण। एक की हर जगह सराहना होती है, दूसरी की हर जगह निंदा।

मैंने मेक्सिको सिटी के चापुल्टेपेक पैलेस में हाल ही में मैक्सिकन हीरो जनरल अल्वारो ऑब्रेगॉन की मूर्ति देखी। उस मूर्ति के नीचे जनरल ऑब्रेगॉन की फ़िलॉसफ़ी के बुद्धिमत्तापूर्ण शब्द लिखे थे : "अपने पर हमला करने वाले दुश्मनों से मत डरो। बल्कि उन दोस्तों से डरो, जो तुम्हारी चापलूसी करते हों।"

नहीं! नहीं! नहीं! मैं आपको चापलूसी करने के लिए नहीं कह रहा हूँ। मैं तो बिलकुल अलग ही बात कह रहा हूँ। मैं आपसे एक नई ज़िंदगी शुरू करने के लिए कह रहा हूँ। मुझे दोहराने दें। *मैं आपसे एक नई ज़िंदगी शुरू करने के लिए कह रहा हूँ।*

सम्राट जॉर्ज पंचम ने बकिंघम पैलेस में अपनी स्टडी की दीवार पर छह सूत्रवाक्य लगा रखे थे। इनमें से एक सूत्रवाक्य था, "मुझे यह सिखाएँ कि न तो मैं किसी की झूठी तारीफ़ करूँ और न ही किसी की झूठी तारीफ़ सुनने के लिए उत्सुक रहूँ।" यही चापलूसी का अर्थ है- झूठी तारीफ़। मैंने एक बार चापलूसी की परिभाषा कहीं पढ़ी थी जो दोहराने लायक़ है : "चापलूसी सामने वाले को वही बताना है, जो वह अपने बारे में सोचता है।"

"आप चाहे जो भाषा इस्तेमाल कर लें," राल्फ़ वॉल्डो इमर्सन

ने कहा था, "आप हमेशा वही कह पाएँगे जो आप हैं।"

अगर हमें सिर्फ़ चापलूसी ही करनी हो तो सबकी चापलूसी करके हम बड़ी आसानी से मानवीय संबंधों के विशेषज्ञ बन सकते हैं।

जब हम किसी निश्चित समस्या के बारे में नहीं सोच रहे होते हैं, तो अपने ख़ाली समय में 95 प्रतिशत वक़्त हम ख़ुद के बारे में ही सोचते हैं। अगर हम ख़ुद के बारे में सोचना थोड़ा कम कर दें और दूसरे व्यक्ति की अच्छाइयों के बारे में सोचने लगें, तो हमें चापलूसी की ज़रूरत ही नहीं पड़ेगी जिसे पहली ही नज़र में, अक्सर मुँह से निकलने से पहले ही पहचाना जा सकता है और जो बड़ी उथली और झूठी लगती है।

आज की दुनिया में सच्ची तारीफ़ दुर्लभ हो गई है। न जाने ऐसा क्यों होता है कि हम अच्छे नंबर लाने पर अपने पुत्र या पुत्री की प्रशंसा करना अक्सर भूल जाते हैं। या हम अपने बच्चों को उस समय प्रोत्साहित करने में असफल रहते हैं जब वे पहली बार अच्छा केक बनाने में सफल होते हैं या चिड़ियों के लिए घर बनाते हैं। बच्चों को अपने माता-पिता की रुचि और प्रशंसा से जो आनंद मिलता है, उससे अधिक आनंद और किसी बात से नहीं मिलता।

अगली बार जब आप अपने क्लब में अच्छे भोजन का आनंद लें तो रसोइए तक यह संदेश ज़रूर भिजवाएँ कि खाना अच्छा बना था और जब कोई थका हुआ सेल्समैन आपके प्रति बहुत अधिक शिष्टाचार दिखाए तो इसका भी उल्लेख करना न भूलें।

हर पादरी, हर भाषण देने वाला और हर सार्वजनिक वक्ता जानता है कि अगर श्रोताओं की भीड़ में से एक भी व्यक्ति ताली न बजाए या तारीफ़ न करे तो कितना बुरा लगता है और उत्साह कितना कम हो जाता है। प्रोफ़ेशनल्स पर जो लागू होता है वह ऑफ़िस, दुकानों, फ़ैक्टरियों के कर्मचारियों, हमारे परिवारों और दोस्तों पर दुगुना लागू होता है। अपने संबंधों में हमें यह कभी नहीं भूलना चाहिए कि हमारे संगी-साथी इंसान हैं और तारीफ़ के भूखे

हैं। यह वह असली सिक्का है जिसे हर व्यक्ति पसंद करता है।

अपनी हर दिन की यात्रा में कृतज्ञता की चिंगारियों की दोस्ताना पगडंडी छोड़ने की कोशिश करें। आपको आश्चर्य होगा कि किस तरह इन चिंगारियों से दोस्ती की छोटी-छोटी लौ प्रज्ज्वलित हो जाएँगी जो आपकी अगली यात्रा में आपको गर्माहट देंगी।

न्यू फ़ेयरफ़ील्ड, कनेक्टिकट की पामेला डन्हैम की ज़िम्मेदारियों में से एक थी एक नए जेनिटर के सुपरविज़न की, जिसका काम काफ़ी ख़राब था। दूसरे कर्मचारी उसका मखौल उड़ाया करते थे और उसे बताया करते थे कि वह कितना घटिया काम कर रहा था। यह बहुत ही ग़लत बात थी, दुकान का बहुत सा क़ीमती वक़्त बर्बाद हो रहा था।

पैम ने इस कर्मचारी को प्रेरित करने के कई तरीक़े आज़माए, परंतु कोई लाभ नहीं हुआ। फिर उसने देखा कि कभी-कभार वह किसी काम को बहुत अच्छे ढंग से कर लेता था। पैम ने फ़ैसला किया कि जब भी ऐसा मौक़ा आएगा तो वह दूसरे लोगों के सामने उसकी तारीफ़ करेगी। ऐसा करने के बाद सबने देखा कि हर दिन उसके काम में सुधार होता गया और जल्दी ही वह अपना सारा काम अच्छे ढंग से करने लगा। अब सभी लोग उसका सम्मान करते हैं और उसकी प्रशंसा करते हैं। सच्ची प्रशंसा से सकारात्मक परिणाम मिले, जबकि आलोचना और मखौल से कुछ हाथ नहीं आया।

लोगों को ठेस पहुँचाने से वे कभी नहीं बदलते, न ही इससे कोई सकारात्मक प्रभाव पड़ता है इसलिए ऐसा व्यवहार करना निरर्थक होता है। एक पुरानी कहावत है जिसे मैंने काटकर अपने शीशे पर चिपका लिया है जहाँ मैं इसे हर रोज़ पढ़ लेता हूँ :

मैं इस राह पर सिर्फ़ एक बार ही चलूँगा। इसलिए अगर मैं कुछ अच्छा कर सकता हूँ या किसी इंसान का कुछ भला कर सकता हूँ तो मैं ऐसा अभी कर दूँ। मैं इसे टालूँगा नहीं, नज़रअंदाज़ नहीं करूँगा, क्योंकि मैं दुबारा इस राह पर नहीं लौटूँगा।

इमर्सन ने कहा था, "हर व्यक्ति मुझसे किसी न किसी बात में बेहतर होता है। मैं उसकी वह बात सीख लेता हूँ।"

अगर यह इमर्सन के बारे में सही है, तो हमारे और आपके बारे में तो यह हज़ार गुना ज़्यादा सही है। हम अपनी उपलब्धियों, अपनी इच्छाओं के बारे में सोचना छोड़ दें। हम चापलूसी को भूल जाएँ। ईमानदारी से सच्ची प्रशंसा करें। दिल खोलकर तारीफ़ करें और मुक्त कंठ से सराहना करें। अगर आप ऐसा करेंगे तो आप पाएँगे कि लोग आपके शब्दों को अपनी यादों की तिजोरी में रखेंगे और ज़िंदगी भर उन्हें दोहराते रहेंगे- आपने जो कहा है, वह आप भूल जाएँगे, पर वे नहीं भूल पाएँगे।

सिद्धांत 2
सच्ची तारीफ़ करने की आदत डालें।

3

"जो यह कर सकता है उसके साथ पूरी दुनिया है। जो यह नहीं कर सकता, वह अकेला ही रहेगा।"

गर्मियों में मैं अक्सर मैन नदी में मछलियाँ पकड़ने जाता था। व्यक्तिगत रूप से मुझे स्ट्रॉबेरी और क्रीम बहुत पसंद हैं, परंतु मैंने यह पाया कि किसी अजीब कारण से मछलियों को कीड़े पसंद थे। इसलिए जब मैं मछली पकड़ने जाता था, तो मैं इस बात पर ध्यान नहीं देता था कि मुझे क्या पसंद है। मैं हुक में स्ट्रॉबेरी और क्रीम का चारा नहीं लगाता था। इसके बजाय मैं कीड़े को मछली के सामने लटकाकर उससे पूछता था, "क्या आप इसे खाना पसंद करेंगी?"

क्यों न हम लोगों को आकर्षित करने के लिए भी इसी कॉमन सेंस का प्रयोग करें?

यही ग्रेट ब्रिटेन के प्रधानमंत्री लॉयड जॉर्ज ने प्रथम विश्वयुद्ध में किया। जब किसी ने उनसे पूछा कि वे किस तरह सत्ता में बने रह पाए जबकि युद्धकाल के दूसरे नेता- विल्सन, ऑरलैन्डो और क्लीमेन्च्यू- भुला दिए गए, तो उन्होंने बड़ा अच्छा जवाब दिया। उनका जवाब था कि अगर उनके ऊपर बने रहने का कोई कारण बताया जा सकता है तो वह यह है कि उन्होंने सीख लिया था कि किस तरह मछली की पसंद के हिसाब से चारा लगाया जाए।

हम क्या चाहते हैं इस बारे में बात करने से क्या फ़ायदा? यह तो बचपना है। मूर्खता है। ज़ाहिर है कि आप जो चाहते हैं, उसमें आपकी रुचि है। आपकी उसमें गहरी और प्रबल रुचि है, परंतु किसी और की उसमें कोई रुचि नहीं है। हम सभी आप ही की तरह हैं। हम सब अपने आप में रुचि लेते हैं।

इसलिए दुनिया में लोगों को प्रभावित करने का इकलौता तरीक़ा यह है कि आप *सामने वाले* की इच्छाओं के हिसाब से बात करें और यह बताएँ कि वह अपनी इच्छाओं को किस तरह पूरा कर सकता है।

जब आप कल किसी से कोई काम करवाना चाहें, तो इस बात को याद रखें। उदाहरण के तौर पर अगर आप चाहते हैं कि आपके बच्चे सिगरेट पीना छोड़ दें, तो आप उन्हें डाँटिए मत, उन्हें भाषण मत दीजिए, यह मत बताइए कि आप क्या चाहते हैं। इसके बजाय उन्हें यह समझाइए कि अगर वे सिगरेट पिएँगे तो वे कभी बास्केटबॉल टीम में शामिल नहीं हो पाएँगे या एथलेटिक्स का कप नहीं जीत पाएँगे।

चाहे आप बच्चों या के साथ व्यवहार कर रहे हों या मवेशियों या चिंपाजियों के साथ, आपको यह बात हमेशा याद रखनी चाहिए। उदाहरण के तौर पर, एक दिन राल्फ़ वॉल्डो इमर्सन और उनका पुत्र एक बछड़े को तबेले में ले जाने की कोशिश कर रहे थे। परंतु उन्होंने अपनी इच्छाओं के हिसाब से सोचने की आम ग़लती कर दी : इमर्सन धक्का दे रहे थे और उनका पुत्र खींच रहा था। परंतु बछड़ा वही कर रहा था जो वे लोग कर रहे थे : वह भी केवल अपनी इच्छा के बारे में सोच रहा था, इसलिए उसने अपने पैर सख़्ती से जमा लिए और मैदान छोड़कर तबेले की तरफ़ बढ़ने के लिए राज़ी नहीं हुआ। आइरिश नौकरानी ने यह दृश्य देखा। वह निबंध और पुस्तकें तो नहीं लिख सकती थी, परंतु कम से कम इस मौक़े पर उसमें इमर्सन से ज़्यादा कॉमन सेंस था। उसने इस बारे में सोचा कि बछड़ा क्या चाहता है इसलिए उसने अपनी उँगली बछड़े के मुँह में रख दी। बछड़ा मज़े से उसकी उँगली चूसते हुए उसके

पीछे-पीछे तबेले की तरफ़ चल दिया।

जब से आप पैदा हुए हैं तब से आपने जो कुछ भी किया है वह इसलिए किया है क्योंकि आपने कुछ न कुछ हासिल करना चाहा है। आपने रेड क्रॉस में जो चंदा दिया था, वह भी इस नियम का अपवाद नहीं है। आपने रेड क्रॉस में चंदा इसलिए दिया क्योंकि आप लोगों की मदद करना चाहते थे; आप एक सुंदर, निःस्वार्थ, दैवी कार्य करना चाहते थे। "जितना भी तुम मेरे इन ग़रीब भाइयों की मदद के लिए करते हो, वह तुम मेरे लिए करते हो।"

अगर आपके मन में ऐसा करने की चाहत आपके पैसे की चाहत से ज़्यादा न होती तो आप ऐसा कभी नहीं करते। या हो सकता है कि आपने यह चंदा इसलिए दिया हो क्योंकि आपको इंकार करने में शर्म आ रही हो या किसी ग्राहक ने आपसे ऐसा करने के लिए कहा हो। परंतु एक बात तो तय है। आपने रेड क्रॉस में योगदान इसलिए दिया क्योंकि आप कुछ चाहते थे।

अपनी प्रसिद्ध पुस्तक *इन्फ़्लुएंसिंग ह्यूमन बिहेवियर* में हैरी ए. ओवरस्ट्रीट ने लिखा है : "कर्म पैदा होता है हमारी मूलभूत इच्छा से ... और बिज़नेस, घर, स्कूल और राजनीति में दूसरों को काम करने के लिए प्रेरित करने वाले लोगों को सबसे बढ़िया सलाह यही दी जा सकती है : सबसे पहले सामने वाले व्यक्ति में काम करने की प्रबल इच्छा जगाएँ। जो यह कर सकता है उसके साथ पूरी दुनिया है। जो यह नहीं कर सकता, वह अकेला ही रहेगा।"

एन्ड्रयू कारनेगी ग़रीबी में पले स्कॉटलैंड के किशोर थे जिन्होंने अपनी नौकरी की शुरुआत दो सेंट प्रति घंटे के काम से की थी और बाद में उन्होंने 365 मिलियन डॉलर दान में दिए। उन्होंने जीवन की शुरुआत में ही सीख लिया था कि लोगों को प्रभावित करने का इकलौता तरीक़ा सामने वाले की इच्छाओं के बारे में बात करना है। वे केवल चार साल तक ही स्कूल गए थे, परंतु उन्होंने यह सीख लिया था कि लोगों के साथ किस तरह व्यवहार किया जाता है।

एक बार की बात है। उनकी एक रिश्तेदार अपने दोनों बच्चों

को लेकर बहुत परेशान थी। वे येल में थे और इतने व्यस्त थे कि उन्हें घर पर चिट्ठी लिखने की याद ही नहीं रहती थी। यही नहीं, वे अपनी चिंतित माँ की चिट्ठियों का जवाब भी नहीं देते थे।

यह सुनकर कारनेगी ने सौ डॉलर की शर्त लगाई कि वे लौटती डाक से अपनी चिट्ठी का जवाब मँगाकर दिखाएँगे और मज़ेदार बात यह कि वे जवाब देने का आग्रह भी नहीं करेंगे। जब शर्त लग गई तो कारनेगी ने अपने भतीजों को एक बातूनी चिट्ठी लिखी और बाद में लिख दिया कि वे हर एक को पाँच डॉलर का नोट चिट्ठी के साथ भेज रहे हैं।

परंतु कारनेगी ने साथ में नोट भेजने का कष्ट नहीं किया।

लौटती डाक से उसकी चिट्ठियों का सचमुच जवाब आया, जिसमें "प्यारे अंकल एन्ड्रयू" को धन्यवाद दिया गया था और आप ख़ुद समझ सकते होंगे कि इसके बाद क्या लिखा होगा।

अपनी बात मनवाने का एक और उदाहरण क्लीवलैंड, ओहियो के स्टैन नोवाक का है जिन्होंने हमारे कोर्स में भाग लिया। स्टैन जब एक दिन शाम को घर लौटे तो उन्होंने देखा कि उनका सबसे छोटा पुत्र टिम ड्रॉइंग रूम के फ़र्श पर बैठा-बैठा पैर चला रहा है और चीख़ रहा है। उसे अगले दिन किंडरगार्टन स्कूल जाना शुरू करना था और वह स्कूल जाने के लिए तैयार नहीं था। स्टैन की सामान्य प्रतिक्रिया यह होती कि वह बच्चे को उसके कमरे में भेज दे और उससे सख़्ती से कहे कि उसे स्कूल जाना ही है, और उसे स्कूल जाने की तैयारी कर लेनी चाहिए। उसके पास कोई विकल्प नहीं था। परंतु उस शाम उसे यह एहसास हुआ कि अगर ऐसा किया गया तो टिम सही मानसिकता से स्कूल नहीं जाएगा। इसलिए स्टैन बैठ गया और सोचने लगा, "अगर मैं टिम होता, तो मैं स्कूल जाने के लिए क्यों उत्साहित होता?" उसने और उसकी पत्नी ने कुछ ऐसी मज़ेदार चीज़ों की सूची बनाई जिनमें टिम की रुचि थी जैसे फ़िंगर पेंटिंग, गाना गाना, नए दोस्त बनाना। फिर वे लोग काम में जुट गए। "हम सबने किचन की टेबल पर फ़िंगर पेंटिंग शुरू कर

दी- मेरी पत्नी लिल, मेरे बड़े पुत्र बॉब और मुझे इसमें मज़ा आ रहा था। जल्दी ही टिम ने दरवाज़े के बाहर से झाँका। कुछ समय बाद उसने हमसे आग्रह किया कि हम इस खेल में उसे भी शामिल कर लें। 'अरे, नहीं, तुम्हें फ़िंगरपेंट करना सीखने के लिए पहले किंडरगार्टन जाना पड़ेगा।' अपनी आवाज़ में पूरा उत्साह भरकर मैं उसके पहलू से उसे समझ में आने वाली भाषा में उसे बताता रहा कि किंडरगार्टन में जाने से उसे कितनी मज़ेदार बातें सीखने को मिलेंगी। अगली सुबह मुझे लग रहा था कि मैं सबसे जल्दी उठ गया था। परंतु जब मैं नीचे गया तो मैंने देखा कि टिम लिविंग रूम की कुर्सी पर बैठा-बैठा सो रहा था। 'तुम यहाँ क्या कर रहे हो?' मैंने पूछा। 'मैं किंडरगार्टन जाने का इंतज़ार कर रहा हूँ। मैं लेट नहीं होना चाहता।' हमारे पूरे परिवार के उत्साह ने टिम में वह प्रबल आकांक्षा जगा दी थी जो किसी चर्चा या धमकी से पैदा नहीं हो सकती थी।"

हो सकता है कि कल आप किसी को किसी बात के लिए राज़ी करना चाहते हों। कुछ बोलने से पहले थोड़ा रुककर ख़ुद से पूछें, "मैं इस आदमी या औरत में ऐसा करने की इच्छा कैसे जगा सकता हूँ?"

इस सवाल से हमें यह लाभ होगा कि हम बिना सोचे-समझे किसी भी परिस्थिति में कूदने से और अपनी इच्छाओं के बारे फ़ालतू की बातें करने से बच जाएँगे।

बहुत पहले मैं न्यूयॉर्क के एक होटल के बॉलरूम को बीस रातों के लिए किराए पर लेता था ताकि मैं वहाँ पर अपनी व्याख्यानमाला आयोजित कर सकूँ।

एक सीज़न की शुरुआत में मुझे अचानक यह सूचना दी गई कि मुझे पहले से लगभग तीन गुना किराया देना पड़ेगा। यह ख़बर मुझ तक पहुँचने से पहले ही टिकट छप चुके थे, बँट चुके थे और व्याख्यानमाला का सारा प्रचार हो चुका था।

ज़ाहिर था कि मैं बढ़ा हुआ किराया नहीं देना चाहता था। परंतु होटल वालों से इस बारे में बात करने से क्या फ़ायदा कि मैं क्या

चाहता था ? होटल का मैनेजर मेरी इच्छा के हिसाब से नहीं, अपनी इच्छा के हिसाब से काम करता था। दो दिन बाद मैं मैनेजर से मिलने गया।

मैंने मैनेजर से कहा, "मुझे आपका पत्र पढ़कर पहले तो धक्का लगा, पर मैं आपको दोष नहीं दे रहा हूँ। अगर मैं आपकी जगह होता, तो मैंने भी शायद इसी तरह का पत्र लिखा होता। होटल का मैनेजर होने के नाते अधिकतम लाभ कमाना आपका कर्तव्य है। अगर आप ऐसा नहीं करेंगे तो आपको नौकरी से निकाल दिया जाएगा और निकाल देना चाहिए। अब, आइए एक काग़ज़ लेकर यह लिखें कि किराया बढ़ाने से आपको कौन-कौन से लाभ और हानियाँ होंगी।"

मैंने एक काग़ज़ उठाया, उस पर बीचोंबीच एक लाइन खींची और एक कॉलम में "फ़ायदे" और दूसरे कॉलम में "नुक़सान" शीर्षक डाल दिया।

मैंने लाभ वाले कॉलम में लिखा, "बॉलरूम फ़्री"। फिर मैंने कहा : "आपको यह फ़ायदा होगा कि डांस और दीगर समारोहों के लिए आपका बॉलरूम ख़ाली रहेगा। यह एक बहुत बड़ा लाभ है क्योंकि आपको इन आयोजनों से ज़्यादा किराया मिल जाएगा, जबकि अगर आप व्याख्यानमाला के लिए यह बॉलरूम किराए पर देते हैं तो इससे आपको कम पैसे मिलेंगे। अगर मैं बीस रातों तक इस बॉलरूम में डेरा डाले रहूँगा तो इससे निश्चित रूप से आपके हाथ से फ़ायदेमंद बिज़नेस के कई मौक़े निकल जाएँगे।

"अब हम हानियों पर ध्यान देते हैं। पहली बात तो यह कि मुझसे अपनी आमदनी बढ़ाने के बजाय आप अपनी आमदनी घटा रहे हैं। दरअसल आपको बिलकुल भी आमदनी नहीं होगी, क्योंकि आपने जितना किराया माँगा है, मैं उतना किराया नहीं दे सकता। मजबूरन मुझे यह व्याख्यानमाला किसी दूसरी जगह आयोजित करनी पड़ेगी।

"इसके अलावा आपको एक और नुक़सान भी होगा। व्याख्यानमाला के बहाने बहुत से सुशिक्षित और सुसंस्कृत लोग

आपके होटल में आते हैं। यह आपके लिए अच्छा ख़ासा विज्ञापन हो जाता है। देखा जाए तो अगर आप अख़बारों में विज्ञापन देने में पाँच हज़ार डॉलर ख़र्च करें, तो भी आपके होटल में इतने लोग नहीं आएँगे जितने कि इस व्याख्यानमाला के माध्यम से आ जाते हैं। यह होटल के लिए अच्छी पब्लिसिटी है, है ना?"

बोलते समय मैंने इन दोनों "नुक़सानों" को उनके निर्धारित कॉलम में लिख दिया और उस काग़ज़ को मैनेजर को देते हुए कहा, "मैं चाहूँगा कि आप अपने होटल को होने वाले फ़ायदों और नुक़सानों पर सावधानीपूर्वक विचार करें और फिर मुझे अपना अंतिम निर्णय बता दें।"

अगले ही दिन मुझे उसका पत्र मिला जिसमें लिखा हुआ था कि मेरा किराया 300 प्रतिशत के बजाय केवल 50 प्रतिशत ही बढ़ाया गया है।

ग़ौर फ़रमाएँ, मुझे यह छूट तब मिली, जब मैंने इस बारे में एक शब्द भी नहीं कहा था कि मैं क्या चाहता था। मैंने सिर्फ़ सामने वाले व्यक्ति की रुचि के हिसाब से सोचा और उसे यह बताया कि वह अपनी मनचाही चीज़ कैसे हासिल कर सकता था।

मान लीजिए इसके बजाय मैंने वही किया होता जो स्वाभाविक तौर पर हम सभी करते हैं, यानी मैं उसके ऑफ़िस में घुस गया होता और उससे कहता, "मेरा किराया तीन गुना बढ़ाने का क्या मतलब है जबकि आप जानते हैं कि टिकट छप चुके हैं और प्रचार हो चुका है? तीन गुना किराया! यह तो ज़्यादती है! बेवक़ूफ़ी है! मैं इतना किराया हर्गिज़ नहीं दूँगा।"

तब क्या हुआ होता? एक बहस, जिसमें दोनों तरफ़ से गर्मागर्मी होती, तनातनी होती और आप तो जानते ही हैं कि इस तरह की बहस का अंत किस तरह होता है। चाहे मैं उससे उसकी ग़लती मनवा लेता, परंतु अपने गर्व के कारण वह झुकने के लिए कभी तैयार नहीं होता और मेरी बात कभी नहीं मानता।

मानवीय संबंधों की कला के बारे में हेनरी फ़ोर्ड ने बड़ी सुंदर

सलाह दी है, "अगर सफलता का कोई रहस्य है, तो वह यह है कि हममें यह क्षमता हो कि हम सामने वाले का नज़रिया समझ सकें और हम किसी घटना को अपने नज़रिए के साथ-साथ सामने वाले के नज़रिए से भी देख सकें।"

यह इतना बढ़िया कोटेशन है कि मैं इसे एक बार फिर दोहराना चाहूँगा : *"अगर सफलता का कोई रहस्य है, तो वह यह है कि हममें सामने वाले का नज़रिया समझने की योग्यता हो और हम किसी घटना को अपने नज़रिए के साथ-साथ सामने वाले के नज़रिए से भी देख सकें।"*

यह इतना आसान है, इतना स्पष्ट है कि इसकी सच्चाई हमें पहली नज़र में ही समझ में आ जानी चाहिए, परंतु फिर भी 90 प्रतिशत लोग 90 प्रतिशत से भी ज़्यादा समय इसे नज़रअंदाज़ करते हैं।

एक उदाहरण? आज सुबह डाक से आए पत्रों को देखिए और आप पाएँगे कि उनमें से ज़्यादातर लोग कॉमन सेंस के इस महत्वपूर्ण सिद्धांत की अवहेलना करते हैं। इस पत्र को ही ले लें जो एक एडवर्टाइज़िंग एजेंसी के रेडियो डिपार्टमेंट के प्रमुख ने लिखा है, जिसके ऑफ़िस पूरे महाद्वीप में फैले हुए हैं। यह पत्र देश भर के सभी स्थानीय रेडियो स्टेशनों के मैनेजरों को भिजवाया गया था। (मैंने ब्रैकेट में हर पैरेग्राफ़ के बारे में अपनी प्रतिक्रिया लिखी है।)

"मिस्टर जॉन ब्लैंक,
ब्लैंकविले,
इंडियाना

डियर मिस्टर ब्लैंक :

.... कंपनी रेडियो के क्षेत्र में एडवर्टाइज़िंग एजेंसी के शिखर पर अपनी स्थिति को बनाए रखना चाहती है।"

(इस बात की किसे परवाह है कि तुम्हारी कंपनी क्या चाहती है? मैं अपनी ख़ुद की समस्याओं को लेकर परेशान हूँ। बैंक मेरे घर के क़र्ज़ को फ़ोरक्लोज़ कर रही है, स्टॉक मार्केट कल नीचे गिर गया।

मेरी आज सुबह की सवा आठ बजे वाली ट्रेन छूट गई। मुझे पिछली रात को जोन्स परिवार के यहाँ होने वाले डांस में नहीं बुलाया गया। डॉक्टर कहता है कि मुझे हाई ब्लड प्रेशर है और न्यूराइटिस और डैन्ड्रफ़ भी है। और इसके बाद क्या होता है? मैं हैरान-परेशान ऑफ़िस आता हूँ, अपनी डाक खोलता हूँ और वहाँ न्यूयॉर्क में बैठा कोई घमंडी आदमी इस बात की शेख़ी बघारता है कि उसकी कंपनी क्या चाहती है। बकवास! अगर उसे इस बात का एहसास होता कि उसके पत्र का क्या प्रभाव पड़ेगा, तो उसने एडवर्टाइज़िंग बिज़नेस को छोड़कर शीप डिप बनाने का बिज़नेस शुरू कर दिया होता।)

> *"इस एजेंसी के राष्ट्रीय एडवर्टाइज़िंग अकाउंट्स नेटवर्क के आधारस्तंभ थे। हम हर साल इतना अधिक विज्ञापन करते हैं कि हम बाक़ी एजेंसियों से आगे हैं और इस बिज़नेस में नंबर वन पर हैं।"*

(तुम बहुत बड़े हो, अमीर हो और नंबर वन हो, क्या सचमुच? तो उससे क्या फ़र्क़ पड़ता है? मुझे रत्ती भर भी फ़र्क़ नहीं पड़ता चाहे तुम अमेरिका के जनरल मोटर्स और जनरल इलेक्ट्रिक और जनरल स्टाफ़ जितने बड़े हो जाओ। अगर तुममें चिड़िया जितनी भी बुद्धि होती तो तुम्हें यह एहसास होना चाहिए था कि मेरी रुचि इस बात में है कि मैं कितना बड़ा हूँ- न कि इस बात में कि तुम कितने बड़े हो। तुम्हारी इस अभूतपूर्व सफलता की चर्चा से मैं ख़ुद को छोटा और महत्वहीन समझने लगा हूँ।)

> *"हम चाहते हैं कि रेडियो द्वारा अपने ग्राहकों की ऐसी सेवा करें जो सबसे बेहतर हो।"*

(तुम चाहते हो! तुम चाहते हो। वज्र मूर्ख। मेरी इस बात में कोई रुचि नहीं है कि तुम क्या चाहते हो या अमेरिका का राष्ट्रपति क्या चाहता है। मैं तुम्हें आख़िरी बार बता दूँ कि मेरी रुचि इस बात में है कि मैं क्या चाहता हूँ- और तुमने अपने बेवकूफ़ी भरे इस पत्र में अब तक इस बारे में एक शब्द भी नहीं लिखा है।)

> *"इसलिए क्या आप .... कंपनी का नाम साप्ताहिक*

स्टेशन जानकारी की अपनी विशेष सूची में जोड़ेंगे ? बुद्धिमत्तापूर्ण बुकिंग टाइम के लिए विस्तृत जानकारी एजेंसी के लिए उपयोगी सिद्ध होगी।"

("विशेष" सूची। तुम्हारी यह मजाल! पहले तो तुमने अपनी कंपनी का गुणगान करके मुझे महत्वहीन होने का एहसास कराया– और अब तुम मुझसे यह अपेक्षा करते हो कि मैं तुम्हारी कंपनी का नाम "विशेष" सूची में लिख दूँगा। और तो और, तुमने इस आग्रह के साथ "कृपया" लिखने का कष्ट भी नहीं किया।)

"इस पत्र की तत्काल पावती भेजें, और बताएँ कि आप वर्तमान में क्या कर रहे हैं ? आशा है कि पारस्परिक सहयोग से हम दोनों को ही लाभ होगा।"

(अरे मूर्ख! तुमने मुझे एक घटिया सा पत्र भेजा – एक ऐसा पत्र जो पतझड़ की पत्तियों की तरह इधर–उधर बिखरा हुआ है – और जब मैं अपने क़र्ज़, अपने ब्लड प्रेशर के बारे में चिंतित हूँ, उस समय तुम मुझसे यह उम्मीद कर रहे हो कि मैं बैठकर तुम्हारे पत्र की पावती भेजूँ और वह भी "तत्काल।" "तत्काल" से तुम्हारा क्या मतलब है ? क्या तुम यह नहीं जानते कि मैं भी उतना ही व्यस्त हूँ जितने कि तुम– या, कम से कम, मैं अपने आप को व्यस्त समझना पसंद करता हूँ। और जब हम इस विषय पर बात कर ही रहे हैं, तो मैं यह जानना चाहता हूँ कि तुम्हें यह अधिकार किसने दिया है कि तुम मुझ पर हुक्म चलाओ ? ... तुम कहते हो कि इससे हम दोनों को ही लाभ होगा। आख़िरकार, आख़िरकार तुमने मेरे नज़रिए से देखा तो सही। परंतु इसमें मुझे क्या लाभ होगा, इस बारे में तो तुमने स्पष्ट रूप से कुछ भी नहीं लिखा।)

आपका,
जॉन डो
मैनेजर रेडियो डिपार्टमेंट

पुनःश्च : ब्लैंकविले जरनल से संलग्न रिप्रिंट आपको पसंद आएगा और आप इसे अपने स्टेशन पर ब्रॉडकास्ट करना चाहेंगे।

(आख़िरकार, पुनःश्च वाले कॉलम में तुमने किसी ऐसी चीज़ का ज़िक्र किया है जो मेरे काम की है। तुमने इसी बात से अपना पत्र शुरू क्यों नहीं किया- परंतु अब क्या फ़ायदा? कोई भी एडवर्टाइज़िंग का आदमी जो इतनी सारी बकवास लिखने का अपराधी हो वह ज़रूर किसी मानसिक रोग से ग्रस्त होगा। तुम्हें यह जानने की क्या ज़रूरत है कि हम वर्तमान में क्या कर रहे हैं? तुम्हें तो अपनी थायरॉइड ग्लैंड में थोड़े से आयोडीन की ज़रूरत है।)

जिन लोगों ने अपना जीवन एडवर्टाइज़िंग में समर्पित किया है और जो लोग दूसरे लोगों को ख़रीदने के लिए प्रभावित करने की कला के विशेषज्ञ होने का दावा करते हैं- अगर वे लोग ही ऐसी चिट्ठी लिखते हैं, तो हम बुचर और बेकर या ऑटो मैकेनिक से क्या उम्मीद कर सकते हैं?

यहाँ एक और पत्र दिया जा रहा है जो एक बड़े फ्रेट टर्मिनल के सुपरिंटेंडेंट ने हमारे कोर्स के एक विद्यार्थी एडवर्ड वर्मिलन को लिखा था। इस पत्र का पाने वाले पर क्या प्रभाव पड़ा? पहले इसे पढ़ लीजिए और फिर मैं आपको इस बारे में बताता हूँ।

ए. झेरेगाज़ सन्स, इंक.
28 फ्रंट स्ट्रीट,
ब्रुकलिन, न्यूयॉर्क 11201

प्रति : मिस्टर एडवर्ड वर्मिलन

महोदय,

चूँकि हमारे ग्राहक अपना अधिकांश माल शाम को भिजवाते हैं, इसलिए उस माल को बाहर भिजवाने में हमें काफ़ी मुश्किल आती है। इस वजह से हमारे यहाँ भीड़ हो जाती है, हमारे कर्मचारियों को ओवरटाइम करना पड़ता है, हमारे ट्रक देर से निकल पाते हैं और कई बार तो माल भी देर से पहुँच पाता है। 10 नवंबर को आपकी कंपनी ने 510 वस्तुओं का लॉट हमारे यहाँ भेजा, जो हमें शाम को 4:20 पर मिला।

देर से माल मिलने के कारण होने वाली परेशानियों से निबटने के लिए हम आपका सहयोग चाहते हैं। क्या हम आपसे यह अपेक्षा रख सकते हैं कि जब भी आपको माल भिजवाना हो, जैसा उक्त दिनांक को हुआ था, तो आप यह कोशिश करें कि या तो आपका ट्रक हमारे यहाँ जल्दी पहुँच जाए या फिर आप माल का कुछ हिस्सा सुबह भिजवा दें?

इस तरह की व्यवस्था से आपको यह लाभ होगा कि आपके ट्रक जल्दी ख़ाली हो जाएँगे और आपको यह निश्चिंतता भी होगी कि आपका माल सही समय पर उसी दिन रवाना हो जाएगा।

आपका,
जे- बी- *सुपरिंटेंडेंट*

इस पत्र को पढ़कर ए. झेरेगाज़ सन्स, इंक. के सेल्स मैनेजर मिस्टर वर्मिलन की प्रतिक्रिया क्या हुई, यह उन्होंने मुझे लिखकर भिजवाई : "इस पत्र का मुझ पर उल्टा ही असर हुआ। इस पत्र की शुरुआत में उन्होंने अपनी समस्याओं का रोना रोया था, जिसमें मेरी ज़रा भी रुचि नहीं थी। फिर हमसे सहयोग माँगा गया था और इस बात का क़तई विचार नहीं किया गया था कि इससे हमें क्या असुविधा होगी। और आख़िरी पैरेग्राफ़ में इस तथ्य का उल्लेख किया गया था कि अगर हम सहयोग करेंगे तो इससे हमें यह फ़ायदा होगा कि हमारा माल उसी दिन तत्काल रवाना हो जाएगा।

"दूसरे शब्दों में, जिस बात में हमारी सबसे ज़्यादा रुचि थी, उसे सबसे बाद में लिखा गया था और इसीलिए पत्र का प्रभाव सकारात्मक होने के बजाय नकारात्मक पड़ा।"

चलिए देखते हैं कि क्या इस पत्र में हेरफेर करके हम इसे सुधार सकते हैं? हम अपनी समस्याओं के बारे में बात करने में एक मिनट भी बर्बाद नहीं करेंगे। हम हेनरी फ़ोर्ड की दी हुई हिदायत का ध्यान रखेंगे कि "हम सामने वाले का नज़रिया समझ सकें और हम किसी घटना को अपने नज़रिए के साथ-साथ सामने वाले के

नज़रिए से भी देख सकें।"

इस पत्र को रिवाइज़ करने का एक तरीक़ा यह है। हो सकता है कि यह सर्वश्रेष्ठ तरीक़ा न हो, परंतु क्या यह पिछले पत्र से बेहतर नहीं है ?

मिस्टर एडवर्ड वर्मिलन,
ए. झेरेगाज़ सन्स, इंक.
28 फ़्रंट स्ट्रीट,
ब्रुकलिन, न्यूयॉर्क 11201

प्रिय मिस्टर वर्मिलन,

आपकी कंपनी पिछले चौदह सालों से हमारी अच्छी ग्राहक है। स्वाभाविक रूप से हम इस बात के लिए कृतज्ञ हैं कि आप इतने लंबे समय से हमारे ग्राहक हैं। हम आपको बेहतर और त्वरित सेवाएँ देना चाहते हैं जिनके आप हक़दार हैं। परंतु हमें खेद है कि जब आपके ट्रक शाम को देर से माल लेकर हमारे यहाँ आते हैं (जैसा 10 नवंबर को हुआ था), तो हमारे लिए ऐसा करना हमेशा संभव नहीं हो पाता। ऐसा क्यों ? क्योंकि कई दूसरे ग्राहक भी शाम को देर से अपना माल भिजवाते हैं। ज़ाहिर है, इस वजह से हमारे यहाँ भीड़ हो जाती है। इसका परिणाम यह होता है कि आपके ट्रकों को यहाँ पर ज़्यादा देर तक बेवजह रुकना पड़ता है और इस कारण कई बार तो आपका माल भी देर से पहुँचता है।

ऐसा नहीं होना चाहिए और इससे बचा जा सकता है। अगर आप अपना माल यथासंभव सुबह के समय पहुँचा दें, तो आपके ट्रक जल्दी ख़ाली हो सकेंगे, आपका माल बिना देरी के समय पर पहुँच सकेगा और हमारे कर्मचारी आपके बनाए हुए मैकरोनी और नूडल्स का बेहतरीन डिनर लेने के लिए जल्दी घर पहुँच सकेंगे।

वैसे आपका माल कभी भी आए, हमें आपको त्वरित सेवा

देने में ख़ुशी होगी।

आप व्यस्त होंगे। इसलिए कृपया इस पत्र का जवाब देने का कष्ट न करें।

आपका,
जे- बी- *सुपरिंटेंडेंट*

न्यूयॉर्क की एक बैंक में काम करने वाली बारबरा एंडरसन अपने बच्चे के स्वास्थ्य के कारण फ़ीनिक्स, एरिज़ोना में रहना चाहती थी। हमारे कोर्स में सीखे गए सिद्धांतों का प्रयोग करते हुए उसने फ़ीनिक्स के बारह बैंकों को यह पत्र लिखा :

डियर सर,

आपकी तेज़ी से बढ़ रही बैंक के लिए मेरा दस वर्ष का अनुभव काफ़ी काम का हो सकता है।

न्यूयॉर्क की बैंकर्स ट्रस्ट कंपनी में ब्रांच मैनेजर के वर्तमान पद तक आते-आते मैं कई पदों पर काम कर चुकी हूँ। मैं बैंकिंग के सभी पहलुओं के काम जैसे क्रेडिट, लोन, टेलर और प्रशासन इत्यादि अच्छी तरह सीख चुकी हूँ।

मैं मई में फ़ीनिक्स में रहने के लिए आ रही हूँ और मुझे विश्वास है कि मैं आपकी बैंक के विकास और लाभ में अपना योगदान दे सकती हूँ। मैं 3 अप्रैल वाले सप्ताह में फ़ीनिक्स में रहूँगी और मैं आपको यह दिखाना चाहूँगी कि मैं किस तरह आपके बैंक के लक्ष्यों को हासिल करने में आपकी मदद कर सकती हूँ।

धन्यवाद,
बारबरा एल. एंडरसन

आपको क्या लगता है मिसेज़ एंडरसन को इस पत्र का जवाब मिला होगा ? बारह में से ग्यारह बैंकों ने उन्हें इंटरव्यू का लेटर भेजा और उनके पास विकल्प था कि वे नौकरी के लिए अपनी पसंद का

बैंक चुन सकें। क्यों? क्योंकि मिसेज़ एंडरसन ने यह नहीं बताया था कि वे क्या चाहती थीं, बल्कि अपने पत्र में उन्होंने लिखा था कि वे किस तरह उनकी मदद कर सकती थीं, और उन्होंने अपना पूरा ध्यान उनकी इच्छाओं पर दिया था, अपनी इच्छाओं पर नहीं।

हज़ारों सेल्समैन आज फ़ुटपाथ पर निराश, हताश और थके हुए घूम रहे हैं। क्यों? क्योंकि वे हमेशा यही सोचते रहते हैं कि उन्हें किस चीज़ की ज़रूरत है? वे कभी यह सोचते ही नहीं हैं कि आप या मैं कोई चीज़ ख़रीदना नहीं चाहते हैं। परंतु हम दोनों ही अपनी समस्याओं को सुलझाने में हमेशा रुचि रखते हैं। अगर सेल्समैन हमें यह बता सकें कि उनकी सेवाओं या माल से हमारी समस्याएँ किस तरह सुलझ सकती हैं, तो उन्हें अपना सामान बेचने की ज़रूरत ही नहीं पड़ेगी, हम अपने आप उनका सामान ख़रीदेंगे। और ग्राहकों को यह नहीं लगना चाहिए कि उन्हें सामान बेचा जा रहा है, बल्कि उन्हें यह लगना चाहिए कि वे सामान ख़रीद रहे हैं।

फिर भी बहुत से सेल्समैन ज़िंदगी भर ग्राहक के नज़रिए से स्थिति को नहीं देख पाते। एक उदाहरण लें। मैं कई साल फ़ॉरेस्ट हिल्स में रहा, जो ग्रेटर न्यूयॉर्क के केंद्र में निजी मकानों की छोटी सी कॉलोनी थी। एक दिन जब मैं स्टेशन की तरफ़ तेज़ी से जा रहा था, तो मेरी मुलाक़ात एक रियल एस्टेट ऑपरेटर से हुई जो उस इलाक़े में बरसों से प्रॉपर्टी ख़रीदने और बेचने का काम कर रहा था। उसे फ़ॉरेस्ट हिल्स की अच्छी जानकारी थी, इसलिए मैंने उससे जल्दी में पूछा कि मेरा स्टको घर किस चीज़ से बना है, मेटल लैथ से या हॉलो टाइल से। उसने कहा कि उसे नहीं मालूम। और उसने मुझे एक ऐसी बात बताई जो मैं पहले से ही जानता था कि मैं यह जानकारी फ़ॉरेस्ट हिल्स गार्डन एसोसिएशन से ले सकता हूँ। अगली सुबह मुझे उसका पत्र मिला। क्या उसने पत्र में मेरे द्वारा चाही जानकारी दी? उसे वह जानकारी टेलीफ़ोन के माध्यम से एक मिनट में मिल सकती थी। परंतु उसने इतना सा कष्ट भी नहीं किया। उसने मुझे एक बार फिर बताया कि मैं टेलीफ़ोन करके यह जानकारी ले सकता हूँ और इसके बाद उसने यह आग्रह किया कि

मैं उससे अपना बीमा करवा लूँ।

मेरी मदद करने में उसकी कोई दिलचस्पी नहीं थी। वह केवल ख़ुद की मदद करने में दिलचस्पी ले रहा था।

बर्मिंघम, अलाबामा के जे. हॉवर्ड ल्यूकास ने हमें एक ही कंपनी के दो सेल्समैनों के बारे में बताया जिन्होंने एक ही तरह की स्थिति में अलग-अलग तरह से काम किया।

"कई साल पहले मैं एक छोटी कंपनी की मैनेजमेंट टीम में था। हमारे ऑफ़िस के पास ही एक बड़ी बीमा कंपनी का डिस्ट्रिक्ट हेडक्वार्टर था। उनके एजेंटों को इलाक़े बाँट दिए गए थे और हमारी कंपनी दो एजेंटों के हिस्से में आई थी, जिन्हें मैं कार्ल और जॉन का नाम देना चाहूँगा।

"एक सुबह कार्ल हमारे ऑफ़िस में आया और उसने बातों-बातों में यूँ ही यह ज़िक्र किया कि उसकी कंपनी ने एक्ज़ीक्यूटिव्ज़ के लिए हाल ही में एक नई बीमा पॉलिसी शुरू की है, जिसमें हमारी बाद में दिलचस्पी हो सकती है और जब पॉलिसी के पूरे डिटेल्स आ जाएँगे तब वह हमारे पास आएगा।

"उसी दिन, जॉन ने हमें कॉफ़ी ब्रेक के बाद फ़ुटपाथ पर वापस लौटते हुए देखा और उसने चिल्लाकर कहा, 'ल्यूक, ज़रा ठहरो। मेरे पास आप लोगों के लिए एक बढ़िया ख़बर है।' उसने जल्दी में और बहुत रोमांचित होकर हमें बताया कि उसी दिन उसकी कंपनी ने एक बेहतरीन पॉलिसी शुरू की है। (इसी पॉलिसी का ज़िक्र कार्ल ने हल्के-फुल्के ढंग से किया था।) जॉन ने कहा कि क्यों न हम लोग इसके पहले ग्राहक बन जाएँ। उसने हमें कवरेज के बारे में कुछ महत्वपूर्ण जानकारी दी और अपनी बात यह कहते हुए समाप्त की, 'यह पॉलिसी इतनी नई है कि मैं अपने ऑफ़िस से पूरी जानकारी कल ही ले लूँगा। इस बीच हम औपचारिकताएँ पूरी कर लें और अपने आवेदन पर हस्ताक्षर करके उन्हें भिजवा दें ताकि कंपनी व्यक्तिगत रूप से पूरी जानकारी दे सके।' उसके उत्साह और रोमांच से हम भी उत्साहित और रोमांचित हो गए हालाँकि हमारे पास उस

पॉलिसी के बारे में पूरी जानकारी नहीं थी। जब हमें पूरी जानकारी मिली, तो वह जॉन की बताई जानकारी के अनुरूप ही थी और इसका नतीजा यह हुआ कि जॉन ने न सिर्फ़ हममें से हर एक को पॉलिसी बेच दी, बल्कि बाद में हमारे कवरेज को दुगुना भी कर दिया।

"कार्ल भी हमें यह पॉलिसी बेच सकता था, परंतु उसने हममें इन पॉलिसियों के प्रति इच्छा जगाने की कोई कोशिश ही नहीं की थी।"

दुनिया में ऐसे लोग भरे पड़े हैं जो स्वार्थी हैं और ख़ुद का भला करना चाहते हैं। इस वजह से उस दुर्लभ व्यक्ति को बहुत लाभ होता है जो निःस्वार्थ भाव से दूसरों की मदद करना चाहता है। उसके बहुत कम प्रतियोगी होते हैं। प्रसिद्ध वकील और अमेरिका के महान बिज़नेस लीडर ओवेन डी. यंग ने एक बार कहा था : "जो लोग ख़ुद को दूसरों की जगह रख सकते हैं, जो उनके दिमाग़ के काम करने की प्रक्रिया को समझ सकते हैं, उन्हें इस बात की चिंता करने की कभी ज़रूरत नहीं होनी चाहिए कि उनका भविष्य कैसा होगा।"

अगर आप इस पुस्तक से सिर्फ़ यही एक बात सीख लें कि किस तरह दूसरे व्यक्ति के नज़रिए से सोचा जाए और स्थिति को दूसरों के नज़रिए से देखा जाए तो यह आपके करियर की प्रगति में आधारस्तंभ साबित हो सकती है।

दूसरे व्यक्ति के नज़रिए से स्थिति को देखने और उसमें इच्छा जगाने का यह मतलब नहीं है कि आप सामने वाले का शोषण करना चाहते हैं और उससे ऐसा कोई काम करवाना चाहते हैं जिससे उसे नुक़सान हो और आपको फ़ायदा। इससे दोनों को फ़ायदा होना चाहिए। मिस्टर वर्मिलन को लिखे पत्र में दिए गए सुझावों पर अमल करने से पत्र भेजने वाले और पत्र पाने वाले दोनों को ही लाभ हुआ। बैंक और मिसेज़ एंडरसन दोनों को ही उस पत्र से लाभ हुआ क्योंकि बैंक को एक बढ़िया कर्मचारी मिल गया और मिसेज़ एंडरसन को एक अच्छी नौकरी मिल गई। और बीमे के उदाहरण में भी जॉन को मिस्टर ल्यूकास के बीमे का कमीशन मिला

और मिस्टर ल्यूकास को एक बढ़िया बीमा पॉलिसी मिल गई।

दूसरे व्यक्ति में काम करने की इच्छा जगाने का और दोनों ही पक्षों को लाभ पहुँचने का एक और उदाहरण हमें शेल ऑइल कंपनी के माइकल ई. व्हिडन के अनुभव से मिलता है। माइकल वारविक, रोड आइलैंड में इस कंपनी का टेरिटरी सेल्समैन है। माइक अपने जिले का नंबर वन सेल्समैन बनना चाहता था, परंतु एक सर्विस स्टेशन के कारण वह नंबर वन सेल्समैन नहीं बन पा रहा था। इस स्टेशन का मालिक बुज़ुर्ग था और वह इसके आधुनिकीकरण के लिए राज़ी नहीं हो रहा था। उस स्टेशन की हालत बहुत ख़राब थी और इसलिए वहाँ पर बिक्री लगातार घटती जा रही थी।

स्टेशन के आधुनिकीकरण के बारे में माइक के आग्रहों को मैनेजर अनसुना कर देता था। कई प्रयासों और लंबी चर्चाओं के बाद - जिनका कोई फ़ायदा नहीं हुआ - माइक ने यह फ़ैसला किया कि वह मैनेजर को अपने इलाक़े का सबसे नया शेल स्टेशन दिखाएगा।

मैनेजर नए स्टेशन की सुविधाओं से बहुत प्रभावित हुआ और जब माइक अगली बार उससे मिलने गया तो उसने देखा कि उसने अपने स्टेशन का आधुनिकीकरण करवा लिया था और उसकी बिक्री भी बढ़ गई थी। इस वजह से माइक अपने जिले में नंबर वन स्पॉट पर पहुँच गया। बातों से, चर्चाओं से कोई फ़ायदा नहीं हुआ था, परंतु मैनेजर के मन में तीव्र इच्छा जगाने से, उसे आधुनिक स्टेशन दिखाने से उसने अपने लक्ष्य को हासिल कर लिया था। और इससे मैनेजर और माइक दोनों को ही फ़ायदा हुआ।

ज़्यादातर लोग कॉलेज में जाते हैं और वे वर्जिल पढ़ना सीख लेते हैं या वे कैलकुलस के रहस्य जान लेते हैं परंतु वे यह नहीं जान पाते कि उनके मस्तिष्क किस तरह काम करते हैं। उदाहरण के तौर पर मैंने एक बार इफ़ैक्टिव स्पीकंग पर युवा कॉलेज ग्रैजुएट्स के लिए एक कोर्स आयोजित किया। यह सभी युवा एक बड़े एयरकंडीशनर निर्माता करियर कॉरपोरेशन के कर्मचारी बनने

वाले थे। एक प्रतिभागी दूसरों से यह बात मनवाना चाहता था कि वे ख़ाली समय में बास्केटबॉल खेलें और उसने अपनी बात को इस तरह से कहा : "मैं चाहता हूँ कि तुम लोग बास्केटबॉल खेलो। मैं बास्केटबॉल खेलना चाहता हूँ, परंतु जब भी मैं जिम जाता हूँ मुझे वहाँ पर गेम शुरू करने के लिए पर्याप्त लोग नहीं मिलते। हममें से दो-तीन लोगों ने पिछली रात को बॉल इधर-उधर फेंकी थी। मैं चाहता हूँ कि आप सब आज रात को जिम आएँ। मैं बास्केटबॉल खेलना चाहता हूँ।"

क्या उसने इस बारे में बात की कि आप क्या चाहते हैं ? आप ऐसे जिम्नैशियम में नहीं जाना चाहते जहाँ कोई नहीं जाता। आपको इस बात की कोई परवाह नहीं है कि वह क्या चाहता है।

क्या वह आपको बता सकता था कि आपको जिम क्यों जाना चाहिए, आपको जिम जाने से क्या लाभ मिलेंगे ? बिलकुल। ज़्यादा उत्साह। अच्छी भूख। ज़्यादा तेज़ दिमाग़। आनंद। गेम्स। बास्केटबॉल।

मैं प्रोफ़ेसर ओवरस्ट्रीट की बुद्धिमत्तापूर्ण सलाह को एक बार फिर दोहराना चाहूँगा : *सबसे पहले सामने वाले व्यक्ति में काम करने की प्रबल इच्छा जगाएँ। जो यह कर सकता है उसके साथ पूरी दुनिया है। जो यह नहीं कर सकता, वह अकेला ही रहेगा।*

हमारे ट्रेनिंग कोर्स का एक विद्यार्थी अपने छोटे बच्चे को लेकर परेशान था। बच्चे का वज़न कम था और वह ठीक से खाना नहीं खाता था। उसके माँ-बाप ने उसी तरीक़े का इस्तेमाल किया जिसका इस्तेमाल आम तौर पर लोग करते हैं। वे उसे डाँटते-फटकारते रहे, उसके पीछे पड़े रहे। "मम्मी चाहती हैं कि तुम यह खाओ।" "पापा चाहते हैं कि तुम जल्दी से बड़े हो जाओ।"

क्या बच्चे ने इन बातों पर ध्यान दिया ? उतना ही, जितना आप बालू से भरे समुद्रतट पर बालू के एक कण की तरफ़ देते हैं।

जिसमें थोड़ी सी भी बुद्धि होगी वह यह उम्मीद नहीं करेगा कि तीन साल का छोटा बच्चा अपने तीस साल के पिता के नज़रिए को समझ सकेगा। परंतु उसके पिता उससे ठीक यही उम्मीद कर रहे थे।

यह तो सरासर बेवकूफ़ी थी। पर आख़िरकार पिता को अपनी ग़लती का एहसास हो गया। इसके बाद उन्होंने ख़ुद से पूछा, “बच्चा क्या चाहता है? मैं अपनी इच्छा को उसकी इच्छा कैसे बना सकता हूँ?”

जब उसके पिता ने इस तरह सोचना शुरू किया तो उनके लिए समस्या का हल ढूँढ़ना आसान हो गया। बच्चे के पास एक तिपहिया साइकल थी और ब्रुकलिन के अपने घर के सामने की सड़क पर साइकल चलाना उसे बहुत पसंद था। इसी मोहल्ले में कुछ घर छोड़कर एक बड़ा बच्चा रहता था जो इस छोटे बच्चे की तिपहिया साइकल छीन लेता था और ख़ुद चलाने लगता था।

स्वाभाविक रूप से इसके बाद छोटा बच्चा दौड़कर अपनी माँ से शिकायत करता था और माँ आकर उस बड़े बच्चे को साइकल पर से उतरवाकर छोटे बच्चे को फिर से साइकल दिलवा देती थी। यह लगभग हर रोज़ होता था।

छोटा बच्चा क्या चाहता था, यह जानने के लिए किसी शरलॉक होम्स की ज़रूरत नहीं थी। उसका गर्व, उसका क्रोध, महत्त्वपूर्ण दिखने की उसकी इच्छा- जो उसके लिए बहुत महत्त्वपूर्ण थे यह चाहते थे कि वह उस बड़े गुंडे से बदला ले, उसकी नाक पर मुक्का मारकर उसे धूल चटा दे। और जब उसके पिता ने उसे समझाया कि अगर वह अपनी माँ के कहे अनुसार अच्छी तरह से खाएगा तो एक दिन वह उस गुंडे को पीट सकेगा। एक बार बच्चे को यह समझ में आ गया कि अच्छी तरह से खाने पर वह उस गुंडे की पिटाई कर सकेगा - जब उसके पिता ने उससे यह वादा किया कि ऐसा सचमुच होगा - तो फिर बच्चे ने अपनी माँ के बताए अनुसार खाना शुरू कर दिया। वह बच्चा पालक, हरी सब्ज़ियाँ, फल सब कुछ खाने लगा सिर्फ़ इसलिए ताकि वह इतना बड़ा हो जाए कि उस बड़े गुंडे की पिटाई कर सके जो उसका अक्सर अपमान किया करता था।

इस समस्या के बाद माँ-बाप ने दूसरी समस्या पर ध्यान दिया: बच्चे की आदत थी कि वह रात को अपना बिस्तर गीला कर

देता था।

वह अपनी दादी के साथ सोता था। सुबह दादी उठती थी, बिस्तर छूती थी और कहती थी, "देखो, जॉनी, तुमने आज रात को बिस्तर में फिर सू सू कर दी।"

बच्चा जवाब देता था, "नहीं, दादी। मैंने नहीं की। आपने ही की होगी।"

डाँटने से, चीख़ने-चिल्लाने से, उसे शर्मिंदा करने से, बार-बार यह बताने से कि उसे ऐसा नहीं करना चाहिए क्योंकि माता-पिता को यह पसंद नहीं है- किसी भी उपाय से समस्या नहीं सुलझी। माँ-बाप ने अपने आप से पूछा, "हम बच्चे के मन में यह इच्छा कैसे पैदा करें कि वह बिस्तर गीला न करे?"

वह बच्चा क्या चाहता था। पहली बात तो यह कि वह दादी की तरह नाइटगाउन नहीं पहनना चाहता था, बल्कि अपने डैडी की तरह पाजामा पहनना चाहता था। दादी उसकी रात की हरकतों से परेशान हो चली थीं, इसलिए उन्होंने ख़ुशी-ख़ुशी यह प्रस्ताव रखा कि अगर वह बिस्तर गीला करने की आदत छोड़ देगा तो वे उसे पाजामा दिलवा देंगी। दूसरी बात यह कि बच्चा अपना अलग बिस्तर चाहता था। दादी ने उसकी यह बात भी मान ली।

उसकी माँ उसे ब्रुकलिन के एक डिपार्टमेंट स्टोर में लेकर गई। और सेल्सगर्ल को आँख का इशारा करते हुए कहा : "यह छोटे महाशय कुछ शॉपिंग करना चाहते हैं।"

सेल्सगर्ल ने उसे महत्व देते हुए कहा : 'यंग मैन, मैं आपको क्या दिखाऊँ?'

वह पूरी ऊँचाई तक तनकर खड़ा हो गया और उसने कहा, "मैं अपने लिए एक बिस्तर ख़रीदना चाहता हूँ।"

जब उसे वह बिस्तर दिखाया गया जो उसकी माँ उसके लिए ख़रीदना चाहती थी तो माँ ने सेल्सगर्ल को आँख का इशारा कर दिया और सेल्सगर्ल ने छोटे बच्चे को उस बिस्तर को ख़रीदने के

लिए राज़ी कर लिया।

अगले दिन बिस्तर घर पहुँच गया। और उस रात जब उसके पिता घर लौटकर आए तो बच्चा दरवाज़े तक दौड़ता हुआ गया और चिल्लाते हुए उन्हें बताया, "डैडी! डैडी! ऊपर आओ, मेरा नया बिस्तर देखो, मैंने इसे ख़रीदा है।"

पिता ने बिस्तर देखा और चार्ल्स श्वाब की सलाह का पालन करते हुए उसकी दिल खोलकर तारीफ़ की और मुक्त कंठ से सराहना की।

इसके बाद पिता ने पूछा, "तुम इस बिस्तर को तो गीला नहीं करोगे ?"

बच्चे ने कहा, "अरे नहीं, बिलकुल नहीं! इस बिस्तर को गीला करने का तो सवाल ही नहीं उठता।" बच्चे ने अपना वादा निभाया। आख़िर इससे उसकी इच्छा, उसका गर्व जुड़ा हुआ था। उसने अपने लिए ख़ुद की मर्ज़ी से नया बिस्तर ख़रीदा था और उस पर वह अपना नया पाजामा पहनकर सोया था। वह एक बड़े आदमी की तरह व्यवहार करना चाहता था और उसने ऐसा ही किया।

एक और पिता के. टी. डचमैन एक टेलीफ़ोन इंजीनियर थे। हमारे कोर्स के यह विद्यार्थी भी अपनी तीन साल की बेटी को नाश्ता करने के लिए तैयार नहीं कर पाते थे। बच्ची पर डाँटने-फटकारने, मनाने, बहलाने-फुसलाने का कोई असर नहीं हुआ। माता-पिता ने ख़ुद से पूछा, "हम किस तरह इसमें खाने की इच्छा पैदा कर सकते हैं ?"

छोटी बच्ची को अपनी माँ की नक़ल करने में बड़ा मज़ा आता था। वह चाहती थी कि वह जल्दी से बड़ी हो जाए। इसलिए एक सुबह उन्होंने बच्ची को कुर्सी पर बिठा दिया और उसे अपना नाश्ता बनाने दिया। जब छोटी बच्ची कड़ाही में अपना नाश्ता हिला रही थी तो योजना के हिसाब से इसी मनोवैज्ञानिक क्षण में पिता किचन में आए और बच्ची ने उत्साह से कहा : "देखो, डैडी आज मैं अपने लिए नाश्ता बना रही हूँ।"

उस दिन उसने बिना किसी के कहे दो बार नाश्ता किया क्योंकि उस नाश्ते में उसकी रुचि थी। उसे महत्त्वपूर्ण होने का एहसास था। उसने नाश्ता बनाने में आत्म-अभिव्यक्ति का नया मार्ग खोजा था।

विलियम विन्टर ने एक बार कहा था, "आत्म-अभिव्यक्ति इंसान के स्वभाव की सबसे बड़ी ज़रूरत होती है।" हम इसी मनोवैज्ञानिक सूत्र को अपने बिज़नेस में क्यों नहीं उतार पाते? जब भी हमारे दिमाग़ में कोई बढ़िया विचार आए, तो उसे हम अपने विचार के रूप में दूसरों के सामने पेश क्यों करें। इसके बजाय हम ऐसी तरकीब क्यों न करें कि यह विचार उनके दिमाग़ में अपने आप आ जाए। तब उन्हें यह विचार अपना लगेगा और वे इसे पसंद करेंगे और शायद वे इसे बिना किसी के कहे अपनी इच्छा से ही मान लेंगे।

याद रखिए : "पहले तो सामने वाले व्यक्ति में काम करने की प्रबल इच्छा जगाएँ। जो यह कर सकता है उसके साथ पूरी दुनिया है। जो यह नहीं कर सकता, वह अकेला ही रहेगा।"

सिद्धांत 3

सामने वाले व्यक्ति में प्रबल इच्छा जगाएँ।

संक्षेप में
लोगों को प्रभावित करने के मूलभूत तरीक़े

सिद्धांत 1
"बुराई मत करो, निंदा मत करो,
शिकायत मत करो।"

सिद्धांत 2
सच्ची तारीफ़ करने की आदत डालें।

सिद्धांत 3
सामने वाले व्यक्ति में
प्रबल इच्छा जगाएँ।

खंड दो

लोगों का चहेता बनने के छह तरीक़े

1

हर जगह अपना स्वागत कैसे कराएँ

लोगों का दिल कैसे जीता जाए, यह सीखने के लिए आपको यह पुस्तक पढ़ने की क्या ज़रूरत है? इसके बजाय आप दुनिया के सबसे अच्छे दोस्त बनाने वाले की तकनीक क्यों नहीं सीखते? वह कौन है? वह आपको कल सड़क पर आता हुआ दिख सकता है। जब आप उससे दस फ़ुट की दूरी पर होंगे तो वह अपनी पूँछ हिलाने लगेगा। अगर आप रुककर उसे पुचकारेंगे तो वह कूदकर आपसे लिपट जाएगा और अपने प्यार का इज़हार करेगा। और आप जानते हैं कि उसके प्रेम की इस अभिव्यक्ति के पीछे उसके दिल में कोई स्वार्थ या कपट नहीं है : वह आपको कोई चीज़ बेचना नहीं चाहता, या वह आपसे शादी नहीं करना चाहता।

क्या आपने कभी यह सोचा है कि कुत्ता ही ऐसा एकमात्र जानवर है जिसे ज़िंदा रहने के लिए कोई काम नहीं करना पड़ता। मुर्गी को अंडे देने पड़ते हैं, गाय को दूध देना पड़ता है और चिड़ियों को गाना पड़ता है। परंतु कुत्ता आपको सिर्फ़ प्रेम देता है, प्रेम के सिवा कुछ नहीं देता।

जब मैं पाँच साल का था, तो मेरे डैडी मेरे लिए पचास सेंट में एक छोटा सा पीले बालों वाला पिल्ला लाए थे। वह मेरे बचपन के सुख-दुख का साथी था। हर दोपहर साढ़े चार बजे के क़रीब वह आँगन में बैठ जाता था और अपनी सुंदर आँखों से सड़क पर देखता रहता था। जैसे ही वह मेरी आवाज़ सुनता था या मुझे आते हुए देखता था, वह गोली की रफ़्तार से दौड़ता था और ख़ुशी और आनंद

के स्वर में मेरा स्वागत करते हुए मुझसे लिपट जाता था।

टिपी पाँच साल तक मेरा सबसे अच्छा दोस्त रहा। फिर एक दुखद रात को - और मैं इसे कभी नहीं भूल पाऊँगा - वह मुझसे दस क़दम की दूरी पर बिजली गिरने से मर गया। टिपी की मौत मेरे बचपन का सबसे बड़ा हादसा थी।

तुमने कभी मनोविज्ञान की कोई पुस्तक नहीं पढ़ी, टिपी। तुम्हें इसकी कोई ज़रूरत भी नहीं थी। तुम किसी दैवी प्रेरणा से यह जानते थे कि दूसरों में रुचि लेकर आप दो महीने में इतने ज़्यादा दोस्त बना सकते हैं, जितने कि आप दो साल में बना पाएँगे अगर आप यह चाहें कि दूसरे आपमें रुचि लें। मैं इसे एक बार फिर दोहराना चाहूँगा। दूसरों में रुचि लेकर आप दो महीने में इतने ज़्यादा दोस्त बना सकते हैं, जितने कि आप दो साल में बना पाएँगे अगर आप यह चाहें कि दूसरे आपमें रुचि लें।

परंतु हम सभी ऐसे लोगों को जानते हैं जो इसी बात की कोशिश करते हैं कि दूसरे लोग उनमें रुचि लें और इसी वजह से वे एक के बाद एक ग़लतियाँ करते चले जाते हैं।

ज़ाहिर है कि उन्हें अपने प्रयास में सफलता नहीं मिलती और वे असफल हो जाते हैं। लोगों की आपमें कोई दिलचस्पी नहीं है। उनकी मुझमें कोई दिलचस्पी नहीं है। उनकी दिलचस्पी तो ख़ुद में है- सुबह, दोपहर, शाम, चौबीसों घंटे।

न्यूयॉर्क टेलीफ़ोन कंपनी ने यह जानने के लिए एक सर्वे किया कि टेलीफ़ोन पर होने वाली चर्चा में किस शब्द का प्रयोग सबसे ज़्यादा बार किया जाता है। आप ठीक समझे। सर्वे से यह पता चला कि "मैं" शब्द सबसे ज़्यादा बार बोला जाता है। 500 चर्चाओं में "मैं", "मैं", "मैं" 3,900 बार बोला गया।

इसी तरह जब आप कोई ग्रुप फ़ोटो देखते हैं जिसमें आपकी तस्वीर हो, तो आप सबसे पहले किसकी तस्वीर खोजते हैं ?

अगर हम सिर्फ़ लोगों को प्रभावित करने और ख़ुद में उनकी

दिलचस्पी जगाने की कोशिश करेंगे तो हमारे पास सच्चे और अच्छे दोस्त नहीं होंगे। दोस्त, सच्चे दोस्त, इस तरह नहीं बनाए जाते।

विएना के प्रसिद्ध मनोवैज्ञानिक अल्फ्रेड एडलर ने *व्हॉट लाइफ़ शुड मीन टु यू* नाम की एक पुस्तक लिखी है। इस पुस्तक में उन्होंने लिखा है, "जिस व्यक्ति की दूसरे लोगों में रुचि नहीं होती उसे जीवन में सबसे ज़्यादा कठिनाइयाँ आती हैं और वह दूसरों को सबसे ज़्यादा नुक़सान पहुँचाता है। इसी तरह के व्यक्ति ही सबसे ज़्यादा असफल देखे गए हैं।"

आप मनोविज्ञान पर टनों पोथियाँ पढ़ सकते हैं फिर भी आपको अपने काम का इससे महत्वपूर्ण वक्तव्य नहीं मिलेगा। एडलर के इस वक्तव्य में इतना अर्थ भरा हुआ है कि मैं इसे एक बार फिर इटैलिक्स में दोहराना पसंद करूँगा :

जिस व्यक्ति की दूसरे लोगों में रुचि नहीं होती उसे जीवन में सबसे ज़्यादा कठिनाइयाँ आती हैं और वह दूसरों को सबसे ज़्यादा नुक़सान पहुँचाता है। इसी तरह के व्यक्ति ही सबसे ज़्यादा असफल देखे गए हैं।

मैंने एक बार न्यूयॉर्क विश्वविद्यालय में लघुकथा लेखन का एक कोर्स किया। उस कोर्स में एक प्रसिद्ध पत्रिका के संपादक ने हमारी क्लास से चर्चा की। उन्होंने कहा कि वे अपनी डेस्क पर पड़ी दर्जनों कहानियों में से किसी भी कहानी को उठा लेते हैं और कुछ पैरेग्राफ़ पढ़ने के बाद उन्हें यह मालूम चल जाता है कि लेखक लोगों को पसंद करता है या नहीं। "अगर लेखक लोगों को पसंद नहीं करता," उन्होंने कहा, "तो लोग भी उसकी कहानी को पसंद नहीं करेंगे।"

यह अनुभवी संपादक कहानी लेखन के अपने लेक्चर में दो बार रुका और उसने भाषण देने के लिए क्षमा माँगते हुए कहा : "मैं आपको वही बता रहा हूँ जो आपका पादरी आपको बताएगा, परंतु याद रखें अगर आप सफल कहानीकार बनना चाहते हैं, तो आपको लोगों में रुचि लेनी होगी।"

अगर यह कहानीकार बनने के बारे में सही है, तो आप आश्वस्त हो सकते हैं कि यह लोगों से आमने-सामने बात करने के बारे में भी सही है।

जब हॉवर्ड थर्स्टन ब्रॉडवे में आख़िरी बार अपना शो दे रहे थे तो मैं उस शाम को उनके ड्रेसिंग रूम में था। थर्स्टन माने हुए जादूगर थे। चालीस साल तक उन्होंने दुनिया भर में घूमकर अपना मायावी जाल रचा था, दर्शकों को दाँतों तले उँगलियाँ दबाने पर मजबूर किया था और जनता को आश्चर्यचकित कर दिया था। 6 करोड़ से भी ज़्यादा लोगों ने उनके शो देखने के लिए टिकट ख़रीदे थे और उन्हें लगभग बीस लाख डॉलर का मुनाफ़ा हुआ था।

मैंने मिस्टर थर्स्टन से उनकी सफलता का रहस्य पूछा। इसका स्कूल की शिक्षा से कोई संबंध नहीं था क्योंकि वे बचपन में ही अपने घर से भाग गए थे। वे मालगाड़ियों में सवार होकर अपनी यात्राएँ करते थे, भूसे के ढेरों पर सोते थे, घर-घर जाकर अपने खाने की भीख माँगते थे और रेल की पटरियों के आस-पास लगे विज्ञापनों को पढ़-पढ़कर उन्होंने पढ़ना सीखा था।

क्या उन्हें जादू का सबसे अधिक ज्ञान था? नहीं, उन्होंने मुझे बताया कि जादू पर सैकड़ों पुस्तकें लिखी जा चुकी हैं और बीसियों लोग उनके जितना जादू जानते हैं। परंतु उनके पास ऐसी दो चीज़ें थीं जो दूसरे लोगों के पास नहीं थीं। पहली, उनमें यह क्षमता थी कि वे स्टेज पर अपने व्यक्तित्व को बेच सकते थे। वे एक मास्टर शोमैन थे। वे मानव स्वभाव जानते थे। वे अपने हर काम, हर मुद्रा, आवाज़ की हर लहर, आँखें उठाने की हर हरकत की पहले से ही रिहर्सल कर लेते थे और उनकी टाइमिंग परफ़ैक्ट थी। परंतु, इनके अलावा, थर्स्टन की लोगों में वास्तविक रुचि थी। उन्होंने मुझे बताया कि कई जादूगर दर्शकों को देखते हैं और ख़ुद से कहते हैं, "मेरे सामने कुछ मूर्ख लोग बैठे हुए हैं जिनमें कोई बुद्धि नहीं है; मैं उन्हें आसानी से मूर्ख बना लूँगा।" परंतु थर्स्टन का तरीक़ा पूरी तरह अलग था। हर बार स्टेज पर जाते समय वे ख़ुद से कहा करते थे: "मैं कृतज्ञ हूँ कि ये लोग मुझे देखने आए। इन्हीं लोगों के कारण

मेरी रोज़ी-रोटी इतने अच्छे ढंग से चलती है। मैं पूरी कोशिश करूँगा कि मैं इनके सामने अपना सर्वश्रेष्ठ प्रदर्शन करूँ।"

उन्होंने बताया कि स्टेज पर जाने से पहले वे हमेशा ख़ुद से बार-बार यही कहते थे, "मैं अपने दर्शकों से प्रेम करता हूँ। मैं अपने दर्शकों से प्रेम करता हूँ।" मूर्खतापूर्ण? बकवास? आप जो चाहे सोच सकते हैं। मैं बिना अपनी तरफ़ से कुछ जोड़े हुए आपको दुनिया के सबसे प्रसिद्ध जादूगरों में से एक की सफलता का नुस्ख़ा बता रहा हूँ।

पेनसिल्वेनिया में रहने वाले नॉर्थ वॉरेन के जॉर्ज डाइक का प्रसंग सुनिए। तीस साल तक अपने सर्विस स्टेशन बिज़नेस में काम करते रहने के बाद उन्हें मजबूरन रिटायर होना पड़ा क्योंकि उनके स्टेशन की साइट के ऊपर एक नया हाइवे बन रहा था। रिटायरमेंट के बाद निठल्ले बैठे-बैठे वे जल्दी ही बोर हो गए, इसलिए वे संगीत के अपने शौक़ में समय देने लगे। उन्होंने कई प्रसिद्ध संगीतज्ञों से चर्चा करना भी शुरू कर दिया। अपने विनम्र और दोस्ताना तरीक़े से वे सामने वाले संगीतज्ञ की पृष्ठभूमि और उसकी रुचियों में रुचि लेते थे। हालाँकि वे ख़ुद कोई बहुत अच्छे संगीतज्ञ नहीं थे, परंतु उन्होंने कई अच्छे संगीतज्ञों को अपना मित्र बना लिया। उन्होंने प्रतियोगिताओं में भाग लिया और जल्दी ही अमेरिका के पूर्वी भाग के संगीतप्रेमी उन्हें "अंकल जॉर्ज, किन्जुआ काउंटी के संगीतज्ञ" के रूप में जानने लगे। जब अंकल जॉर्ज से हमारी बात हुई तो वे बहत्तर साल के थे और अपने जीवन के हर पल का आनंद ले रहे थे। दूसरे लोगों में लगातार रुचि लेने के कारण उन्होंने अपने लिए एक ऐसे वक़्त में नया जीवन खोज लिया था जब अधिकांश लोग यह सोच लेते हैं कि उनका जीवन ख़त्म हो चुका है।

यही थियोडोर रूज़वेल्ट की लोकप्रियता का रहस्य था। उनके नौकर तक उनसे प्रेम करते थे। उनके वैलट जेम्स ई. एमॉस ने उन पर एक पुस्तक लिखी है : *थियोडोर रूज़वेल्ट, हीरो टु हिज़ वैलेट*। इस पुस्तक में एमॉस ने इस घटना का वर्णन किया है :

मेरी पत्नी ने एक बार राष्ट्रपति से पूछा कि बॉब व्हाइट कैसा होता है। मेरी पत्नी ने बॉब व्हाइट कभी नहीं देखा था। रूज़वेल्ट ने पूरे विस्तार से बॉब व्हाइट के बारे में बताया। कुछ समय बाद हमारे टेलीफ़ोन की घंटी बजी। (एमॉस और उसकी पत्नी रूज़वेल्ट के घर के पास ही रहते थे।) मेरी पत्नी ने फ़ोन उठाया। फ़ोन रूज़वेल्ट का था। उन्होंने उसे बताया कि उनकी खिड़की के बाहर बॉब व्हाइट है और वह खिड़की खोलकर उसे देख सकती थी। इस तरह की छोटी-छोटी बातें रूज़वेल्ट की ख़ासियत थी। जब भी वे हमारे घर के पास से गुज़रते थे, तो चाहे हम उन्हें दिखें या न दिखें, हम उनकी आवाज़ सुन सकते थे : "ओह, एनी?" या "ओह, जेम्स!" यह एक दोस्ताना अभिवादन था जो वे पास से गुज़रते समय हमेशा किया करते थे।

इस तरह के मालिक को कौन कर्मचारी पसंद नहीं करेगा? इस तरह के व्यक्ति को कौन पसंद नहीं करेगा?

एक दिन प्रेसिडेंट टैफ़्ट और उनकी पत्नी कहीं बाहर गए थे और रूज़वेल्ट व्हाइट हाउस आए। छोटे लोगों को सच्चे दिल से पसंद करने का तथ्य इस बात से उजागर हो जाता है कि उन्होंने व्हाइट हाउस के सभी पुराने कर्मचारियों को उनके नाम से बुलाया, यहाँ तक कि बर्तन माँजने वाली नौकरानियों को भी।

"परंतु जब उन्होंने एलिस नाम की कुक को देखा," आर्की बट लिखते हैं, "तो उन्होंने उससे पूछा कि क्या वह अब भी कॉर्न ब्रेड बनाती है। एलिस ने बताया कि वह कभी-कभार नौकरों के लिए बनाती है, परंतु मालिक लोग उसे नहीं खाते।"

"उन्हें अच्छे खाने की समझ नहीं है," रूज़वेल्ट ने गरजते हुए कहा, "और मैं जब प्रेसिडेंट से मिलूँगा तो मैं उन्हें यह बात बता दूँगा।"

"एलिस एक प्लेट में रखकर कॉन ब्रेड लाई और रूज़वेल्ट ने पूरे ऑफ़िस में घूम-घूमकर उसे खाया और जाते समय मालियों और

मज़दूरों का भी अभिवादन किया...

"उन्होंने हर व्यक्ति को उसी तरह संबोधित किया जैस तरह वे पहले किया करते थे। आइक हूवर जो व्हाइट हाउस में चालीस साल से प्रमुख प्रवेशक थे आँखों में आँसू भरकर कहते हैं : 'पिछले दो सालों में यह सबसे सुखद दिन था और हममें से कोई भी सौ डॉलर के नोट के बदले में भी इसे बदलने के लिए तैयार नहीं होता।'"

महत्वहीन दिखने वाले लोगों में रुचि लेने की यही प्रवृत्ति चैटहेम, न्यू जर्सी के सेल्स रिप्रेज़ेंटेटिव एडवर्ड एम. साइक्स में भी थी। और इस प्रवृत्ति की वजह से उन्हें एक ग्राहक को बनाए रखने का लाभ भी हुआ। "कई साल पहले, मैं मैसेश्यूट्स क्षेत्र में *जॉनसन एंड जॉनसन* कंपनी के प्रतिनिधि के रूप में ग्राहकों से मिलने जाया करता था। हिंगहैम में एक दवाई की दुकान में हमारा खाता था। जब भी मैं इस स्टोर में जाता था तो उसके मालिक से बात करने और उससे ऑर्डर लेने से पहले मैं सोडा क्लर्क और सेल्स क्लर्क से कुछ देर तक बातें करने के लिए रुक जाता था। एक दिन मैं मालिक से मिला और उसने मुझसे कहा कि अब वह *जॉनसन एंड जॉनसन* का सामान नहीं ख़रीदना चाहता क्योंकि वे अपनी गतिविधियों को फ़ूड और डिस्काउंट स्टोर्स पर केंद्रित कर रहे हैं जिससे उसकी दवाई की दुकान को घाटा हो रहा है। मैं बहुत निराश हो गया और मैं घंटों तक कार में बैठकर शहर का चक्कर लगाते हुए इस बारे में सोचता रहा। आख़िरकार मैंने फ़ैसला किया कि मैं वापस जाऊँगा और स्टोर के मालिक से एक बार फिर मिलकर उसके सामने अपनी स्थिति स्पष्ट करूँगा।

"जब मैं वापस लौटा तो मैंने हमेशा की ही तरह सोडा क्लर्क और सेल्स क्लर्क से हलो किया और इसके बाद मैं मालिक से मिलने गया। वह मेरी तरफ़ देखकर मुस्कराया और उसने मेरा स्वागत करते हुए मुझे सामान्य से दुगुना ऑर्डर दिया। मैंने उसकी तरफ़ हैरत से देखा और यह पूछा कि कुछ घंटे पहले तो वह मुझे बिलकुल भी ऑर्डर नहीं दे रहा था, जबकि अब वह दुगुना ऑर्डर दे रहा था।

इसका कारण क्या था? उसने सोडा फ़ाउंटेन वाले कर्मचारी की तरफ़ इशारा करते हुए कहा, 'तुम्हारे जाने के बाद यह सोडा क्लर्क मेरे पास आया। इसने मुझसे कहा कि आप उन गिने-चुने सेल्समैनों में से एक हैं जो मालिक के अलावा दूसरे कर्मचारियों से बात करने की ज़हमत उठाते हैं। उसने मुझसे कहा कि आप बहुत ही अच्छे सेल्समैन हैं और अगर किसी सेल्समैन को बिज़नेस दिया जाना चाहिए तो वह सेल्समैन आप हैं। मुझे उसकी बात माननी पड़ी और इस कारण मैं आपको पहले से दुगुना ऑर्डर दे रहा हूँ।' मैं यह कभी नहीं भूला कि दूसरे लोगों में सचमुच दिलचस्पी लेना सेल्समैन के लिए एक बहुत ही महत्वपूर्ण गुण है- वैसे देखा जाए तो यह हर एक के लिए बहुत महत्वपूर्ण गुण है।"

मैं अपने व्यक्तिगत अनुभव से जानता हूँ कि अगर हम किसी व्यक्ति में सचमुच दिलचस्पी लेते हैं, तो वह चाहे कितना ही प्रसिद्ध या व्यस्त क्यों न हो, वह हमारी तरफ़ ध्यान देगा, हमें अपना समय और सहयोग देगा। मैं आपको इसका उदाहरण देता हूँ।

बरसों पहले मैंने ब्रुकलिन इंस्टीट्यूट ऑफ़ आर्ट्स एंड साइंसेज़ में कथा-लेखन का एक कोर्स चलाया था। हमने कैथलीन नॉरिस, फ़ैनी हर्स्ट, इडा टारबेल, अल्बर्ट पेसन टरह्यून और रूपर्ट ह्यूज़ जैसे प्रसिद्ध और व्यस्त लेखकों को ब्रुकलिन आकर अपने अनुभव सुनाने का आमंत्रण दिया। हमने अपने पत्र में उन्हें यह बताया कि हम उनके लेखन को कितना पसंद करते हैं, हम उनकी सलाह जानने में सचमुच दिलचस्पी रखते हैं और हम उनकी सफलता के रहस्य जानना और सीखना चाहते हैं।

हर पत्र पर एक सौ पचास विद्यार्थियों के हस्ताक्षर थे। हमने यह भी लिखा कि हम जानते थे कि यह लेखक व्यस्त होंगे- इतने व्यस्त कि भाषण तैयार करना उनके लिए आसान नहीं होगा। इसलिए हमने उनके लिए प्रश्नों की एक सूची भी साथ लगा दी, जिसके आधार पर वे अपने जीवन और अपने काम की तकनीक पर हमारे सवालों के जवाब दे सकते थे। उन्हें यह अच्छा लगा। यह किसे अच्छा नहीं लगेगा? तो वे अपने घर को छोड़कर, अपने काम-धाम को

छोड़कर ब्रुकलिन आए और हमारी क्लास में लेक्चर दिया।

इसी तरीक़े से मैंने थियोडोर रूज़वेल्ट के मंत्रिमंडल में कैबिनेट मिनिस्टर लेस्ली एम. शॉ, टैट कैबिनेट के अटॉर्नी जनरल जॉर्ज डब्ल्यू. विकरशैम, फ्रैंकलिन डी. रूज़वेल्ट और कई अन्य प्रसिद्ध हस्तियों को अपनी पब्लिक स्पीकिंग क्लास में लेक्चर देने के लिए राज़ी कर लिया।

हम सभी, चाहे हम फ़ैक्टरी में मज़दूर हों, ऑफ़िस में क्लर्क हों या सिंहासन पर बैठे सम्राट हों- हम सभी ऐसे लोगों को पसंद करते हैं जो हमारी प्रशंसा करते हैं। उदाहरण के तौर पर जर्मनी के कैसर को ही लें। प्रथम विश्वयुद्ध की समाप्ति के समय पूरी दुनिया उससे नफ़रत करती थी। उसका अपना देश भी उसके ख़िलाफ़ हो गया और उसे अपनी जान बचाने के लिए हॉलैंड भागना पड़ा। करोड़ों लोग उससे इतनी ज़्यादा नफ़रत करते थे कि उनका बस चलता तो वे उसके चीथड़े-चीथड़े कर देते या उसे ज़िंदा जला देते। जब सारी दुनिया उससे नफ़रत कर रही थी, तब एक छोटे बच्चे ने कैसर को एक सादा, सच्चा पत्र लिखा, जिसमें तारीफ़ और प्रशंसा साफ़ झलक रही थी। उस छोटे बच्चे ने लिखा था कि दूसरे लोग चाहे कुछ भी सोचें या कहें, उसकी नज़र में विल्हेम ही जर्मन सम्राट थे और वह उन्हें सदा प्रेम करता रहेगा। जर्मन सम्राट इस पत्र को पढ़कर बहुत प्रभावित हुआ और उसने छोटे बच्चे को मिलने के लिए बुलवाया। बच्चा आया, उसकी माँ भी साथ आई- और सम्राट ने बच्चे की माँ से शादी कर ली। छोटे बच्चे को लोगों का दिल जीतना सीखने के लिए और प्रभावित करने की कला सीखने के लिए किसी किताब को पढ़ने की ज़रूरत नहीं थी। वह सहज अनुभूति से जानता था कि ऐसा कैसे किया जाता है।

अगर हम सचमुच दोस्त बनाना चाहते हैं तो हमें दूसरे लोगों के लिए कुछ करना होगा- ऐसा काम जिसमें समय, ऊर्जा और विचार की ज़रूरत होगी। जब ड्यूक ऑफ़ विंडसर प्रिंस ऑफ़ वेल्स थे, तो उन्हें दक्षिण अमेरिका का दौरा करना था। वहाँ जाने से पहले उन्होंने महीनों तक स्पेनिश भाषा सीखने में मेहनत की, ताकि वे

वहाँ के नागरिकों को उसी देश की भाषा में संबोधित कर सकें। और दक्षिण अमेरिकी लोगों को यह बहुत पसंद आया।

कई साल से मेरी आदत है कि मैं अपने दोस्तों के जन्मदिन याद रखता हूँ। कैसे? हालाँकि ज्योतिष में मेरा ज़रा भी विश्वास नहीं है, पर मैं सामने वाले से पूछता हूँ कि क्या उनके अनुसार जन्मतिथि और व्यक्ति के स्वभाव में कोई संबंध होता है। फिर मैं उनसे उनकी जन्मतिथि पूछता हूँ। अगर वे कहते हैं 24 नवंबर तो मैं मन ही मन दुहराता हूँ, "24 नवंबर, 24 नवंबर" और जैसे ही मेरे दोस्त की पीठ मेरी तरफ़ होती है, मैं उसका नाम और जन्मदिन लिख लेता हूँ और बाद में इसे अपनी बर्थडे बुक में नोट कर लेता हूँ। हर साल के शुरू में, मैं इन जन्मतिथियों को अपने कैलेंडर पैड पर लिख लेता हूँ ताकि वे मेरी नज़रों के सामने रहें। जब जन्मदिन आता है तो मैं चिट्ठी या टेलीग्राम भेज देता हूँ। इसका कितना अच्छा प्रभाव पड़ता है? शायद दुनिया में मैं अकेला ऐसा व्यक्ति होता हूँ जिसे उसका जन्मदिन याद रहा।

अगर हम दोस्त बनाना चाहते हैं, अगर हम लोगों का दिल जीतना चाहते हैं तो हमें लोगों से उत्साह से मिलना चाहिए। जब कोई आपसे फ़ोन पर बात करे, तो भी आपको उसी उत्साह का प्रदर्शन करना चाहिए। इस तरह 'हलो' बोलें कि सामने वाले को यह लगे कि आप उससे बातें करके ख़ुश हो रहे हैं। कई कंपनियाँ अपने टेलीफ़ोन ऑपरेटर्स को इस तरह बात करना सिखाती हैं कि उनकी आवाज़ की टोन से रुचि और उत्साह प्रदर्शित हो। सामने वाले को यह महसूस होना चाहिए, यह लगना चाहिए कि कंपनी उनका ख़्याल रख रही है। कल जब हम फ़ोन पर बात करें, तो इस बात को ज़रूर याद रखें।

दूसरों में सचमुच दिलचस्पी लेने से न केवल आप लोगों को अपना दोस्त बना लेते हैं, बल्कि आप अपनी कंपनी के ग्राहकों को स्थायी भी बना सकते हैं। न्यूयॉर्क की *नेशनल बैंक ऑफ़ नॉर्थ अमेरिका* के एक अंक में यह पत्र प्रकाशित हुआ था। इसे मैडलीन रोज़डेल नाम की एक ग्राहक ने लिखा था : "मैं आपको यह बताना

चाहूँगी कि मैं आपके स्टाफ़ से कितनी प्रभावित हूँ। सभी कर्मचारी विनम्र, मददगार और मधुरभाषी हैं। कितना अच्छा लगता है जब लंबी लाइन में इंतज़ार करने के बाद टेलर मधुर आवाज़ में आपका स्वागत करती है।

"पिछले साल मेरी माँ पाँच महीने तक अस्पताल में एडमिट रहीं। अक्सर मैं पैसे निकलवाने के लिए टेलर काउंटर पर बैठी मैरी पेट्रूसेलो के पास जाती थी। उन्होंने मुझसे हर बार मेरी माँ की तबियत के बारे में पूछा। वे सचमुच उनको लेकर चिंतित थीं।"

क्या अब भी आपको इस बात में कोई संदेह है कि मिसेज़ रोज़डेल उस बैंक की ग्राहक बनी रहेंगी?

न्यूयॉर्क की ही एक बड़ी बैंक ने चार्ल्स आर. वॉल्टर्स को किसी कॉरपोरेशन के बारे में गोपनीय रिपोर्ट तैयार करने का काम सौंपा। वॉल्टर्स को मालूम था कि केवल एक ही व्यक्ति उसे सारे तथ्य इतने कम समय में दे सकता था। जब वॉल्टर्स उस प्रेसिडेंट से मिलने गए, तो एक महिला ने दरवाज़े के अंदर अपना सिर डाला और प्रेसिडेंट को बताया कि उस दिन की डाक में विदेशी टिकट नहीं आए थे।

प्रेसिडेंट ने वॉल्टर्स को बताया, "मैं अपने बारह वर्ष के पुत्र के लिए डाक टिकट इकट्ठे कर रहा हूँ।"

वॉल्टर्स ने अपनी समस्या बताई और सवाल पूछना शुरू कर दिया। प्रेसिडेंट ने गोलमोल जवाब दिए जो न तो स्पष्ट थे, न ही वॉल्टर्स की समस्या को सुलझाने में सहायक थे। कंपनी का प्रेसिडेंट बात नहीं करना चाहता था और यह साफ़ था कि उससे बातें नहीं उगलवाई जा सकती थीं। कुल मिलाकर, यह इंटरव्यू संक्षिप्त और व्यर्थ साबित हुआ था।

हमारी कक्षा के सामने यह कहानी सुनाते हुए वॉल्टर्स ने बताया, "सच कहा जाए, तो मैं नहीं जानता था कि इस परिस्थिति में क्या किया जाए। फिर मुझे याद आया कि उसकी सेक्रेटरी ने क्या कहा था - डाक टिकट, बारह साल का पुत्र... और मुझे यह भी याद

आया कि हमारी बैंक का विदेश विभाग डाक टिकट इकट्ठे करता था - हर देश से आने वाले पत्रों के डाक टिकट हमारे संग्रह में थे।

"अगले दिन मैं फिर उसी प्रेसिडेंट से मिलने गया और मैंने यह संदेश भिजवाया कि मैं उसके पुत्र के लिए कुछ डाक टिकट लेकर आया हूँ। मुझे बहुत जल्दी बुलवाया गया और उसने मुझसे इतनी गर्मजोशी से हाथ मिलाया जैसे वह संसद का चुनाव लड़ने जा रहा हो। उसकी आँखों में दोस्ताना चमक थी और उसके चेहरे पर मुस्कराहट थी। जब उसने डाक टिकटों को देखा तो वह बहुत ख़ुश हुआ। 'हाँ, यह मेरे जॉर्ज को बहुत पसंद आएगा। और वो वाला डाक टिकट कितना सुंदर है!'

"हम आधा घंटे तक डाक टिकटों के बारे में बात करते रहे और उसने मुझे अपने बच्चे की तस्वीर भी दिखाई। इसके बाद उसने मेरे द्वारा चाही जानकारी अपने आप दे दी, जबकि मैंने इस बारे में कुछ भी नहीं कहा था। एक घंटे से भी ज़्यादा समय तक उसने मुझे वह सब बताया जो उसे मालूम था, उसने अपने स्टाफ़ को बुलवाया और उनसे सवाल पूछे। उसने कुछ लोगों से फ़ोन पर भी जानकारी ली। उसने मुझे तथ्य, आँकड़े, रिपोर्ट और पत्रव्यवहार सब कुछ दे दिया। अख़बार वालों की भाषा में कहा जाए तो मुझे एक स्कूप मिल गया था। ऐसा लग रहा था जैसे चमत्कार हो गया था।"

एक और उदाहरण देखिए :

फिलाडेल्फिया के सी. एम. नाफ़्ले बरसों से एक बड़े चेन स्टोर संगठन को अपना ईंधन बेचने की कोशिश कर रहे थे। परंतु चेन स्टोर संगठन शहर के बाहर के किसी डीलर से ईंधन बुलवाता था और मज़े की बात यह थी कि इस ईंधन को नाफ़्ले के ऑफ़िस के दरवाज़े के पास ही स्टोर किया जाता था। नाफ़्ले ने हमारी क्लास में एक भाषण दिया, जिसमें उन्होंने चेन स्टोर्स पर अपना ग़ुस्सा निकाला और उन्हें देश के लिए अभिशाप बताया।

और इसके बाद भी उन्हें हैरत हो रही थी कि वे उन्हें माल क्यों नहीं बेच पाए।

मैंने यह सुझाव दिया कि वे दूसरा तरीक़ा आज़माएँ। संक्षेप में, जो हुआ वह यह था। हमने अपने कोर्स के सदस्यों के बीच एक वाद-विवाद प्रतियोगिता आयोजित की। वाद-विवाद का विषय था ः चेन स्टोर्स से देश को लाभ कम हैं और नुक़सान ज़्यादा।

मेरे सुझाव पर नाफ़्ले ने विषय के विपक्ष में यानी चेन स्टोर के पक्ष में बोलने का निर्णय लिया। इसके बाद वे उसी चेन स्टोर संगठन के मालिक के पास गए जिससे वे बुरी तरह चिढ़ते थे। नाफ़्ले ने उससे कहा, "मैं यहाँ पर आपको ईंधन बेचने नहीं आया हूँ बल्कि आपसे मदद माँगने आया हूँ।" फिर उन्होंने वाद-विवाद प्रतियोगिता के बारे में बताया और कहा, "मैं चाहता हूँ कि आप मेरी मदद करें। कोई दूसरा व्यक्ति मुझे इसके लाभों के बारे में उतने आँकड़े और जानकारी नहीं दे सकता, जितनी कि आप दे सकते हैं। मैं यह प्रतियोगिता जीतना चाहता हूँ और मैं आपकी मदद से ही इसे जीत सकता हूँ।"

बाक़ी की कहानी आप नाफ़्ले के शब्दों में ही सुनिए।

मैंने इस व्यक्ति से केवल एक मिनट का समय माँगा था। इसी शर्त पर वह मुझसे मिलने के लिए तैयार हुआ था। पर जब उसने मेरी बात सुनी तो उसने मुझसे एक घंटे और सैंतालीस मिनट तक बातें कीं। उसने एक और एक्ज़ीक्यूटिव को बुलवाया जिसने चेन स्टोर्स पर एक पुस्तक लिखी थी। उसने नेशनल चेन स्टोर एसोसिएशन को फ़ोन करके मेरे लिए इस विषय पर हुई वाद-विवाद प्रतियोगिता की रिपोर्ट भी मँगाकर मुझे दी। उसे विश्वास था कि चेन स्टोर्स सचमुच मानवता की सच्ची सेवा कर रहे थे। उसे इस बात पर गर्व था कि वह समाज के बहुत बड़े हिस्से का भला कर रहा था। बातें करते समय उसकी आँखों में चमक थी और मुझे यह मानना पड़ेगा कि उसने मेरी आँखें खोल दीं। मुझे ऐसी बातें पता चलीं, जो मैं सपने में भी नहीं सोच सकता था। उसने मेरा सोचने का नज़रिया ही बदल दिया।

जब मैं चलने लगा तो वे मुझे दरवाज़े तक छोड़ने आए, उन्होंने मेरे कंधे पर हाथ रखा, मुझे प्रतियोगिता के लिए शुभकामनाएँ दीं और इसके बाद मुझसे कहा कि मैं इसके परिणाम के बारे में बताने के लिए एक बार फिर उनसे मिलूँ। उन्होंने मुझसे जो आख़िरी शब्द कहे, वह ये थे, "मैं चाहूँगा कि आप मुझसे वसंत में फिर मिलें। मैं आपको ईंधन का ऑर्डर देना चाहूँगा।"

मेरे लिए तो यह किसी चमत्कार से कम नहीं था। मैं सालों से उसे ईंधन बेचने की कोशिश कर रहा था, पर वह मेरी बात सुन ही नहीं रहा था। और अब वह मेरे बिना कहे मेरे सामने ईंधन ख़रीदने का प्रस्ताव रख रहा था। मैंने उसमें और उसकी समस्याओं में दो घंटे तक जो वास्तविक रुचि ली थी, उसी की वजह से यह चमत्कार हुआ था। अगर मैं दस साल तक यह कोशिश करता कि वह मुझमें और मेरे सामान में रुचि ले तो भी ऐसा होना संभव नहीं था।

आपने कोई नई बात नहीं खोजी है, मिस्टर नाफ़्ले। सदियों पहले, ईसा मसीह के पैदा होने के भी एक सदी पहले प्रसिद्ध रोमन कवि पब्लिलियस सायरस ने कहा था, "जब दूसरे लोग हममें रुचि लेते हैं तब हम उनमें रुचि लेते हैं।"

जैसा मानवीय संबंधों के हर सिद्धांत के बारे में सच है, रुचि का प्रदर्शन सच्चा होना चाहिए। इससे रुचि प्रदर्शित करने वाले का ही भला नहीं होना चाहिए, बल्कि उस व्यक्ति का भी भला होना चाहिए जिसमें रुचि ली जा रही है। यह टू वे स्ट्रीट है- दोनों ही पक्षों को लाभ होता है।

मार्टिन गिन्सबर्ग, जिन्होंने न्यूयॉर्क के लॉंग आइलैंड में हमारा कोर्स किया था, बताते हैं कि किस तरह एक नर्स द्वारा ली गई विशेष रुचि ने उनके जीवन को बदलकर रख दिया :

"थैंक्सगिविंग डे था और मैं दस साल का था। मैं शहर के एक अस्पताल में वेलफ़ेयर वॉर्ड में था और अगले दिन मेरा

एक बड़ा ऑपरेशन होने वाला था। मैं जानता था कि मुझे महीनों तक दर्द सहना होगा और ठीक होने से पहले बिस्तर पर पड़ा रहना पड़ेगा। मेरे पिता की मृत्यु हो चुकी थी। मेरी माँ और मैं एक छोटे अपार्टमेंट में रहते थे और हम लोग वेलफ़ेयर पर थे। मेरी माँ उस दिन मुझसे मिलने नहीं आ पाई थीं।

"जब शाम हुई, तो मुझे अकेलेपन, निराशा और डर का प्रबल एहसास हुआ। मैं जानता था कि मेरी माँ घर पर अकेली होंगी और मेरे बारे में चिंतित होंगी क्योंकि उनके पास कोई नहीं होगा जिसके साथ वे खाना खा सकें और उनके पास इतना पैसा नहीं होगा कि वे थैंक्सगिविंग डे के डिनर का ख़र्च उठा सकें।

"मेरी आँखों में आँसू आ गए और मैंने अपने सिर को तकिए में छुपाकर ऊपर से चादर ओढ़ ली। मैं चुपचाप रोता रहा, परंतु मेरे मन में इतनी कड़वाहट थी कि मेरा शरीर दर्द से कराहने लगा।

"एक युवा स्टुडेंट नर्स ने मेरे रोने की आवाज़ सुनी और वह मेरे पास आई। उसने मेरे चेहरे से चादर हटाई और मेरे आँसू पोंछना शुरू कर दिया। उसने मुझे बताया कि वह कितनी अकेली थी, उसे दिन भर काम करना पड़ता था और वह अपने परिवार के साथ रहने में असमर्थ थी। उसने मुझसे पूछा कि क्या मैं उसके साथ डिनर लेना चाहूँगा। वह दो ट्रे भोजन लाई : स्लाइस्ड टर्की, आलू, क्रेनबरी सॉस और आइस्क्रीम। उसने मुझसे बातें कीं और मेरा डर कम करने की कोशिश की। हालाँकि उसकी ड्यूटी शाम चार बजे ख़त्म हो जाती थी, परंतु अपनी इच्छा से वह रात को 11 बजे तक रुकी। उसने मेरे साथ गेम्स खेले, मुझसे बातें कीं और मेरे साथ तब तक रही जब तक कि मुझे गहरी नींद नहीं आने लगी।

"कई थैंक्सगिविंग डे आए और गए, परंतु हर थैंक्सगिविंग डे पर मुझे वही पुराना दिन याद आता है। मुझे याद आता है

कि मैं कितना कुंठित, डरा हुआ, अकेला था और किसी अजनबी ने मुझे वह प्रेम और कोमलता प्रदान की थी जिसकी वजह से मैं सब कुछ सहन करने के क़ाबिल बना।"

अगर आप चाहते हैं कि दूसरे आपको पसंद करें, अगर आप सच्चे दोस्त बनाना चाहते हैं, अगर आप अपनी मदद करने के साथ-साथ दूसरों की मदद भी करना चाहते हैं, तो इस सिद्धांत को याद रखें।

सिद्धांत 1

दूसरे लोगों में सचमुच रुचि लें।

2

तत्काल प्रभावित करने का आसान तरीक़ा

न्यूयॉर्क की एक डिनर पार्टी में कुछ मेहमान आए थे। उनमें एक अमीर महिला भी थी, जिसे अभी-अभी बहुत सा पैसा विरासत में मिला था। वह लोगों पर अच्छी छाप छोड़ना चाहती थी। इसी कारण उसने हीरों, मोतियों और सोने के आभूषणों को ख़रीदने में बहुत ख़र्च किया था। परंतु उसने अपने चेहरे के भावों को सुधारने के लिए कुछ भी नहीं किया था। उसके चेहरे से स्वार्थ और लालच के भाव टपक रहे थे। वह इस सत्य को नहीं समझ पाई थी जो हम सभी जानते हैं : आपके चेहरे के भाव आपके कपड़ों से अधिक महत्वपूर्ण होते हैं।

चार्ल्स श्वाब ने मुझे बताया था कि उनकी मुस्कराहट का मोल दस लाख डॉलर है। और शायद वे इसकी क़ीमत कम बता रहे थे। क्योंकि चार्ल्स श्वाब का व्यक्तित्व, उनका आकर्षण और लोगों का दिल जीतने की उनकी कला ही उनकी असाधारण सफलता के कारण थे और मनमोहक मुस्कान उनके व्यक्तित्व का सबसे आकर्षक हिस्सा थी।

हमारे काम शब्दों से ज़्यादा तेज़ स्वर में बोलते हैं। आपकी मुस्कराहट कहती है, "मैं आपको पसंद करता हूँ। आपसे मिलकर मुझे ख़ुशी होती है। आपको देखकर मैं ख़ुश हुआ।"

इसी वजह से हम कुत्तों को इतना प्यार करते हैं। वे आपको

देखकर इतने ख़ुश हो जाते हैं कि ख़ुशी से झूमने और उछलने लगते हैं। इसलिए यह स्वाभाविक है कि हम भी उन्हें देखकर ख़ुश होते हैं।

यही बच्चे की मुस्कराहट के बारे में भी सही है।

क्या आपने किसी डॉक्टर के क्लीनिक में इंतज़ार कर रहे उदास चेहरों को देखा है जो अपनी बारी का इंतज़ार करते हैं? मिसूरी के रेटाउन में पशुचिकित्सक स्टीफ़न के. स्प्रॉल ने बताया कि एक दिन उनके मरीज़ काफ़ी बड़ी संख्या में अपने पालतू जानवरों को लेकर टीका लगवाने आए थे। कोई भी एक दूसरे से बात नहीं कर रहा था। और उनमें से ज़्यादातर लोग सोच रहे थे कि डॉक्टर के क्लीनिक में समय बर्बाद करने के बजाय वे कौन से काम निबटा सकते थे। उन्होंने हमारी क्लास को बताया : "छह या सात मरीज़ वेटिंग रूम में बैठे थे। तभी नौ महीने के बच्चे और एक बिल्ली के बच्चे को लेकर एक युवा महिला आई। संयोग की बात थी कि वह युवती ऐसे आदमी के बग़ल में बैठ गई जो देरी के कारण सबसे अधिक विचलित और परेशान था। कुछ समय के बाद बच्चे ने उस आदमी की तरफ़ देखा और मुस्करा दिया जैसा बच्चे अक्सर किया करते हैं। और उस आदमी ने क्या किया? वही जो आप या मैं करते, उसे भी प्रत्युत्तर में मुस्कराना पड़ा। जल्द ही वह आदमी उस युवती से उसके बच्चे के बारे में बात करने लगा और अपने नाती-पोतों के बारे में बताने लगा और कुछ ही समय बाद पूरा वेटिंग रूम चर्चा में शामिल हो गया और बोरियत और तनाव का पूरा माहौल सुखद और आनंददायक अनुभव में बदल गया।"

पर ध्यान रहे, झूठी मुस्कराहट से कोई फ़ायदा नहीं होगा। हम समझ जाते हैं कि यह बनावटी है और इसलिए हम उसे पसंद नहीं करते। मैं जिस मुस्कराहट की बात कर रहा हूँ, वह असली मुस्कराहट होती है, दिल को छूने वाली मुस्कराहट, एक ऐसी मुस्कान जो दिल से आती है और दिल तक पहुँचती है और इसीलिए बाज़ार में उसकी क़ीमत बहुत ज़्यादा होती है।

मिशिगन युनिवर्सिटी में मनोविज्ञान के प्रोफ़ेसर जेम्स वी. मैकॉनल मुस्कराहट के बारे में अपनी भावनाएँ बताते हुए कहते हैं, "मुस्कराने वाले लोग ज़्यादा अच्छी तरह सिखा और बेच पाते हैं और अपने बच्चों को ज़्यादा सुखद ढंग से पाल पाते हैं। मुस्कान में तेवर से ज़्यादा शक्ति होती है। इसलिए कोई बात सिखाने के लिए प्रोत्साहन दंड की तुलना में ज़्यादा प्रभावी तरीक़ा होता है।"

न्यूयॉर्क के एक बड़े डिपार्टमेंट स्टोर के एम्प्लॉयमेंट मैनेजर ने मुझे बताया कि वह मनमोहक मुस्कराहट वाले किसी कम पढ़े-लिखे सेल्स क्लर्क को नौकरी पर रखना पसंद करेंगे, जबकि उदास और गंभीर चेहरे वाले *डॉक्टर ऑफ़ फ़िलॉसफ़ी* को काम पर नहीं रखेंगे।

मुस्कान का प्रभाव बहुत शक्तिशाली होता है- चाहे यह प्रभाव हमें दिखाई दे या न दे। अमेरिका की टेलीफ़ोन कंपनियाँ एक प्रोग्राम "फ़ोन पॉवर" चलाती हैं। इस कार्यक्रम में कर्मचारियों को यह सिखाया जाता है कि अपनी सेवाएँ या सामान बेचने में टेलीफ़ोन का उपयोग किस तरह किया जा सकता है। इस कार्यक्रम में वे आपको यह सलाह देते हैं कि आप फ़ोन पर बातें करते समय मुस्कराएँ। आपकी "मुस्कराहट" आपकी आवाज़ में सुनाई दे जाती है।

रॉबर्ट क्रायर सिनसिनाटी, ओहियो की एक कंपनी में कंप्यूटर डिपार्टमेंट के मैनेजर थे। उन्होंने हमें यह बताया कि उन्होंने एक मुश्किल से भरे जाने वाले पद के लिए सही उम्मीदवार खोजने में किस तरह सफलता पाई :

"मैं अपने डिपार्टमेंट में एक ऐसे व्यक्ति को रखना चाहता था जो कंप्यूटर साइंस में पीएच.डी. हो। मैंने आख़िरकार आदर्श योग्यताओं वाले एक युवक को ढूँढ़ लिया जो परड्यू युनिवर्सिटी से ग्रैजुएशन पूरा करने ही वाला था। कई बार फ़ोन पर हुई चर्चाओं के दौरान मुझे मालूम हुआ कि उसे कई और कंपनियों के ऑफ़र भी मिले थे। उनमें से कई कंपनियाँ मेरी कंपनी से बड़ी और ज़्यादा प्रसिद्ध थीं। उसने जब हमारा ऑफ़र मान लिया तो मुझे बेहद ख़ुशी हुई। जब वह हमारे यहाँ काम करने लगा तो मैंने उससे पूछा कि

उसने दूसरी कंपनियों के बजाय हमारी कंपनी में काम करने का फ़ैसला क्यों किया। वह एक पल रुका और उसने कहा, 'इसका कारण शायद यह है कि दूसरी कंपनियों के मैनेजर मुझसे फ़ोन पर ठंडे, बिज़नेसमैन वाले अंदाज़ में बात करते थे और मुझे ऐसा लगता था जैसे यह भी एक बिज़नेस वार्ता है। आपकी आवाज़ से ऐसा लगा जैसे आपको मुझसे बातें करके ख़ुशी हो रही थी... जैसे आप सचमुच चाहते थे कि मैं आपकी कंपनी में काम करूँ।' आप समझ ही चुके होंगे कि मैं अब भी फ़ोन पर मुस्कराता रहता हूँ।"

अमेरिका की एक बहुत बड़ी रबर कंपनी के बोर्ड ऑफ़ डायरेक्टर्स के चेयरमैन ने मुझसे कहा कि उनका यह मानना था कि आम तौर पर जब तक लोगों को किसी काम में मज़ा नहीं आता, तब तक वे उसमें सफल नहीं हो पाते। यह उद्योगपति उस पुरानी कहावत से सहमत नहीं था कि कड़ी मेहनत, और सिर्फ़ कड़ी मेहनत ही वह जादुई कुंजी है जो आपके सपनों के दरवाज़े का ताला खोल देगी। उसका कहना था, "मैं ऐसे बहुत से सफल लोगों को जानता हूँ जो सिर्फ़ इसलिए सफल हुए थे क्योंकि उन्हें अपने बिज़नेस में मज़ा आ रहा था। बाद में मैंने देखा कि जब इन लोगों को काम में मज़ा आना बंद हो गया तो उनका धंधा भी मंदा हो गया। चूँकि अब उन्हें काम में बिलकुल भी मज़ा नहीं आता था, इसलिए अब वे असफल होने लगे।"

मैंने हज़ारों बिज़नेसमैनों से यह आग्रह किया है कि वे एक सप्ताह हर दिन प्रति घंटे किसी की तरफ़ देखकर मुस्कराएँ। इसका क्या प्रभाव होता है? आइए देखते हैं। यहाँ हमारे सामने न्यूयॉर्क के स्टॉक ब्रोकर विलियम बी. स्टीनहार्ड का पत्र है। उनका प्रकरण बहुत ही आम है। दरअसल इस तरह के सैकड़ों प्रकरण देखे जा सकते हैं।

"मेरी शादी को अठारह साल हो चुके थे।" मिस्टर स्टीनहार्ड लिखते हैं, "मैं अपनी पत्नी से ज़्यादा बातें नहीं करता था, और उसकी तरफ़ देखकर मुस्कराने का विचार मेरे दिल में कभी आया ही नहीं। मैं सोकर उठता था और तैयार होकर काम पर निकल पड़ता था। इस दौरान मैं दो दर्जन से अधिक शब्द नहीं बोलता था।

शायद मैं दुनिया का सबसे बोरिंग आदमी था।

"जब आपने मुझे मुस्कराने की सलाह दी और मुझसे इसके परिणामों पर चर्चा करने को कहा तो मैंने सोचा कि एक सप्ताह तक ऐसा करके देखूँगा। अगली ही सुबह मैंने बाल सँवारते समय शीशे में अपना उदास सा चेहरा देखा और ख़ुद से कहा, 'बिल, आज तुम अपने चेहरे से यह तेवर हटाने वाले हो। आज तुम मुस्कराने वाले हो। और बेहतर होगा कि तुम यह काम आज से, अभी से शुरू कर दो।' जब मैं नाश्ते की मेज़ पर आया, तो मैंने मुस्कराते हुए अपनी पत्नी से कहा, 'गुड मॉर्निंग, माई डियर,' और यह कहते समय मैं मुस्कराया।

"आपने मुझे चेतावनी दे दी थी कि वह हैरान हो जाएगी। आपने उसकी प्रतिक्रिया का अनुमान कम लगाया था। वह तो पागल हो गई। ऐसा लग रहा था जैसे उसे गहरा आघात लगा हो। मैंने उसे बताया कि मैं भविष्य में भी लगातार ऐसा ही करता रहूँगा और मैंने ऐसा ही किया।

"मेरे बदले हुए नज़रिए के कारण दो महीनों में ही हमारे घर में ख़ुशी का माहौल बन गया। हमने दो महीने में इतनी ख़ुशियाँ हासिल कर लीं, जितनी कि पहले पूरे वर्ष में भी हासिल नहीं होती थीं।

"ऑफ़िस जाते समय भी मैं अपनी बिल्डिंग के लिफ़्ट वाले को मुस्कराकर 'गुड मॉर्निंग' कहता हूँ। मैं मुस्कराकर दरबान का अभिवादन करता हूँ। मैं छुट्टे माँगते समय कैशियर को देखकर मुस्कराता हूँ। जब मैं स्टॉक एक्सचेंज में पहुँचता हूँ तो वहाँ पर उन लोगों की तरफ़ मुस्कराकर देखता हूँ जिन्होंने मुझे पहले कभी मुस्कराते हुए नहीं देखा।

"मैंने जल्द ही यह पाया कि हर कोई मेरी मुस्कराहट के बदले में मेरी तरफ़ देखकर मुस्करा रहा है। जो मेरे पास शिकायत या समस्या लेकर आते हैं मैं प्रसन्नता से उनका स्वागत करता हूँ। मैं उनकी बातें सुनते समय मुस्कराता हूँ और मैंने पाया कि इस तरह से समाधान निकालना ज़्यादा आसान हो जाता है। मैंने पाया कि

मुस्कराहट की वजह से मैं ज़्यादा डॉलर कमा पा रहा हूँ, हर दिन ज़्यादा डॉलर।

"मैं जिस ऑफ़िस में हूँ, वहीं दूसरे ब्रोकर का ऑफ़िस भी है। वहाँ काम करने वाला एक क्लर्क बहुत बढ़िया आदमी है और मैं मुस्कराहट के परिणामों से इतना उत्साहित हो गया कि मैंने उसे हाल ही में संबंधों को सुधारने की अपनी नई फ़िलॉसफ़ी के बारे में बताया। उसने उस समय यह स्वीकार किया कि कुछ समय पहले तक वह मुझे बहुत खड़ूस आदमी समझता था, पर अब मेरे बारे में उसकी धारणा बदल गई है। उसने कहा कि जब मैं मुस्कराता हूँ तो सचमुच ज़िंदादिल लगता हूँ।

"मैंने लोगों की बुराई करना भी छोड़ दिया है। मैं आलोचना करने के बजाय प्रशंसा और सराहना करने लगा हूँ। मैंने यह बोलना छोड़ दिया है कि मैं क्या चाहता हूँ। मैं अब सामने वाले व्यक्ति के नज़रिए को समझने की कोशिश करता हूँ। इन चीज़ों से मेरी ज़िंदगी में क्रांतिकारी परिवर्तन हुआ है। मैं अब पूरी तरह बदल गया हूँ और पहले से ज़्यादा ख़ुश और अमीर हूँ। मेरे पास अब दोस्तों और ख़ुशियों की दौलत है और यही तो वे चीज़ें हैं जो असली महत्व की हैं।"

आपको मुस्कराना मुश्किल लगता है। तो फिर क्या करें? आप दो काम कर सकते हैं। पहली बात तो यह कि ख़ुद को मुस्कराने पर मजबूर करें। जब आप अकेले हों, तो सीटी बजाएँ या गुनगुनाएँ या गाएँ। इस तरह व्यवहार करें जैसे आप सचमुच ख़ुश हों और कुछ समय बाद आपको ख़ुशी का अनुभव होने लगेगा। मनोवैज्ञानिक और दार्शनिक विलियम जेम्स ने इसी बात को इस तरह से कहा था :

> "हमें लगता है कि हमारे कार्य हमारी भावना का अनुसरण करते हैं, परंतु वास्तव में कार्य और भावना साथ-साथ ही चलते हैं और कार्य पर नियंत्रण करने से हम अपनी भावना को नियंत्रित कर सकते हैं क्योंकि अपने कार्यों पर नियंत्रण करना ज़्यादा आसान है, जबकि अपनी भावनाओं को नियंत्रित

करना अपेक्षाकृत कठिन है।

"तो ख़ुश रहने का इकलौता रास्ता यह है कि चाहे हम ख़ुश न हों, पर हम इस तरह बोलें और व्यवहार करें जैसे हम सचमुच ख़ुश हों...।"

दुनिया में हर व्यक्ति ख़ुशी की तलाश में है– और इसे हासिल करने का एक ही रास्ता है। अपने विचारों को नियंत्रित करके ख़ुशी हासिल करना। ख़ुशी हमारी बाहरी परिस्थितियों पर निर्भर नहीं करती। यह तो हमारी अंदरूनी परिस्थितियों पर निर्भर करती है।

सुख या दुख का इस बात से कोई संबंध नहीं है कि आपके पास कितना है या आप क्या हैं या आप कहाँ हैं या आप क्या कर रहे हैं। इसका संबंध तो इस बात से है कि आप इस बारे में क्या सोचते हैं। उदाहरण के तौर पर दो लोग एक ही जगह पर एक ही काम करें, और उनके पास एक बराबर पैसा और प्रतिष्ठा हो, तो भी यह हो सकता है कि एक दुखी होगा और एक सुखी। क्यों? क्योंकि उनका परिस्थितियों को देखने का नज़रिया अलग-अलग है। मैंने उष्णकटिबंधीय प्रदेशों में चिलचिलाती धूप में खेत में काम कर रहे ग़रीब किसानों को भी उतना ही सुखी देखा है, जितना कि न्यूयॉर्क, शिकागो या लॉस एंजेलिस के एयरकंडीशंड ऑफ़िसों में काम करने वालों को।

शेक्सपियर ने कहा था, "कोई भी चीज़ बुरी या अच्छी नहीं होती, हमारा नज़रिया ही उसे अच्छी या बुरी बनाता है।"

लिंकन ने एक बार यह टिप्पणी की थी, "ज़्यादातर लोग उतने ही ख़ुश रहते हैं, जितने ख़ुश रहने का वे निर्णय करते हैं।" उन्होंने सच कहा था। मैंने इस बात का जीता-जागता उदाहरण तब देखा जब मैं न्यूयॉर्क में लाँग आइलैंड रेलरोड स्टेशन की सीढ़ियाँ चढ़ रहा था। मेरे ठीक सामने तीस या चालीस लंगड़े बच्चे छड़ी और बैसाखियों को थामे हुए सीढ़ियाँ चढ़ रहे थे। एक बच्चे को तो ऊपर उठाकर ले जाना पड़ा। मैं यह देखकर हैरान हुआ कि वे हँस रहे थे और मस्ती के मूड में थे। मैंने इस बारे में उनके इंचार्ज से बात

की। उसने कहा, "हाँ, जब किसी बच्चे को यह पता चलता है कि वह सारी ज़िंदगी लंगड़ा रहेगा तो पहले तो उसे सदमा पहुँचता है। पर आम तौर पर बाद में वह अपनी तक़दीर को स्वीकार कर लेता है और सामान्य लड़कों की तरह ख़ुश रहने लगता है।"

मेरी इच्छा हुई कि मैं इन बच्चों को सलाम करूँ। उन्होंने मुझे एक ऐसा सबक़ सिखाया था, जिसे मैं कभी नहीं भूल पाऊँगा।

ऑफ़िस में बंद कमरे में अकेले काम करना न सिर्फ़ बोरियत भरा होता है, बल्कि इसमें कंपनी के दूसरे कर्मचारियों से दोस्ती करने का मौक़ा भी नहीं मिलता। मेक्सिको की सीनोरा मारिया गॉन्ज़ालेज़ भी ऐसी ही नौकरी करती थी। वह दूसरे कर्मचारियों के हँसी-मज़ाक़ और दोस्ताना माहौल से ईर्ष्या करती थी। जब वह नौकरी के शुरुआती हफ़्तों में उनके पास से गुज़रती थी, तो संकोचवश दूसरी तरफ़ मुँह फेर लेती थी।

कुछ हफ़्तों बाद, उसने ख़ुद से कहा, "मारिया, तुम यह उम्मीद क्यों कर रही हो कि यह औरतें तुम्हारे पास आकर तुम्हारी तरफ़ दोस्ती का हाथ बढ़ाएँ। ऐसा कभी नहीं होगा। तुम्हें ख़ुद पहल करनी होगी और उनसे मिलना होगा।" अगली बार जब वह वॉटर कूलर तक गई तो उसने मनमोहक मुस्कराहट के साथ पूछा, "हलो, आप कैसी हैं ?" इसका असर तत्काल हुआ। जवाब में सामने वाले भी मुस्कराए और हाय-हलो के बाद एक दोस्ताना माहौल बन गया। कई लोगों से हुआ उसका परिचय गहरी दोस्ती में बदल गया। अब उसकी नौकरी और ज़िंदगी उसे पहले से बहुत आनंददायक और रोचक लगने लगी थी।

निबंधकार और प्रकाशक अल्बर्ट हबार्ड की इस बुद्धिमत्तापूर्ण सलाह को ग़ौर से पढ़ें- परंतु याद रखें इसे पढ़ने से आपको तब तक कोई फ़ायदा नहीं होगा जब तक कि आप इस पर अमल नहीं करेंगे :

> जब भी आप बाहर जाएँ, अपनी ठुड्डी अंदर की तरफ़ खींचें, अपने सिर के ऊपरी हिस्से को थोड़ा ऊपर की तरफ़ तान लें और अपने फेफड़ों में अधिकतम हवा खींच लें; सूर्य

की रोशनी पिएँ; दोस्तों का मुस्कराहट से स्वागत करें; और हर बार दिल से हाथ मिलाएँ। इस बात से न डरें कि आपको ग़लत समझा जाएगा। अपने दुश्मनों के बारे में सोचकर अपना एक मिनट भी बर्बाद न करें। अपने मस्तिष्क में यह बात अच्छी तरह बिठाने का प्रयास करें कि आप क्या करना चाहते हैं। और फिर दिशा से इधर-उधर भटके बिना सीधे अपने लक्ष्य की ओर बढ़ जाएँ। अपने मस्तिष्क को उन अच्छे और महान कामों पर केंद्रित करें जो आप करना चाहते हैं और फिर जैसे-जैसे दिन गुज़रते जाएँगे, आप पाएँगे कि आप अपनी आशा की पूर्ति के लिए अवचेतन के माध्यम से आवश्यक अवसर बना रहे हैं, जिस तरह कि मूँगे का कीड़ा लहरों से अपनी आवश्यकतानुसार तत्व लेता है। अपने मस्तिष्क में उस योग्य, गंभीर उपयोगी व्यक्ति की तस्वीर बनाइए जो आप बनना चाहते हैं और आपका यह विचार आपको हर घंटे उस विशिष्ट तस्वीर के क़रीब ले जाएगा... विचार सर्वशक्तिमान है। सही मानसिक नज़रिया रखिए- साहस, ईमानदारी और ख़ुशी का नज़रिया। सही सोचना रचनात्मक होना है। इच्छा से समस्त वस्तुएँ हासिल हो जाती हैं और सच्चे दिल से की गई हर प्रार्थना पूरी होती है। जैसा हम दिल में सोचते रहते हैं, हम उसी तरह के बन जाते हैं। अपनी ठुड्डी अंदर की तरफ़ खींचें, अपने सिर के ऊपरी हिस्से को थोड़ा ऊपर की तरफ़ तान लें। हम ईश्वर की अविकसित अवस्था हैं।

चीन के दार्शनिक बहुत समझदार थे। वे जानते थे कि दुनिया किस तरह चलती है। उन्होंने एक कहावत लिखी है जिसे हम सभी को काटकर किसी ऐसी जगह पर चिपका लेना चाहिए जहाँ उसे प्रतिदिन पढ़ा जा सके, "जिस व्यक्ति के पास मुस्कराता हुआ चेहरा न हो, उसे दुकान नहीं खोलनी चाहिए।"

आपकी मुस्कराहट आपकी सद्भावना का संदेशवाहक है। आपकी मुस्कराहट उन सभी लोगों की ज़िंदगियों को रोशन करती

है जो इसे देखते हैं। उस व्यक्ति के लिए जिसने दर्जनों लोगों को नाक-भौं सिकोड़ते, झुँझलाते हुए देखा हो, आपकी मुस्कराहट बादलों के बीच से झाँकते सूर्य की तरह होती है। ख़ास तौर पर तब जब कोई अपने बॉस, ग्राहकों, टीचर या माता-पिता या बच्चों के कारण दबाव या तनाव में हो ऐसे समय में आपकी मुस्कराहट उसे बता सकती है कि निराशा से समस्याएँ हल नहीं होतीं। मुस्कराहट बताती है कि दुनिया अब भी ख़ुशगवार और रंगीन है।

कुछ साल पहले, न्यूयॉर्क शहर के डिपार्टमेंट स्टोर में क्रिसमस की भीड़ के कारण सेल्स क्लर्क दबाव में थे। इस डिपार्टमेंट ने अपने विज्ञापन के पाठकों को यह घरेलू फ़िलॉसफ़ी बताई :

क्रिसमस पर मुस्कराहट का मूल्य

इसमें कुछ ख़र्च नहीं होता, पर इससे मिलता बहुत है।

जिन्हें यह मिलती है वे समृद्ध हो जाते हैं, परंतु जो देते हैं वे ग़रीब नहीं होते।

यह एक पल में हो जाती है और इसकी याददाश्त कई बार हमेशा क़ायम रहती है।

कोई भी इतना अमीर नहीं, कि इसके बिना जी सके और कोई भी इतना ग़रीब नहीं कि इसका लाभ न उठा सके।

यह घर में सुख लाती है, बिज़नेस में सद्भावना भरती है और यह दोस्ती का हस्ताक्षर है।

यह थके हुओं के लिए आराम है, निराश लोगों के लिए आशा की किरण है, दुखी लोगों के लिए सूर्य की रोशनी और कष्टों के लिए प्रकृति की सबसे बेहतरीन दवा है।

परंतु इसे ख़रीदा या चुराया नहीं जा सकता, उधार नहीं लिया जा सकता, यह भीख में नहीं मिलती क्योंकि इसका तब तक कोई मोल नहीं है जब तक इसे किसी दूसरे को नहीं दिया जाता।

और क्रिसमस की भीड़ में हमारे कुछ सेल्समैन अगर इतने थके हुए हों कि आपको मुस्कराहट न दे पाएँ, तो क्या आप अपनी मुस्कान उन्हें देने का कष्ट करेंगे ?

क्योंकि मुस्कराहट की उसी व्यक्ति को सबसे ज़्यादा ज़रूरत होती है जिसके पास देने के लिए मुस्कानें नहीं बची हैं!

सिद्धांत 2

मुस्कराएँ।

3

अगर आप यह नहीं करते,
तो आप मुश्किल में हैं

1898 की बात है, रॉकलैंड काउंटी में एक दुखद घटना हुई। एक बच्चे की मृत्यु हो गई थी और पड़ोसी उसकी शवयात्रा में जाने की तैयारी कर रहे थे। जिम फ़ार्ले घुड़साल में घोड़े को बाँधने गया। ज़मीन बर्फ़ से ढँकी हुई थी, हवा ठंडी और चुभने वाली थी, घोड़े को कई दिनों से व्यायाम नहीं कराया गया था और जब वह पानी की नाली में से निकला तो वह खेल-खेल में मुड़ा, उसने अपने दोनों अगले पैर हवा में ऊँचे उठाए और जिम फ़ार्ले को मार डाला। स्टोनी पॉइंट के उस छोटे से गाँव में उस सप्ताह एक के बदले दो शवयात्राएँ निकलीं।

जिम फ़ार्ले अपने पीछे अपनी पत्नी और तीन बच्चों को छोड़ गए और बीमे के कुछ सौ डॉलर।

उनका सबसे बड़ा पुत्र जिम दस वर्ष का था और वह ईंट के भट्टे में काम करने लगा। वह मिट्टी सानता था और उसे साँचों में भरकर ईंट का आकार देता था और फिर धूप में सुखाने के लिए रखता था। जिम को ज़्यादा शिक्षा हासिल करने का कभी मौक़ा नहीं मिला। परंतु उसकी स्वाभाविक मिलनसार प्रवृत्ति के कारण उसमें वह कला थी कि लोग उसे पसंद करने लगे। वह बाद में राजनीति में गया और समय गुज़रने के साथ ही उसने लोगों के नाम याद रखने की असामान्य प्रतिभा विकसित कर ली।

हालाँकि वह हाई स्कूल भी नहीं गया था, पर छियालीस साल का होने से पहले उसे चार कॉलेजों ने मानद उपाधियों से विभूषित किया और वह डेमोक्रेटिक नेशनल कमिटी का चेयरमैन और *पोस्टमास्टर जनरल ऑफ़ द युनाइटेड स्टेट्स* बन गया।

मैंने एक बार जिम फ़ार्ले का इंटरव्यू लिया और उनसे उनकी सफलता का रहस्य पूछा। उन्होंने जवाब दिया, "कड़ी मेहनत"। मैंने कहा, "मज़ाक़ मत करो।"

इस पर उन्होंने मुझसे पूछा कि फिर मेरी नज़र में उनकी सफलता का राज़ क्या है। मैंने जवाब दिया, "मैंने सुना है कि आपको दस हज़ार लोगों के नाम याद हैं।"

"नहीं, आपने ग़लत सुना है।" उन्होंने जवाब दिया, "मुझे पचास हज़ार लोगों के नाम याद हैं।"

इस बारे में कोई ग़लतफ़हमी न पालें। नाम याद रखने की इसी क़ाबिलियत की वजह से फ़ार्ले ने फ्रैंकलिन डी. रूज़वेल्ट को 1932 में व्हाइट हाउस पहुँचा दिया, क्योंकि उन्होंने चुनाव अभियान में रूज़वेल्ट का प्रचार किया था।

जिप्सम कंपनी के सेल्समैन के रूप में यात्रा करते हुए और *स्टोनी पॉइंट* में टाउन क्लर्क के रूप में काम करते हुए जिम फ़ार्ले ने लोगों का नाम याद रखने की तकनीक विकसित की।

शुरुआत में यह तकनीक आसान थी। जब भी किसी नए व्यक्ति से उसकी मुलाक़ात होती थी, वह उसका पूरा नाम पूछता था और उसके परिवार, बिज़नेस और राजनीतिक विचारों के बारे में कुछ जानकारी भी ले लेता था। वह इन तथ्यों और उसके चेहरे को अपने दिमाग़ में बिठा लेता था और अगली बार जब भी वह उस व्यक्ति से मिलता था, चाहे वह मुलाक़ात एक साल बाद भी क्यों न हो, वह उससे हाथ मिलाते हुए उसके परिवार के बारे में पूछताछ कर सकता था और यह पूछ सकता था कि उसके बगीचे में सब्ज़ियाँ कैसी लग रही हैं। कोई हैरत की बात नहीं कि लोग उसे इतना पसंद करते थे और वह इतना लोकप्रिय था।

रूज़वेल्ट के चुनाव अभियान के प्रारंभ होने के कई महीने पहले जिम फ़ार्ले ने हर रोज़ पश्चिमी और उत्तर-पश्चिमी राज्यों के सैकड़ों लोगों को पत्र लिखे। फिर वह ट्रेन पर सवार हुआ और उन्नीस दिनों में बग्घी, ट्रेन, गाड़ी और नाव से बीस राज्यों और बारह हज़ार मील की यात्रा की। वह शहर में जाता था, लंच या ब्रेकफ़ास्ट या डिनर या चाय पर लोगों से मिलता था और उनसे दिल खोलकर चर्चा करता था। फिर वह अगले राज्य की यात्रा पर चल पड़ता था।

पूर्वी प्रांत में वापस लौटकर वह हर उस व्यक्ति को पत्र लिखता था, जिससे वह पिछली यात्रा में मिला था। संपूर्ण सूची में हज़ारों नाम थे। उन सभी व्यक्तियों को जेम्स फ़ार्ले के अपने हाथों से लिखा गया व्यक्तिगत पत्र मिलता था, जिसकी शुरुआत में लिखा होता था, "प्रिय बिल" या "प्रिय जेन" और उन पर हमेशा हस्ताक्षर होते थे, "जिम"।

जिम फ़ार्ले ने बचपन में ही सीख लिया था कि आम आदमी दुनिया के सभी नामों के बजाय अपने नाम में ज़्यादा दिलचस्पी लेता है। किसी के नाम को याद रखना और आसानी से उसका उच्चारण करना अपनेपन की निशानी है और अप्रत्यक्ष रूप से उसे सम्मान देना है। किसी के नाम को भूल जाना या उसकी ग़लत स्पेलिंग लिख देना बेगानेपन और लापरवाही की निशानी है, जिसका ख़ामियाज़ा आपको भुगतना पड़ सकता है। उदाहरण के तौर पर, एक बार मैंने पेरिस में एक पब्लिक स्पीकिंग कोर्स आयोजित किया और उस शहर में रहने वाले सभी अमेरिकी निवासियों को इसका फ़ॉर्म लेटर भेजा। चूँकि फ़्रांसीसी टायपिस्टों को अँग्रेज़ी की ज़्यादा समझ नहीं थी, इसलिए स्वाभाविक था कि उन्होंने कई नामों की स्पेलिंग ग़लत-सलत लिख दी। पेरिस में एक बड़ी अमेरिकन बैंक के मैनेजर ने मुझे एक शिकायती पत्र लिखा जिसमें अपने नाम की ग़लत स्पेलिंग लिखने के लिए उसने मुझे बहुत कोसा था।

कई नाम ऐसे होते हैं, जिन्हें याद रखना मुश्किल होता है, ख़ासकर तब जब उनका उच्चारण कठिन हो। इसे सीखने की

मेहनत करने के बजाय आम तौर पर लोग इसे नज़रअंदाज़ कर देते हैं या उस व्यक्ति को किसी उपनाम से बुलाने लगते हैं। सिड लेवी को एक ग्राहक से कई बार मिलना पड़ा जिसका नाम निकोडेमस पैपेडुलॉस था। ज़्यादातर लोग उसे "निक" के नाम से बुलाते थे। लेवी ने मुझे बताया : "उससे मिलने जाने से पहले मैंने उसके नाम पर काफ़ी मेहनत की थी। जब मैंने उसका पूरा नाम लेकर उसका अभिवादन किया, 'गुड आफ़्टरनून, मिस्टर निकोडेमस पैपेडुलॉस,' तो वह भौंचक्का रह गया। काफ़ी देर तक तो उसके मुँह से आवाज़ ही नहीं निकली। आख़िरकार, आँखों में आँसू भरकर उसने कहा, 'मिस्टर लेवी, मैं इस देश में पंद्रह साल से हूँ, पर आज तक किसी ने भी मेरा पूरा नाम लेने की कोशिश नहीं की। आप पहले व्यक्ति हैं, जिसने मेरा पूरा और सही नाम लेकर मुझे बुलाया है।"

एन्ड्रयू कारनेगी की सफलता का रहस्य क्या था ?

उन्हें स्टील किंग कहा जाता है, पर वे ख़ुद स्टील के बारे में ज़्यादा नहीं जानते थे। उनकी कंपनी में काम करने वाले सैकड़ों लोग स्टील के बारे में उनसे ज़्यादा जानते थे।

परंतु कारनेगी यह जानते थे कि लोगों के साथ व्यवहार किस तरह किया जाता है, और इसी कारण वे इतने अमीर बन सके। बचपन से ही उनमें प्रखर संगठक शक्ति थी और उनमें नेतृत्व की प्रतिभा साफ़ झलकती थी। दस साल की उम्र तक आते-आते उन्होंने यह जान लिया था कि लोग अपने नाम को बहुत अधिक महत्वपूर्ण समझते हैं और अपने नाम से बेहद प्रेम करते हैं। और उन्होंने इस जानकारी का उपयोग लोगों की मदद हासिल करने में किया। उदाहरण के तौर पर : बचपन में जब वे स्कॉटलैंड में थे, तो उन्होंने एक मादा ख़रगोश को पाला। कुछ ही समय बाद उनके पास बहुत से छोटे-छोटे ख़रगोश हो गए। परंतु ग़रीबी के कारण एन्ड्रयू के पास ख़रगोशों को खिलाने के लिए कुछ भी नहीं था। तभी उनके दिमाग़ में एक ज़ोरदार विचार आया। उन्होंने पड़ोस के लड़के-लड़कियों को बुलाया और कहा कि अगर वे उसके ख़रगोशों को खाना खिलाएँगे तो बदले में वह उनके सम्मान में इन ख़रगोशों का नाम उनके नाम

पर रख देगा।

यह योजना जादू की तरह कामयाब हुई और कारनेगी इस बात को कभी नहीं भूले।

सालों बाद, कारनेगी ने बिज़नेस में इसी मनोविज्ञान का प्रयोग करते हुए करोड़ों डॉलर कमाए। उदाहरण के तौर पर वे पेनसिल्वेनिया रेलरोड को स्टील की पटरियाँ बेचना चाहते थे। जे. एडगर थॉमसन उस समय पेनसिल्वेनिया रेलरोड के प्रेसिडेंट थे। इसलिए एन्ड्रयू कारनेगी ने पिट्सबर्ग में एक बड़ी स्टील मिल बनाई और उसका नाम रखा "एडगर थॉमसन स्टील वर्क्स"।

अब आप इस पहेली का जवाब दें। जब पेनसिल्वेनिया रेलरोड को स्टील की पटरियों की ज़रूरत पड़ी तो आपको क्या लगता है जे. एडगर थॉमसन ने पटरियाँ कहाँ से ख़रीदीं? ... सियर्स से, रोबॅक से? नहीं, नहीं। आप ग़लत हैं। एक बार फिर से अंदाज़ा लगाएँ क्योंकि थॉमसन ने वे पटरियाँ एडगर थॉमसन स्टील वर्क्स से ही ख़रीदी थीं।

जब कारनेगी और जॉर्ज पुलमैन रेलरोड स्लीपिंग कार बिज़नेस में एक दूसरे से प्रतियोगिता कर रहे थे, तो एक बार फिर स्टील किंग को अपने बचपन का ख़रगोशों वाला सबक़ याद आ गया।

एन्ड्रयू कारनेगी की सेंट्रल ट्राँसपोर्टेशन कंपनी पुलमैन की कंपनी से प्रतियोगिता कर रही थी। दोनों ही कंपनियाँ यूनियन पैसिफ़िक रेलरोड से बिज़नेस हासिल करने के लिए प्रतियोगिता में अपनी क़ीमतें घटाती जा रही थीं, और दोनों ही इस हालत में पहुँच गई थीं कि दोनों अपने मुनाफ़े की सारी संभावना नष्ट किए दे रही थीं। कारनेगी और पुलमैन दोनों ही यूनियन पैसिफ़िक के बोर्ड ऑफ़ डायरेक्टर्स से मिलने के लिए न्यूयॉर्क गए। एक शाम को सेंट निकोलस होटल में जब दोनों की मुलाक़ात हुई तो कारनेगी ने कहा, "गुड ईवनिंग, मिस्टर पुलमैन, क्या हम दोनों दुनिया के सामने ख़ुद को मूर्ख साबित नहीं कर रहे हैं?"

"आप क्या कहना चाहते हैं?" पुलमैन ने ग़ुस्से से कहा।

फिर कारनेगी ने उनके सामने अपने दिल की बात रखी- यही कि वे दोनों मिलकर काम करें, प्रतियोगिता के बजाय सहयोग के रास्ते पर चलें। उन्होंने सपने दिखाने वाली शैली में बताया कि दोनों के मिल जाने से दोनों को ही कितना अधिक लाभ हो सकता है। पुलमैन ने ध्यान से पूरी बात सुनी, और आख़िरकार उन्होंने पूछा, “आप इस नई कंपनी का नाम क्या रखेंगे ?” और कारनेगी ने झट से जवाब दिया, “ज़ाहिर है, पुलमैन पैलेस कार कंपनी।”

पुलमैन के चेहरे पर चमक आ गई। “मेरे कमरे में आइए,” उसने कहा। “हम इस बारे में विस्तार से बात करते हैं।” और इस चर्चा ने औद्योगिक इतिहास बना दिया।

मित्रों और बिज़नेस सहयोगियों के नाम याद रखने की नीति एन्ड्रयू कारनेगी के लीडरशिप के रहस्यों में से एक थी। उन्हें इस बात पर गर्व था कि उन्हें अपनी फ़ैक्टरी के सभी कर्मचारियों के नाम याद थे। वे गर्व से कहते थे कि जब तक उन्होंने कंपनी सँभाली, तब तक उनकी स्टील मिल में कभी कोई आंदोलन या हड़ताल नहीं हुई।

टेक्सास कॉमर्स बैंकशेयर्स के चेयरमैन बेन्टन लव मानते हैं कि कोई कॉरपोरेशन जितना बड़ा होता जाता है वह उतना ही अधिक भावशून्य होता जाता है। उनका कहना है, “इसे एक बार फिर से भावपूर्ण करने का एक तरीक़ा लोगों के नाम याद रखना है। वह अधिकारी जो मुझे बताता है कि उसे लोगों के नाम याद नहीं रहते, वह मुझे दरअसल यह बता रहा है कि वह अपने बिज़नेस का एक महत्वपूर्ण हिस्सा याद नहीं रख पाता और सच कहा जाए तो वह दलदल में चल रहा है।”

कैलिफ़ोर्निया के *रान्चो पैलोस वर्डीस* की कारेन कर्श फ़्लाइट अटेंडेंट थीं। उन्होंने अपने केबिन में बैठे अधिकतम यात्रियों के नाम याद रखने की आदत डाल ली। वे उनकी सेवा करते समय उनके नाम का प्रयोग करना नहीं भूलती थीं। इसका परिणाम यह हुआ कि यात्रियों ने उनकी सेवा की तारीफ़ उनके मुँह पर भी की

और एयरलाइन से भी की। एक यात्री ने लिखा : 'मैं कुछ समय से *टी.डब्ल्यू.ए. एयरलाइन* से यात्रा नहीं कर रहा हूँ, परंतु अब मैं *टी.डब्ल्यू.ए.* को छोड़कर दूसरी किसी एयरलाइन से यात्रा नहीं करूँगा। आप मुझे यह एहसास दिलाते हैं कि आपकी एयरलाइन एक व्यक्तिगत एयरलाइन है और यह मेरे लिए महत्वपूर्ण है।'

लोगों को अपने नाम पर इतना अधिक गर्व होता है कि वे इसे किसी भी क़ीमत पर अमर रखना चाहते हैं। यहाँ तक कि अभिमानी और कठोर पी. टी. बारनम, जो अपने समय के महानतम शोमैन थे, इसलिए दुखी थे क्योंकि उनका नाम चलाने वाला कोई पुत्र नहीं था। उन्होंने अपनी पुत्री के बेटे सी. एच. सीले के सामने यह प्रस्ताव रखा कि अगर वह अपना नाम बदलकर "बारनम" सीले रख ले, तो वे बदले में उसे 25,000 डॉलर देंगे।

सदियों से अभिजात्य वर्ग के धनी लोग संगीतकारों, लेखकों और कलाकारों को आर्थिक सहायता इसलिए देते आ रहे हैं ताकि उनकी रचनाएँ उनके नाम पर समर्पित की जाएँ।

पुस्तकालयों और संग्रहालयों में ऐसे लोगों ने बहुत दान दिया है जो यह सहन नहीं कर सकते थे कि उनका नाम मानवता के इतिहास से मिट जाए। न्यूयॉर्क की पब्लिक लायब्रेरी में एस्टर और लेनॉक्स कलेक्शन है। मेट्रोपॉलिटन म्यूज़ियम में बेंजामिन आल्टमैन और जे. पी. मॉरगन के कलेक्शन हैं। और लगभग हर चर्च में सुंदरता बढ़ाने वाली काँच की खिड़कियाँ होती हैं जिन पर उनके दानदाताओं के नाम लिखे होते हैं। अधिकांश विश्वविद्यालयों के कैंपस में कई इमारतों पर उन दानदाताओं के नामों की सूची लगी रहती है, जिन्होंने उन्हें बनवाने के लिए ढेर सारा धन दिया।

ज़्यादातर लोग सिर्फ़ इसलिए नाम याद नहीं रख पाते, क्योंकि वे किसी नाम पर ध्यान एकाग्र करने, उसे दोहराने और अपने दिमाग़ में उसे बिठाने के लिए न तो समय देते हैं, न ही मेहनत करते हैं। वे अपने बचाव में यह बहाना बनाते हैं : वे बहुत व्यस्त हैं।

पर शायद वे फ्रैंकलिन डी. रूज़वेल्ट से ज़्यादा व्यस्त तो नहीं

होंगे। रूज़वेल्ट लोगों के नाम याद रखने के लिए समय निकालते थे और अपने मैकेनिकों तक के नाम याद रखते थे।

इसका एक उदाहरण देखें : *क्राइस्लर ऑरगेनाइज़ेशन* ने मिस्टर रूज़वेल्ट के लिए एक विशेष कार बनाई क्योंकि पैरों के लकवे के कारण वे आम कारों का प्रयोग नहीं कर सकते थे। डब्ल्यू. एफ़. चैम्बरलेन और एक मैकेनिक इस कार को व्हाइट हाउस तक पहुँचाने गए। मेरे पास मिस्टर चैम्बरलेन का एक पत्र है जिसमें उन्होंने अपने अनुभव बताए हैं। "मैंने प्रेसिडेंट रूज़वेल्ट को सिखाया कि असामान्य उपकरणों वाली इस कार को कैसे चलाया जाता है, परंतु उन्होंने मुझे यह सिखा दिया कि लोगों के साथ व्यवहार कैसे किया जाता है।

"जब मैं व्हाइट हाउस पहुँचा," मिस्टर चैम्बरलेन लिखते हैं, "तो प्रेसिडेंट बेहद ख़ुश और प्रसन्न थे। उन्होंने मुझे नाम से बुलाया, मुझे सहज अनुभव कराया और मुझे इस बात से प्रभावित किया कि उनकी उन चीज़ों में बेहद रुचि थी जो मैं उन्हें दिखाने और बताने वाला था। कार इस तरह बनाई गई थी कि इसे पूरी तरह हाथों से नियंत्रित किया जा सके। कार को देखने के लिए बहुत से लोग कार के आस-पास जमा हो गए थे और उन्होंने टिप्पणी की, 'मुझे लगता है यह बहुत शानदार है। मुझे बस एक बटन को छूना है और यह चल देती है और आप इसे बिना किसी कोशिश के चला सकते हैं। मुझे लगता है यह बेहतरीन है- मैं यह नहीं जानता कि यह कैसे काम करती है। जब मुझे समय मिलेगा तो मैं बड़े शौक़ से इसे खोल-खालकर यह देखना चाहूँगा कि यह कैसे काम करती है।'

"जब रूज़वेल्ट के दोस्तों और सहयोगियों ने कार की तारीफ़ की तो उन्होंने सबके सामने कहा : 'मिस्टर चैम्बरलेन, आपने इस कार को बनाने में जितना भी समय दिया है और प्रयास किया है मैं उसकी प्रशंसा करता हूँ। यह बहुत ही बढ़िया कार है।' उन्होंने रेडिएटर, विशेष रियर-व्यू शीशे, घड़ी, विशेष स्पॉटलाइट, ड्राइवर की सीट की बनावट, डिग्गी में बने विशेष सूटकेसों इत्यादि सभी चीज़ों की तारीफ़ की। दूसरे शब्दों में उन्होंने हर उस चीज़ पर ध्यान दिया

जिसे बनाने में मैंने काफ़ी सोचा था। उन्होंने एक-एक करके कार की विभिन्न विशेषताओं की तरफ़ मिसेज़ रूज़वेल्ट, मिस पर्किन्स (सेक्रेटरी ऑफ़ लेबर) और अपनी सचिव का ध्यान आकर्षित कराया। वे व्हाइट हाउस के पुराने पोर्टर को भी यह कहकर तस्वीर में ले आए, 'जॉर्ज, आप इन सूटकेसों का अच्छी तरह से ध्यान रखने को बेताब दिख रहे हैं।'

"जब ड्राइविंग लेसन ख़त्म हो गया तो प्रेसिडेंट मेरी तरफ़ मुड़े और उन्होंने कहा, 'अच्छा, मिस्टर चैम्बरलेन, मैं फ़ेडरल रिज़र्व बोर्ड को आधे घंटे से इंतज़ार करवा रहा हूँ। मुझे लगता है कि अब मुझे काम पर लौट जाना चाहिए।'

"मैं अपने साथ एक मैकेनिक को लेकर व्हाइट हाउस गया था। वहाँ पहुँचने पर उसका रूज़वेल्ट से परिचय करवाया गया था, परंतु उसकी प्रेसिडेंट से कोई बातचीत नहीं हुई। रूज़वेल्ट ने उस मैकेनिक का नाम केवल एक ही बार सुना था। मैकेनिक शर्मीले क़िस्म का था और उसने अपने आपको पृष्ठभूमि में ही रखा। परंतु हमसे विदा लेते समय प्रेसिडेंट ने मैकेनिक की तरफ़ देखा, उससे हाथ मिलाया और उसका नाम लेकर उसे वॉशिंगटन आने के लिए धन्यवाद दिया। और उनका धन्यवाद सतही नहीं था। उनके शब्द सच्चे थे। मुझे यही महसूस हुआ।

"न्यूयॉर्क से लौटने के कुछ दिनों बाद मुझे प्रेसिडेंट रूज़वेल्ट के ऑटोग्राफ़ सहित उनका फ़ोटोग्राफ़ मिला और एक बार फिर उन्होंने मेरे प्रयासों के लिए मुझे धन्यवाद दिया। मेरे लिए अब भी यह एक रहस्य है कि उन्होंने इतना सब करने के लिए समय कहाँ से निकाला।"

फ़्रैंकलिन डी. रूज़वेल्ट जानते थे कि सद्भावना हासिल करने के सबसे आसान और महत्वपूर्ण तरीक़ों में से एक है लोगों के नाम याद रखना और लोगों को महत्वपूर्ण अनुभव कराना- परंतु हममें से कितने लोग ऐसा कर पाते हैं?

अक्सर यह होता है कि जब हम किसी से मिलते हैं तो हम

उससे कुछ मिनट तक बातें करते हैं और गुडबाई कहने तक हम उसका नाम भूल जाते हैं।

राजनेताओं को शुरुआती दौर में ही यह सबक़ मिल जाता है, "किसी मतदाता का नाम याद रखना राजनीतिक कला है। इसे भूल जाना हारने की कला है।"

और नाम याद रखने की योग्यता बिज़नेस और सामाजिक संबंधों में भी उतनी ही महत्वपूर्ण है जितनी कि राजनीति में।

फ्रांस के सम्राट नेपोलियन तृतीय, जो नेपोलियन महान के भतीजे थे, यह दावा करते थे कि राजकीय कर्तव्यों के बावजूद उन्हें अपने संपर्क में आए हर व्यक्ति का नाम याद रहता था।

उनकी तकनीक बहुत आसान थी। अगर वे अच्छी तरह से नाम नहीं सुन पाते थे, तो वे कहते थे, "माफ़ कीजिए, मैं आपका नाम ठीक से नहीं सुन पाया।" अगर नाम कुछ अजीब सा हो, तो वे यह भी पूछ लेते थे, "इसे लिखा कैसे जाता है?"

पूरी चर्चा के दौरान वे उसके नाम को कई बार दोहराते थे और उस व्यक्ति के हावभाव और चेहरे के साथ उस नाम को जोड़ लेते थे।

अगर सामने वाला व्यक्ति ज़्यादा महत्वपूर्ण होता था, तो नेपोलियन तृतीय उसके नाम पर इससे भी ज़्यादा मेहनत करते थे। जब भी सम्राट अकेले होते थे, वे एक काग़ज़ पर उस नाम को लिख लेते थे, उसकी तरफ़ देखते थे, उसे याद करते थे और दिमाग़ में अच्छी तरह उसे बिठाने के बाद ही काग़ज़ फाड़ते थे। इस तरीक़े से वे कानों के साथ-साथ आँखों के माध्यम से भी उस नाम को याद रख लेते थे।

इस काम में मेहनत तो लगती है, पर जैसा इमर्सन ने कहा है, "अच्छे मैनर्स के लिए छोटे-छोटे त्याग तो करने पड़ते हैं।"

नाम याद रखना और उनका प्रयोग करना सिर्फ़ राजाओं या सफल बिज़नेसमैनों का ही विशेषाधिकार नहीं है। यह हम सबके

लिए लाभकारी सिद्ध हो सकता है। इंडियाना में *जनरल मोटर्स* का एक कर्मचारी केन नॉटिंघम आम तौर पर कंपनी के कैफ़ेटेरिया में लंच करता था। उसने देखा कि काउंटर के पीछे काम करने वाली महिला के चेहरे पर हमेशा त्यौरियाँ चढ़ी रहती थीं। "वह लगभग दो घंटों से सैंडविच बना रही थी और मैं उसके लिए सिर्फ़ एक और सैंडविच था। मैंने उसे बताया कि मैं क्या चाहता था। उसने हैम को छोटे तराज़ू पर तौला। इसके बाद उसने मुझे लेट्यूस की एक पत्ती दी, आलू की थोड़ी सी चिप्स डालीं और मुझे सैंडविच थमा दिया।

"अगले दिन मेरे साथ फिर यही हुआ। वही महिला, वही त्यौरियाँ। मैं मुस्कराया और कहा, 'हलो, युनिस,' और फिर मैंने उसे बताया कि मुझे क्या चाहिए था। इस बार वह तराज़ू भूल गई, उसने बहुत सारा हैम डाला, लेट्यूस की तीन पत्तियाँ दीं और आलू की इतनी सारी चिप्स डाल दीं कि चिप्स प्लेट से गिरने की नौबत आ गई।

हमें यह नहीं भूलना चाहिए कि नाम ही वह जादू की छड़ी है, जिससे हम सामने वाले पर जादुई असर डाल सकते हैं। नाम ही किसी व्यक्ति की पहचान है, उसके व्यक्तित्व का प्रतीक है। नाम ही उसे दूसरे लोगों से अलग करता है। जब हम किसी का नाम लेकर किसी स्थिति से गुज़रते हैं तो हमारे कहे शब्द या हमारे आग्रह सामने वाले के लिए विशेष महत्वपूर्ण हो जाते हैं। चाहे वह वेटर हो या सीनियर एक्ज़ीक्यूटिव, नाम का जादू बराबर और एक सा असर करता है।

सिद्धांत 3
याद रखें किसी व्यक्ति का नाम उसके लिए सबसे महत्वपूर्ण और मधुरतम शब्द होता है।

4

अच्छा वक्ता बनने का आसान तरीक़ा

कुछ समय पहले मैं एक ब्रिज पार्टी में गया। मैं ब्रिज नहीं खेलता और वहाँ पर मेरे ही जैसी एक और महिला थी जिसे ब्रिज खेलना नहीं आता था। उसे यह जानकारी मिली कि लॉवेल थॉमस के रेडियो की दुनिया में जाने से पहले मैं उनका मैनेजर था और मैं उनके सहयोगी के रूप में यूरोप घूम चुका हूँ। इसलिए उसने मुझसे कहा, "मिस्टर कारनेगी, मैं चाहती हूँ कि आप बताएँ आप कितनी बेहतरीन जगहों पर घूमे हैं और आपने यूरोप में कितने दर्शनीय स्थलों को देखा है।"

जब हम सोफ़े पर बैठे, तो उसने मुझे बताया कि वह और उसका पति अभी-अभी अफ़्रीका की यात्रा से लौटे हैं। मैंने कहा, "अफ़्रीका! कितना मज़ेदार अनुभव रहा होगा। मैं हमेशा से अफ़्रीका घूमना चाहता हूँ, परंतु चौबीस घंटे अल्जियर्स में रुकने के सिवाय मुझे अफ़्रीका घूमने का मौक़ा ही नहीं मिला। मुझे बताएँ, क्या आपने सचमुच उस रोमांचक देश का भ्रमण किया है? हाँ? आप कितनी ख़ुशक़िस्मत हैं? मुझे आपसे सचमुच ईर्ष्या होती है। आप मुझे अफ़्रीका के अपने अनुभव सुनाएँ।"

इसके बाद वह महिला पैंतालीस मिनट तक बोलती रही। उसने मुझसे एक बार भी यह नहीं पूछा कि मैं कहाँ-कहाँ गया था या मैंने क्या-क्या देखा था। वह मेरी यात्राओं के बारे में सुनना भी नहीं

चाहती थी। वह तो सिर्फ़ एक दिलचस्प श्रोता की तलाश में थी, जो उसके अहं को संतुष्टि दे सके, और जिसे वह अपने क़िस्से सुना सके।

क्या उस महिला का व्यवहार असामान्य था? नहीं। ज़्यादातर लोग इसी तरह के होते हैं।

उदाहरण के तौर पर, न्यूयॉर्क के पुस्तकों के एक प्रकाशक द्वारा दी गई डिनर पार्टी में मैं एक प्रसिद्ध बॉटनिस्ट से मिला। मैंने इसके पहले कभी किसी बॉटनिस्ट से बातें नहीं की थीं और मुझे उनकी बातें दिलचस्प लग रही थीं। जब वे मुझे पेड़-पौधों की दुनिया की रोचक बातें बता रहे थे, तो मैं अपनी कुर्सी के किनारे पर बैठा रहा और सुनता रहा (और उन्होंने मुझे घरेलू आलू के बारे में भी कई दिलचस्प बातें बताईं)। उन्होंने मुझे इनडोर गार्डन विकसित करने के नए-नए तरीक़े बताए। मैं मन लगाकर उनकी बात सुनता रहा। मेरा ख़ुद का भी एक छोटा सा बगीचा था- और वह प्रसिद्ध बॉटनिस्ट इतना भला था कि उसने मुझे यह भी बताया कि मैं किस तरह अपनी समस्याओं को सुलझा सकता हूँ।

जैसा मैंने कहा हम एक डिनर पार्टी में थे। वहाँ पर कोई एक दर्जन लोग होंगे, पर मैंने सामाजिकता के सभी नियमों को तोड़ते हुए, बाक़ी सबको नज़रअंदाज़ करते हुए सिर्फ़ उसी बॉटनिस्ट से घंटों बातें कीं।

आधी रात होने पर मैंने सबसे विदा ली और चल दिया। मेरे जाने के बाद वह बॉटनिस्ट मेज़बान के पास गया और उसने मेरी बहुत प्रशंसा की। मुझे "बहुत प्रेरक" व्यक्ति और "बहुत ही रोचक वक्ता" कहा गया।

बहुत ही रोचक वक्ता? जबकि मैंने उसके सामने ज़्यादा बातें की ही नहीं थीं। मैं चाहता भी, तो भी बिना विषय को बदले ज़्यादा कुछ नहीं कह सकता था, क्योंकि बॉटनी के बारे में मुझे उतना ही मालूम है जितना कि पेंग्विन की एनोटॉमी के बारे में। परंतु मैंने एक काम किया था : मैंने उनकी बातों को मन लगाकर सुना था। मैंने मन लगाकर इसलिए सुना था क्योंकि मुझे उनकी बातें सचमुच

दिलचस्प लग रही थीं। और उन्हें इस बात का एहसास हो गया। स्वाभाविक तौर पर इससे उन्हें ख़ुशी हुई। इस तरह से किसी की बात सुनना किसी भी व्यक्ति की अप्रत्यक्ष रूप से सर्वोच्च प्रशंसा है। जैक वुडफ़ोर्ड ने अपनी पुस्तक *स्ट्रैन्जर्स इन लव* में लिखा है, "बहुत कम इंसान ऐसे होते हैं जो मन लगाकर सुनने की चापलूसी को पसंद नहीं करते।" मैं मन लगाकर सुनने से भी दो क़दम आगे निकल गया था, मैं तो उनकी दिल खोलकर तारीफ़ कर रहा था और मुक्त कंठ से सराहना भी कर रहा था।

मैंने उन्हें बताया कि मुझे उनकी चर्चा में बहुत मज़ा आया और ज्ञान भी मिला- जो कि सच था। मैंने उन्हें बताया कि काश मेरे पास भी उन जैसा ज्ञान होता- जो कि सच था। मैंने उन्हें बताया कि मैं उनके साथ खेतों में घूमना पसंद करूँगा- और मैं ऐसा कर चुका हूँ। मैंने उन्हें बताया कि मैं उनसे दुबारा मिलूँगा- और मैं मिला भी।

तो इस तरह से उन्होंने मुझे एक अच्छा वक्ता समझ लिया जबकि दरअसल मैं सिर्फ़ एक अच्छा श्रोता था जो उन्हें चर्चा करने के लिए प्रोत्साहित कर रहा था।

सफल बिज़नेस इंटरव्यू का रहस्य या भेद क्या है? भूतपूर्व हार्वर्ड प्रेसिडेंट चार्ल्स डब्ल्यू. इलियट के अनुसार, "सफल बिज़नेस चर्चा के बारे में कोई रहस्य नहीं है... जो आपसे बात कर रहा है उस पर संपूर्ण ध्यान देना बहुत महत्वपूर्ण है। इससे बड़ी चापलूसी दूसरी नहीं होती।"

इलियट स्वयं सुनने की कला के बहुत बड़े विशेषज्ञ थे। अमेरिका के महान उपन्यासकार हेनरी जेम्स अपने संस्मरण में कहते हैं, "डॉक्टर इलियट का सुनना सिर्फ़ मौन नहीं था, बल्कि एक तरह की गतिविधि थी। सीधे तनकर बैठना, हाथों को इकट्ठे गोद में रखना, अपने अँगूठों को एक दूसरे पर लपेटने के सिवा उनके शरीर में कोई हरकत नहीं होती थी। वे सीधे वक्ता के सामने रहते थे और कानों के साथ-साथ आँखों से भी सुनते थे। वे अपने दिमाग़ से सुनते थे और आपके कहते समय यह सोचते थे कि आपको यह बात क्यों

कहनी पड़ी... इंटरव्यू के अंत में जो व्यक्ति उनसे बात करता था उसे महसूस होता था कि सामने वाला उसकी पूरी बात समझ गया है।"

बात सीधी सी है, नहीं क्या? आपको यह रहस्य जानने के लिए हार्वर्ड में चार साल तक अध्ययन करने की आवश्यकता नहीं है। परंतु हम और आप ऐसे डिपार्टमेंट स्टोर मालिकों को जानते हैं जो महँगी दुकानें ख़रीदते हैं, किफ़ायत से अपना सामान ख़रीदते हैं, अपनी खिड़कियों को आकर्षक अंदाज़ में सजाते हैं, विज्ञापन में हज़ारों डॉलर ख़र्च करते हैं और फिर क्लर्कों को नौकरी पर रखते हैं- उन क्लर्कों को जो अच्छे श्रोता नहीं होने के कारण ग्राहकों की बात को बीच में ही काटते हैं, उनसे बहस करते हैं, उन्हें चिढ़ा देते हैं और कुल मिलाकर उन्हें स्टोर से भाग जाने पर एक तरह से मजबूर कर देते हैं।

शिकागो के एक डिपार्टमेंट स्टोर ने अपना एक ऐसा ग्राहक लगभग खो दिया था जो उस स्टोर से हर वर्ष कई हज़ार डॉलर का सामान ख़रीदती थी- सिर्फ़ इसलिए क्योंकि सेल्सगर्ल ग्राहक की बात सुनने के लिए तैयार ही नहीं थी। शिकागो में हमारे कोर्स में भाग लेने वाली मिसेज़ हेनेरिटा डगलस ने स्पेशल सेल से एक कोट ख़रीदा था। घर आने पर उन्होंने देखा कि उस कोट की लाइनिंग थोड़ी सी उधड़ी हुई है। वे अगले दिन स्टोर में गई। और उन्होंने सेल्सगर्ल से कोट बदलने का अनुरोध किया। सेल्सगर्ल ने उनकी शिकायत तक सुनने से इंकार कर दिया, "आपने इसे एक स्पेशल सेल में ख़रीदा है।" इसके बाद उसने दीवार पर लिखा हुआ वाक्य पढ़वा दिया, "इसे पढ़िए, इस पर क्या लिखा है : बिका हुआ सामान वापस नहीं लिया जाता।" उसने कहा, "आपने इसे एक बार ख़रीद लिया है, अब आपको इसे रखना होगा चाहे यह जिस हाल में हो। अगर कोट की सिलाई उधड़ी हुई है तो यह आपकी ज़िम्मेदारी है कि आप इसे ठीक करें।"

"परंतु यह तो पहले से ही ख़राब सामान था," मिसेज़ डगलस ने शिकायत की।

"उससे कोई फ़र्क़ नहीं पड़ता," क्लर्क ने उनकी बात काटते हुए कहा, "आप फ़ालतू बहस न करें।"

मिसेज़ डगलस ग़ुस्से से आगबबूला होकर जाने ही वाली थीं। वे मन ही मन दुबारा उस स्टोर में न आने का फ़ैसला कर चुकी थीं। तभी वहाँ का डिपार्टमेंट मैनेजर आया जो स्थायी ग्राहक होने के कारण उन्हें वर्षों से जानता था। मिसेज़ डगलस ने उसे अपनी पूरी कहानी सुनाई।

मैनेजर ने ध्यान से पूरा क़िस्सा सुना, कोट की जाँच की और फिर कहा : "स्पेशल सेल का सामान इसलिए वापस नहीं होता क्योंकि हम सीज़न के आख़िर में अपना सामान बेचकर ख़त्म करना चाहते हैं। परंतु सामान वापस न होने का नियम दोषपूर्ण सामान पर लागू नहीं होता। हम निश्चित रूप से इसकी मरम्मत कर सकते हैं या फिर से सिलाई करवा सकते हैं या अगर आप कहें तो हम आपका पैसा वापस कर सकते हैं।"

दोनों के व्यवहार में कितना फ़र्क़ था! अगर मैनेजर वहाँ न आया होता और उसने इस स्थायी ग्राहक से बातें न की होतीं तो उनके स्टोर से एक ग्राहक हमेशा के लिए चला गया होता।

सुनने की कला घर पर भी उतनी ही महत्वपूर्ण है जितनी कि बिज़नेस में। न्यूयॉर्क की मिली एस्पोसिटो ने यह आदत डाल ली कि जब भी उनके बच्चे उनसे कुछ कहना चाहते थे, वे ध्यान से उनकी बात सुनती थीं। एक दिन वे शाम को अपने पुत्र रॉबर्ट के साथ बैठी हुई थीं। रॉबर्ट के मस्तिष्क में घुमड़ रही बातों पर संक्षिप्त चर्चा के बाद रॉबर्ट ने कहा, "माँ, मैं जानता हूँ कि आप मुझसे बहुत प्यार करती हैं।"

मिसेज़ एस्पोसिटो को यह सुनकर अच्छा लगा और उन्होंने कहा, "हाँ बेटा, मैं तुम्हें बहुत प्यार करती हूँ। पर तुम्हें यह किस बात से लगा?"

रॉबर्ट ने जवाब दिया, "मैं जानता हूँ कि आप मुझसे प्यार करती हैं क्योंकि आप मेरी हर बात बहुत ध्यान से सुनती हैं। जब

भी मैं कुछ कहता हूँ तो आप अपना सारा काम छोड़कर मेरी बातें सुनने लगती हैं।"

बड़े से बड़ा आलोचक भी धैर्यवान, सहानुभूतिपूर्ण श्रोता के सामने नर्म पड़ जाएगा- एक ऐसा श्रोता जो उस समय चुप रहे जब क्रोधित आलोचक किंग कोबरा की तरह फन फैलाकर अपने शरीर से अपना ज़हर उगल रहा हो। उदाहरण के तौर पर : न्यूयॉर्क टेलीफ़ोन कंपनी ने कुछ साल पहले यह पता लगाया कि इसे एक ऐसे कष्टकारी ग्राहक से निबटना है जो हमेशा ग्राहक सेवा प्रतिनिधियों को कोसता था। और उसने सच में बहुत भला-बुरा कहा। उसने बहुत चिल्लाचोट की। उसने फ़ोन को इसकी जड़ों से उखाड़ने की धमकी दी। उसने कुछ बिलों का भुगतान करने से मना कर दिया क्योंकि उसकी नज़र में वे ग़लत थे। उसने अख़बारों को पत्र लिखे। उसने असंख्य जनहित याचिकाएँ दायर कीं और उसने टेलीफ़ोन कंपनी के ख़िलाफ़ अदालत में कई मामले भी दायर किए।

आख़िरकार कंपनी के सबसे योग्य ट्रबलशूटर यानी संकटमोचक को इस ग़ुस्सैल ग्राहक का इंटरव्यू लेने के लिए भेजा गया। इस ट्रबलशूटर ने ग्राहक की बात सुनी और भड़कने वाले ग्राहक को अपना ग़ुस्सा निकालने दिया। टेलीफ़ोन प्रतिनिधि सुनता रहा। वह "हाँ, हाँ" कहता रहा और ग्राहक के नज़रिए से सहानुभूति प्रदर्शित करता रहा।

"ग्राहक अपनी भड़ास निकालता रहा और मैंने लगभग तीन घंटे तक उसकी बातें सुनीं," ट्रबलशूटर ने हमारी क्लास में अपना अनुभव सुनाया, "मैं उससे चार बार मिला और चौथी मीटिंग से पहले मैं उस संगठन का चार्टर मेंबर बन चुका था जिसे उसने शुरू किया था। उसने इसका नाम 'टेलीफ़ोन सब्सक्राइबर्स प्रोटेक्टिव एसोसिएशन' रखा था। मैं अब भी उस संगठन का सदस्य हूँ और जहाँ तक मुझे पता है मिस्टर ...... के अलावा मैं ही दुनिया में उसका एकमात्र सदस्य हूँ।

"इन मीटिंगों में मैंने उसकी हर बात को मन लगाकर सुना

और उसकी कही बातों से हमदर्दी जताई। किसी टेलीफ़ोन प्रतिनिधि ने उसकी बातों को इस तरह पहले कभी नहीं सुना था और वह एक तरह से मेरा दोस्त बन चुका था। जिस बारे में मैं उससे मिलने गया था उसका ज़िक्र मैंने पहली मीटिंग में नहीं किया, न ही दूसरी या तीसरी मीटिंग में। परंतु चौथी मीटिंग में मैंने मामले को पूरी तरह निबटा लिया, उसने अपने बिलों का पूरा भुगतान कर दिया और टेलीफ़ोन कंपनी के साथ उसकी समस्याओं के इतिहास में पहली बार उसने अपनी सारी शिकायतें और केस वापस ले लिए।"

इसमें कोई संदेह नहीं कि मिस्टर ..... ख़ुद को धर्मयोद्धा मानते थे जो क्रूर शोषण के विरुद्ध जनअधिकारों की रक्षा कर रहे थे। परंतु दरअसल वे महत्वपूर्ण अनुभव करना चाहते थे। उन्हें पहले महत्वपूर्ण होने का यह एहसास चिल्लाने और शिकायत करने से मिलता था। परंतु जैसे ही उन्हें कंपनी के प्रतिनिधि की तरफ़ से महत्व मिला, उनकी शिकायतें काफ़ूर हो गईं।

वर्षों पहले, एक सुबह एक क्रुद्ध ग्राहक डेटमर वूलन कंपनी के संस्थापक जूलियन एफ़. डेटमर के ऑफ़िस में आ धमका (डेटमर वूलन कंपनी बाद में टेलरिंग व्यवसाय को सामान देने वाली विश्व की सबसे बड़ी डिस्ट्रिब्यूटर बनी)।

मिस्टर डेटमर ने मुझे बताया, "इस ग्राहक से हमें कुछ पैसे लेने थे। ग्राहक यह मानने को तैयार नहीं था, परंतु हम जानते थे कि हम सही थे। इसलिए हमारे क्रेडिट डिपार्टमेंट ने भुगतान करने के लिए उससे बार-बार अनुरोध किया। हमारे क्रेडिट डिपार्टमेंट की तरफ़ से बहुत से पत्र मिलने के बाद उसने अपना सूटकेस पैक किया और वह शिकागो आ पहुँचा। वह तेज़ी में मेरे ऑफ़िस में आया, सिर्फ़ यह बताने के लिए कि न तो वह बिल चुकाएगा, न ही भविष्य में डेटमर वूलन कंपनी से एक धेले का भी सामान ख़रीदेगा।

"मैंने उसकी बातें धैर्य से सुनीं। मेरा बहुत मन हो रहा था कि उसे टोक दूँ या उसकी बात काट दूँ, पर मैंने महसूस किया कि यह ग़लत नीति होगी। इसलिए मैंने उसके दिल का ग़ुबार निकल जाने

दिया। जब उसका ग़ुस्सा ठंडा पड़ गया और वह सुनने की स्थिति में आ गया तो मैंने उससे शांति से कहा, "मैं आपको शिकागो आने के लिए और मुझे पूरी बात बताने के लिए धन्यवाद देता हूँ। आपने मुझ पर एक बड़ा एहसान किया है। अगर हमारे क्रेडिट डिपार्टमेंट की वजह से आपको तकलीफ़ हुई है तो इससे और भी कई अच्छे ग्राहकों को तकलीफ़ हो सकती है और यह हमारे बिज़नेस के लिए अच्छा नहीं है। मेरा यक़ीन मानिए, आप इन बातों को बताने के लिए जितने उत्सुक हैं, उससे कहीं ज़्यादा मैं इन्हें सुनने के लिए उत्सुक हूँ।'

"जब मैंने यह सब कहा, तो उसे बहुत आश्चर्य हुआ। उसे यह सुनने की उम्मीद ही नहीं थी। मुझे लगा जैसे वह थोड़ा निराश भी हुआ। वह मुझे दो-चार बातें सुनाने के लिए शिकागो आया था, और मैं था कि उससे बहस करने के बजाय उसे धन्यवाद दे रहा था। मैंने उसे विश्वास दिलाया कि हम अपने बहीखाते से उसके उधार को काट देंगे और इसे भूल जाएँगे क्योंकि उसके पास तो देखने के लिए एक ही अकाउंट है, जबकि हमारे क्लर्कों को हज़ारों अकाउंट देखने पड़ते हैं। इसलिए उसके ग़लत होने की संभावना कम है, जबकि हमारे ग़लत होने की संभावना ज़्यादा है।

"मैंने उसे बताया कि मैं उसकी भावनाओं को समझ सकता हूँ। अगर मैं उसकी जगह होता तो मैंने भी यही किया होता। चूँकि अब उसकी इच्छा हमसे सामान ख़रीदने की नहीं थी, इसलिए मैंने उसे कई दूसरे अच्छे वूलन स्टोर्स के नाम सुझा दिए।

"पहले जब भी वह शिकागो आता था, तब हम आम तौर पर इकट्ठे लंच किया करते थे इसलिए मैंने उस दिन भी उसे लंच के लिए आमंत्रित किया। उसने अनमने ढंग से मेरे आग्रह को स्वीकार किया परंतु जब हम वापस ऑफ़िस लौटे तो उसने मुझे पहले से बड़ा ऑर्डर दिया। वह अच्छे मूड में घर लौटा क्योंकि वह अच्छाई का जवाब अच्छाई से देना चाहता था। घर लौटकर उसने अपने अकाउंट को ठीक से देखा और उसे एक ऐसा बिल मिल गया, जिसका भुगतान उसने नहीं किया था। उसने माफ़ी माँगते हुए चेक भिजवा दिया।

"बाद में जब उसके घर बेटा हुआ तो उसने अपने पुत्र का बीच का नाम डेटमर रखा और बाईस साल बाद अपनी मृत्यु तक वह कंपनी का मित्र और ग्राहक बना रहा।"

सालों पहले, एक ग़रीब डच आप्रवासी बालक स्कूल के बाद अपने परिवार की मदद करने के लिए बेकरी शॉप की खिड़कियाँ धोया करता था। उसका परिवार इतना ग़रीब था कि इसके अलावा वह हर रोज़ सड़क पर बाल्टी लेकर घूमता था ताकि कोयले की गाड़ियों से गटर में गिरे कोयले के टुकड़ों को बीन सके। इस बालक एडवर्ड बॉक को अपने जीवन में छह वर्ष का स्कूल जीवन ही नसीब हुआ, परंतु अंततः वह अमेरिकी पत्रकारिता के इतिहास में सर्वाधिक सफल मैग्ज़ीन संपादकों में से एक बन गया। ऐसा किस तरह हुआ। यह एक लंबी कहानी है, परंतु इसकी शुरुआत किस तरह हुई, यह संक्षेप में बताया जा सकता है। इस अध्याय में दिए गए सिद्धांतों का प्रयोग करके उन्हें पहला अवसर मिला।

उन्होंने तेरह वर्ष की उम्र में स्कूल छोड़ दिया था और वे वेस्टर्न यूनियन में ऑफ़िस बॉय बन गए, परंतु उन्होंने शिक्षा के विचार को एक पल के लिए भी अपनी नज़रों से ओझल नहीं होने दिया। इसके बजाय, उन्होंने ख़ुद को शिक्षित करना प्रारंभ किया। उन्होंने अपनी यात्राओं का ख़र्च बचाया और बिना लंच के लंबा समय गुज़ारा ताकि उनके पास अमेरिकी जीवनियों का एनसाइक्लोपीडिया ख़रीदने लायक़ पैसा बच जाए- और इसके बाद उन्होंने एक आश्चर्यजनक काम किया जिसके बारे में पहले कभी नहीं सुना गया था। उन्होंने प्रसिद्ध लोगों की जीवनियाँ पढ़ीं और इन महान लोगों को पत्र लिखा कि वे अपने बचपन के बारे में बताएँ। बॉक एक अच्छे श्रोता थे। उन्होंने प्रसिद्ध लोगों से ख़ुद के बारे में बताने का अनुरोध किया। उन्होंने जनरल जेम्स ए. गारफ़ील्ड को पत्र लिखा जो उस वक़्त प्रेसिडेंट पद के लिए अभियान चला रहे थे और पूछा कि क्या यह सच है कि वे कभी नहर पर टो बॉय थे। गारफ़ील्ड ने इस पत्र का जवाब दिया। उसने जनरल ग्रान्ट से एक विशेष युद्ध के बारे में पूछा और ग्रान्ट ने उसके लिए नक़्शा बनाया और इस चौदह वर्ष के बच्चे को डिनर

के लिए बुलवाया और पूरी शाम उससे बातें कीं।

जल्दी ही वेस्टर्न यूनियन का यह मैसेंजर बॉय देश के बहुत प्रसिद्ध व्यक्तियों से पत्र व्यवहार कर रहा था : राल्फ़ वॉल्डो इमर्सन, ओलिवर वेंडेल होम्स, लाँगफ़ेलो, मिसेज़ अब्राहम लिंकन, लुइसा मे एल्कॉट, जनरल शेरमैन और जेफ़रसन डेविस। न सिर्फ़ वह इन प्रसिद्ध हस्तियों से पत्र व्यवहार करता था बल्कि छुट्टियाँ मिलने पर वह उनके घर भी जाता था और उसका अतिथि के रूप में हर जगह स्वागत होता था। इस अनुभव से उसमें वह आत्मविश्वास आ गया जो कि बहुमूल्य था। इन प्रसिद्ध व्यक्तियों ने उसमें वह दृष्टि और महत्वाकांक्षा भर दी जिससे उसके जीवन का नक़्शा ही बदल गया। और यह सब, मैं इस बात को दोहराना चाहता हूँ, सिर्फ़ इसलिए संभव हुआ क्योंकि उसने यहाँ दिए गए सिद्धांतों को अपने जीवन में उतारा था।

आइज़ैक एफ़. मार्कोसन नामक पत्रकार ने सैकड़ों प्रसिद्ध हस्तियों के इंटरव्यू लिए हैं। उनका मानना है कि कई लोग इसलिए अच्छा प्रभाव नहीं छोड़ पाते क्योंकि वे ध्यान से सुनते ही नहीं हैं। "उनका पूरा ध्यान तो इस बात पर ही लगा रहता है कि वे क्या बोलने वाले हैं इसलिए वे अपने कान खुले नहीं रखते... अति महत्वपूर्ण लोगों ने मुझे यह बताया है कि उन्हें अच्छे वक्ताओं की तुलना में अच्छे श्रोता ज़्यादा पसंद आते हैं, परंतु सुनने की कला आज दूसरी किसी भी कला से ज़्यादा दुर्लभ है।"

और केवल महत्वपूर्ण लोग ही अच्छे श्रोताओं को पसंद नहीं करते, सामान्य लोग भी उन्हें पसंद करते हैं। *रीडर्स डाइजेस्ट* में एक बार छपा था, "कई लोगों को जब श्रोताओं की ज़रूरत होती है, तो वे डॉक्टर को बुला लेते हैं।"

गृहयुद्ध के कष्टकारी दिनों में लिंकन ने स्प्रिंगफ़ील्ड के अपने पुराने दोस्त को चिट्ठी लिखकर वॉशिंगटन बुलवाया। लिंकन ने उसे लिखा था कि वे कुछ समस्याओं पर उसके साथ विचार-विमर्श करना चाहते हैं। पुराना पड़ोसी व्हाइट हाउस आया और लिंकन घंटों तक

उसके सामने दासों को मुक्त करने के क़ानून बनाने के परिणामों पर बोलते रहे। लिंकन ने सारे तर्कों को दोहराया कि दासप्रथा समाप्त करने के क्या फ़ायदे होंगे और क्या नुक़सान होंगे। लिंकन ने पत्र पढ़े, लेख पढ़कर सुनाए। कुछ में लिंकन की आलोचना की गई थी कि वे अब तक दासों को मुक्त नहीं कर पाए हैं, कई में उनकी इस बात के लिए आलोचना की गई थी कि वे उन्हें मुक्त करना चाहते हैं। घंटों तक बोलने के बाद लिंकन ने अपने पुराने पड़ोसी से हाथ मिलाया, गुड नाइट कहा और बिना उसके विचार पूछे उसे इलिनॉय रवाना कर दिया। लिंकन ने समस्या के बारे में उस दोस्त के विचार पूछे ही नहीं। पूरे समय लिंकन ही बोलते रहे। ऐसा करने से उनके विचार स्पष्ट हुए और वे सही तरीक़े से सोच सके। "ऐसा लग रहा था कि इस चर्चा से उन्हें काफ़ी राहत मिली थी," पुराने दोस्त ने कहा। लिंकन को सलाह की ज़रूरत नहीं थी। उन्हें केवल एक अच्छे, सहानुभूतिपूर्ण श्रोता की ज़रूरत थी जिसके सामने वे अपने दिल का बोझ हल्का कर सकें। हम लोग भी जब मुश्किल में होते हैं, तो हमें भी इसी बात की ज़रूरत होती है। क्रुद्ध ग्राहक, असंतुष्ट कर्मचारी या आहत मित्र भी इतना ही तो चाहते हैं।

आधुनिक काल के सबसे महान श्रोताओं में सिगमंड फ़्रॉयड का नाम भी है। एक व्यक्ति फ़्रॉयड से मिला। उनके सुनने के तरीक़े के बारे में उसका कहना था, "इससे मुझ पर इतना गहरा असर हुआ कि मैं उन्हें कभी नहीं भूल पाऊँगा। उनमें ऐसे गुण हैं जो मैंने किसी दूसरे व्यक्ति में नहीं देखे। मैंने किसी और को सामने वाले व्यक्ति पर एकाग्रतापूर्वक इतना ध्यान देते नहीं देखा। इसमें 'आत्मा की गहराई को बेधती नज़र' जैसी कोई बात नहीं है। उनकी आँखें कोमल और दयालु हैं। उनकी आवाज़ धीमी और सहानुभूतिपूर्ण है। उनकी मुद्राएँ कम हैं। परंतु उन्होंने मेरी तरफ़ जितना ध्यान दिया, मेरी बातों की जितनी सराहना की, हालाँकि मैंने उसे ठीक ढंग से नहीं कहा था, वह सचमुच अद्भुत और असामान्य है। आपको अंदाज़ा ही नहीं हो सकता कि इस तरह सुने जाने का क्या अर्थ हो सकता है।"

अगर आप यह चाहते हों कि लोग आपको देखकर मुँह फेर

लें, पीठ पीछे आपकी हँसी उड़ाएँ और आपसे नफ़रत करें, तो मैं आपको इसका अचूक फ़ॉर्मूला बता सकता हूँ : आप ज़्यादा देर तक किसी की बात न सुनें। अपने बारे में ही बोलते रहें। किसी दूसरे के बोलते समय यदि आपके मन में कोई विचार आए तो आप ज़रा भी इंतज़ार न करें और सामने वाले की बात बीच में ही काट दें : उसके अधूरे वाक्य के बीच से ही अपनी बात बोलना शुरू कर दें।

क्या आप इस तरह के लोगों को जानते हैं? दुर्भाग्य से मैं ऐसे कई लोगों को जानता हूँ और आश्चर्य की बात यह है कि इनमें कई प्रसिद्ध लोग भी शामिल हैं।

यह अलग बात है कि इन लोगों को उबाऊ की श्रेणी में रखा जाता है, ऐसे उबाऊ लोग जो अपने अहंकार में चूर रहते हैं और ख़ुद को ब्रह्मांड का केंद्र मानते हैं।

जो लोग सिर्फ़ अपने बारे में बात करते हैं, वे केवल ख़ुद के बारे में ही सोचते हैं। और "जो लोग ख़ुद के बारे में ही सोचते हैं" वे *कोलंबिया युनिवर्सिटी* के प्रेसिडेंट डॉ. निकोलस मरे बटले के शब्दों में, "बुरी तरह अशिक्षित होते हैं। वे शिक्षित नहीं होते, चाहे वे कितने ही पढ़े-लिखे क्यों न हों।"

अगर आप एक अच्छे वक्ता बनना चाहते हैं, तो ध्यान से सुनने की आदत डाल लें। अच्छे श्रोता बनें। दिलचस्प बनने के लिए लोगों की बातों में दिलचस्पी लें। ऐसे सवाल पूछें जिनका जवाब देने में सामने वाले को मज़ा आए। उनके बारे में और उनकी उपलब्धियों के बारे में बात करने के लिए उन्हें प्रोत्साहित करें।

याद रखें कि लोगों को आपमें या आपकी समस्याओं में जितनी रुचि है उससे सौ गुना ज़्यादा रुचि उन्हें अपने आपमें या ख़ुद की समस्याओं में है। चीन में अकाल से लाखों लोगों के मरने से ज़्यादा परवाह उन्हें अपनी दाढ़ के दर्द की है। अफ़्रीका में चालीस भूकंपों से ज़्यादा दर्द उन्हें अपनी गर्दन के फोड़े से होता है। अगली बार चर्चा करते समय इस बात का ध्यान रखें।

सिद्धांत 4

अच्छे श्रोता बनें।
दूसरों को ख़ुद के बारे में
बातें करने के लिए प्रोत्साहित करें।

5

लोगों की दिलचस्पी कैसे जगाएँ

थियोडोर रूज़वेल्ट से मिलने वाला हर अतिथि उनके ज्ञान के अथाह भंडार से चमत्कृत हो जाता था। चाहे मिलने वाला काऊबॉय हो या न्यूयॉर्क का राजनेता या कूटनीतिज्ञ, रूज़वेल्ट जानते थे कि किससे क्या कहना है। और वे ऐसा किस तरह जानते थे? जवाब आसान है। जब भी रूज़वेल्ट को किसी से मिलना होता था, तो वे एक रात पहले उस विषय का अध्ययन करते थे, जिसमें आगंतुक की विशेष रुचि होती थी।

क्यों? क्योंकि रूज़वेल्ट जानते थे, जैसा कि सभी नेता जानते हैं, कि किसी व्यक्ति के दिल का रास्ता उसके पसंदीदा विषयों के बारे में बातें करने से होकर गुज़रता है।

निबंधकार और येल में अँग्रेज़ी साहित्य के प्रोफ़ेसर विलियम ल्यॉन फ़ेल्प्स ने यह सबक़ अपने बचपन में ही सीख लिया था।

"जब मैं आठ साल का था और अपनी आंटी लिब्बी लिन्स्ले के घर पर स्ट्रैटफ़ोर्ड में छुट्टियाँ बिता रहा था," वे अपने निबंध *ह्यूमन नेचर* में लिखते हैं, "तो एक दिन शाम को एक अधेड़ व्यक्ति मेरी चाची से मिलने आया और उनसे थोड़ी देर बातें करने के बाद उसने मुझ पर अपना ध्यान केंद्रित किया। उस समय मैं नावों को लेकर रोमांचित था और आगंतुक ने इस विषय पर इतने बढ़िया तरीक़े से चर्चा की कि मुझे उसमें बहुत मज़ा आया। जब वह चला गया, तो मैंने उसकी बहुत तारीफ़ की। कितना बढ़िया आदमी था!

मेरी आंटी ने मुझे बताया कि वह न्यूयॉर्क का वकील था और उसे नावों में ज़रा भी रुचि नहीं थी। 'फिर वह मुझसे पूरे समय नावों के बारे में चर्चा क्यों करता रहा?'

"'क्योंकि वह समझदार और सभ्य आदमी था। वह जानता था कि तुम्हारी दिलचस्पी नावों में थी और इसीलिए उसने उस विषय में तुमसे बातें कीं ताकि उसकी बातें तुम्हें रोचक लगें और तुम्हें ख़ुशी मिले। उसने तुम्हारे लिए ख़ुद को रोचक बनाया था। इसीलिए तुम्हें वह इतना पसंद आया।'"

और विलियम ल्यॉन फ़ेल्प्स कहते हैं, "मैं अपनी आंटी की यह बात कभी नहीं भूला।"

जब मैं यह अध्याय लिख रहा हूँ, तो मेरे सामने एडवर्ड एल. कैलिफ़ का एक पत्र रखा हुआ है, "एक बार मुझे मदद की ज़रूरत थी। एक बड़ी स्काउट जंबूरी यूरोप जाने वाली थी और मैं चाहता था कि अमेरिका के एक बड़े कॉरपोरेशन के प्रेसिडेंट मेरे एक बच्चे को ट्रिप पर भेजने का ख़र्च उठाएँ।

"सौभाग्य से, उनसे मिलने जाने से ठीक पहले मैंने सुना कि उन्होंने दस लाख डॉलर का एक चेक काटा था, जो कैंसल हो जाने के बाद उन्होंने मढ़वाकर रख लिया था।

"उनके ऑफ़िस में घुसते ही मैंने सबसे पहले उनसे दस लाख डॉलर के चेक के बारे में पूछा। दस लाख डॉलर का चेक! मैंने उन्हें बताया कि मैंने किसी को इतनी बड़ी रक़म का चेक काटते नहीं सुना है और मैं अपने बच्चों को यह बताना चाहता था कि मैंने अपनी आँखों से दस लाख डॉलर का चेक सचमुच देखा था। उन्होंने मुझे ख़ुशी-ख़ुशी चेक दिखा दिया, मैंने इसकी प्रशंसा की और उनसे पूछा कि यह चेक क्यों और किस तरह काटा गया।"

आप ध्यान दें, मिस्टर कैलिफ़ ने मुलाक़ात की शुरुआत में बॉय स्काउट्स या यूरोप की जंबूरी या अपनी ख़्वाहिश के बारे में बात नहीं की। वे उस चीज़ में दिलचस्पी ले रहे थे, जिसमें सामने वाले की दिलचस्पी थी। उसका परिणाम यह हुआ :

"कुछ देर बाद, प्रेसिडेंट ने पूछा, 'अच्छा, आप मुझसे मिलना क्यों चाहते थे?' मैंने उनके सामने अपनी बात रख दी।

"'मुझे बहुत हैरत हुई,' मिस्टर कैलिफ़ ने आगे बताया, 'जब उन्होंने न सिर्फ़ मेरा आग्रह तत्काल पूरा कर दिया, बल्कि मैंने जितना माँगा था, उससे ज़्यादा दिया। मैंने अपने एक बच्चे को यूरोप भेजने के लिए कहा था, उन्होंने मेरे पाँच बच्चों और मुझे यूरोप भेजने का बंदोबस्त कर दिया। यही नहीं, उन्होंने हमें एक हज़ार डॉलर का क्रेडिट लेटर भी दिया और हम सबको यूरोप में सात हफ़्ते तक रुकवाया। उन्होंने अपनी कंपनी के ब्रांच प्रेसिडेंट्स को पत्र लिखकर उनसे कहा कि वे हमारी सुख-सुविधा का ध्यान रखें। वे हमसे पेरिस में मिले और उन्होंने हमें पेरिस की सैर भी कराई। तब से उन्होंने कई ऐसे युवकों को नौकरी भी दी है जिनके माता-पिता ग़रीब थे और वे अब भी हमारे समूह में सक्रिय हैं।

"परंतु मैं जानता हूँ कि अगर मैंने यह पता नहीं लगाया होता कि उनकी रुचि किस क्षेत्र में है, और उनके चेक में दिलचस्पी नहीं दिखाई होती, तो मेरे लिए उनसे अपनी बात मनवाना दस गुना अधिक मुश्किल होता।"

क्या यह बिज़नेस में भी एक बहुमूल्य तकनीक है? आइए देखते हैं। डुवरनॉय एंड सन्स के हेनरी जी. डुवरनॉय की आपबीती सुनें, जिनकी न्यूयॉर्क में होलसेल की बेकिंग फ़र्म थी।

मिस्टर डुवरनॉय न्यूयॉर्क के एक होटल को ब्रेड सप्लाई करने की कोशिश कर रहे थे। वे चार साल से हर हफ़्ते मैनेजर से मिलने जा रहे थे। वे उन सामाजिक समारोहों में जाते थे, जहाँ मैनेजर जाता था। मिस्टर डुवरनॉय ने उस होटल में कमरा तक लिया और वहाँ रहने लगे ताकि उन्हें बिज़नेस मिल जाए। परंतु उन्हें किसी तरह कामयाबी नहीं मिली।

"फिर," मिस्टर डुवरनॉय ने कहा, "मानवीय संबंधों के अध्ययन के बाद मैंने अपना तरीक़ा बदलने का निश्चय किया। मैंने यह पता लगाया कि मैनेजर की दिलचस्पी किस बात में है।

"मुझे पता चला कि वह मैनेजर अमेरिका के होटल एक्ज़ीक्यूटिव्ज़ की एक सोसाइटी से ताल्लुक़ रखता है जिसका नाम *होटल ग्रीटर्स ऑफ़ अमेरिका* है। वह न सिर्फ़ इससे ताल्लुक़ रखता था, बल्कि वह इसे लेकर इतना उत्साहित था कि वह इस संगठन का प्रेसिडेंट बन गया और इंटरनेशनल ग्रीटर्स संस्था का भी प्रेसिडेंट बन गया। चाहे इसके सम्मेलन जहाँ भी हों, वह इसकी हर बैठक में भाग लेने जाता था।

"इसलिए जब मैं अगली बार उससे मिलने गया तो मैंने उससे ग्रीटर्स संस्था के बारे में बातें करना शुरू किया। और इस पर उसकी प्रतिक्रिया कितनी अद्भुत थी! मैं आपको बता नहीं सकता, कितनी अद्भुत! वह मुझसे ग्रीटर्स के बारे में आधा घंटे तक बात करता रहा और उसकी आवाज़ में उत्साह और जोश साफ़ झलक रहे थे। मैं यह देख सकता था कि यह सोसाइटी न सिर्फ़ उसकी हॉबी थी, बल्कि उसके जीवन का प्रमुख हिस्सा थी। जब मैं उसके ऑफ़िस से बाहर निकला, तो उसने मुझे इस संस्था की सदस्यता 'बेच' दी थी।

"इस दौरान मैंने अपनी ब्रेड का ज़िक्र तक नहीं किया था। परंतु कुछ दिनों बाद उसके होटल के स्टीवर्ड ने मुझे फ़ोन किया कि मैं सैंपल और क़ीमतें लेकर पहुँच जाऊँ।

" 'मैं नहीं जानता कि आपने मालिक पर क्या जादू कर दिया है,' स्टीवर्ड ने कहा, 'परंतु वे निश्चित रूप से आपसे बहुत प्रभावित हैं।'

"ज़रा सोचिए। मैं बिज़नेस हासिल करने के लिए इस आदमी के पीछे चार साल से चक्कर काट रहा था- और मैं आज भी उसके पीछे चक्कर काट रहा होता, अगर मैं यह पता लगाने का कष्ट नहीं उठाता कि उसकी रुचि किस बात में है और उसे किस विषय पर बात करने में आनंद मिलता है।"

मैरीलैंड में हैजर्सटाउन के एडवर्ड ई. हैरीमेन ने सेना की अपनी नौकरी पूरी करने के बाद मैरीलैंड की सुंदर कंबरलैंड वैली में रहने का फ़ैसला किया। दुर्भाग्य से उस इलाक़े में बहुत कम नौकरियाँ उपलब्ध थीं। थोड़े से शोध के बाद इस तथ्य का पता चला

कि एक असामान्य और सनकी बिज़नेसमैन आर. जे. फ़ंकहाउज़र
उस इलाक़े की बहुत सी कंपनियों का या तो मालिक था या फिर
उनका नियंत्रण उसके हाथ में था। इस बिज़नेसमैन के ग़रीबी से
अमीरी के सफ़र ने मिस्टर हैरीमेन को चकरा दिया। नौकरी खोजने
वालों के लिए उस तक पहुँचना संभव नहीं था। मिस्टर हैरीमेन
लिखते हैं :

"मैंने बहुत से लोगों का इंटरव्यू लिया और पाया कि उसकी
मुख्य रुचि सत्ता और धन में थी। चूँकि वह एक समर्पित और कठोर
सेक्रेटरी के प्रयोग के द्वारा मुझ जैसे लोगों को दूर रखने में सफल
हो जाता था, इसलिए मैंने उस सेक्रेटरी की रुचियों और लक्ष्यों का
अध्ययन किया और इसके बाद ही मैं बिना अपॉइंटमेंट लिए सेक्रेटरी
से मिलने गया। वह पिछले पंद्रह सालों से मिस्टर फ़ंकहाउज़र का
उपग्रह थी। जब मैंने उसे बताया कि मेरे पास मिस्टर फ़ंकहाउज़र
के लिए एक प्रस्ताव है जो आर्थिक और राजनीतिक सफलता में
तब्दील हो सकता है तो वह उत्साहित हो गई। मैंने उसके साथ इस
विषय में भी बात की कि उसका मिस्टर फ़ंकहाउज़र की सफलता
में कितना रचनात्मक योगदान है। इस चर्चा के बाद उसने मिस्टर
फ़ंकहाउज़र से मेरी मीटिंग तय करवा दी।

"मैं उसके विशाल और शानदार ऑफ़िस में इस दृढ़ निश्चय
के साथ घुसा कि मैं सीधे से नौकरी नहीं माँगूँगा। वह एक बड़ी सी
नक़्क़ाशीदार डेस्क के पीछे बैठा हुआ था और वह मुझ पर गरजा,
'आप क्या कहना चाहते हैं ?' मैंने जवाब दिया, 'मिस्टर फ़ंकहाउज़र,
मुझे यक़ीन है कि मैं आपके लिए पैसे कमा सकता हूँ।' वह तत्काल
उठा और उसने मुझे एक बड़ी सी शानदार कुर्सी पर बैठने का
निमंत्रण दिया। मैंने अपने विचारों को विस्तार से प्रस्तुत किया और
इन विचारों को क्रियान्वित करने के लिए अपनी योग्यताओं का भी
वर्णन किया और इसके बाद मैंने यह भी बताया कि किस तरह
इनसे उसकी व्यक्तिगत सफलता और बिज़नेस की सफलता में वृद्धि
हो सकती है।

" 'आर. जे.' ने मुझे तत्काल नौकरी पर रख लिया और बीस

साल से भी अधिक समय से मैं उनके बिज़नेस का हिस्सा बना हुआ हूँ और इससे हम दोनों को ही लाभ हुआ है।'

सामने वाले व्यक्ति की रुचियों के हिसाब से बातें करने से दोनों ही पक्षों को लाभ होता है। कर्मचारी संप्रेषण के क्षेत्र के विशेषज्ञ हॉवर्ड ज़ेड. हर्ज़िग ने हमेशा इस सिद्धांत का अनुसरण किया है। जब उनसे पूछा गया कि उन्हें इससे क्या फ़ायदा हुआ है, तो मिस्टर हर्ज़िग ने जवाब दिया कि उसे न सिर्फ़ प्रत्येक व्यक्ति से अलग-अलग लाभ हासिल हुआ है बल्कि आम तौर पर सबसे बड़ा लाभ यह था कि जब भी वह किसी से बात करता था तो उसके दोस्तों का दायरा बढ़ जाता था।

सिद्धांत 5

सामने वाले व्यक्ति की रुचि के विषय में बात करें।

6

किस तरह लोगों को
तत्काल आकर्षित करें

मैं न्यूयॉर्क में थर्टी-थर्ड स्ट्रीट पर बने पोस्ट ऑफ़िस में रजिस्ट्री करने गया था और लाइन में लगा था। मुझे लगा कि क्लर्क लिफ़ाफ़ों का वज़न लेते हुए, उन पर टिकट चिपकाते हुए, पैसे गिनते हुए और रसीद देते हुए बोर हो रहा था क्योंकि उसे यही काम हर रोज़ करना होता था। इसलिए मैंने ख़ुद से कहा : "मैं कोशिश करूँगा कि यह क्लर्क मुझे पसंद करे। मेरी बातें उसे पसंद आएँ, इसलिए मुझे ख़ुद के बारे में नहीं बल्कि उसके बारे में बातें करनी होंगी। अब मैंने ख़ुद से पूछा, 'इस आदमी में ऐसा क्या है जिसकी मैं सच्ची तारीफ़ कर सकता हूँ?'" कई बार इस सवाल का जवाब देना काफ़ी कठिन होता है, ख़ासकर अजनबियों के साथ। परंतु इस मामले में जवाब बहुत ही आसान था। मैंने तत्काल कुछ ऐसा देख लिया जिसकी मैं दिल खोलकर तारीफ़ कर सकता था।

जब वह मेरे लिफ़ाफ़े को तौल रहा था, तो मैंने उत्साह भरे स्वर में कहा : "काश मेरे बाल भी आप जैसे होते!"

वह थोड़ा चौंका, और फिर उसके चेहरे पर चमक और मुस्कराहट आ गई। उसने विनम्रता से कहा, "अब तो ये उतने अच्छे नहीं रहे।" मैंने उससे कहा कि हालाँकि ये पहले जितने अच्छे नहीं रहे होंगे, पर अब भी ये बहुत आकर्षक हैं। यह सुनकर वह बेहद ख़ुश हुआ। हम लोगों ने कुछ देर तक छुटपुट दिलचस्प चर्चा की

और उसके आख़िरी शब्द थे, "कई लोगों ने मेरे बालों की तारीफ़ की है।"

मैं शर्त लगाता हूँ कि वह आदमी हवा में उड़ता हुआ लंच पर गया होगा और उसने रात को घर लौटकर अपनी पत्नी को यह बात बताई होगी। मैं शर्त लगाता हूँ कि उसने शीशे में ख़ुद को देखा होगा और कहा होगा, "मेरे बाल कितने सुंदर हैं।"

मैंने एक बार लोगों को यह कहानी सुनाई और बाद में एक व्यक्ति ने मुझसे यह सवाल पूछा, "आप उससे क्या हासिल करने की कोशिश कर रहे थे?"

मैं उससे क्या हासिल करने की कोशिश कर रहा था!!! मैं उससे क्या हासिल करने की कोशिश कर रहा था!!!

अगर हम इतने ज़्यादा स्वार्थी हो जाएँ कि हम सामने वाले से बिना कुछ लिए उसे ज़रा सी ख़ुशी या तारीफ़ भी न दे सकें तो हमारी आत्माएँ सड़े हुए सेब की तरह सिकुड़ चुकी हैं और हमें निश्चित रूप से असफल हो जाना चाहिए।

और हाँ, मैं उससे कुछ हासिल करना चाहता था। मैं उससे एक अमूल्य चीज़ हासिल करना चाहता था, और जो मैं चाहता था वह चीज़ मुझे मिल भी गई। मैं चाहता था कि मैं उसे ख़ुश कर दूँ, कि मैं बिना कुछ मिलने की आशा के उसे कुछ दे सकूँ। यही वह भावना है जो घटना के बीत जाने के बाद भी हमारी यादों में लंबे समय तक बनी रहती है और मधुर स्वर में गुनगुनाती है।

मानव व्यवहार का एक बहुत महत्वपूर्ण नियम है। अगर हम उस नियम का पालन करेंगे तो हम कभी मुश्किल में नहीं फँसेंगे। वास्तव में अगर हम उस नियम पर चलेंगे तो हमारे पास अनगिनत दोस्त होंगे और हम हमेशा ख़ुश रहेंगे। परंतु जिस पल हम उस नियम को तोड़ेंगे उसी पल से हम बहुत सारी मुश्किलों में फँस जाएँगे। यह नियम है : *हमेशा दूसरे व्यक्ति को महत्वपूर्ण अनुभव कराएँ।* जैसा हम पहले ही देख चुके हैं, जॉन ड्यूई ने कहा है कि महत्वपूर्ण बनने की इच्छा मानव स्वभाव की सबसे महत्वपूर्ण इच्छा

होती है। विलियम जेम्स ने कहा है, "हर मनुष्य के दिल की गहराई में यह लालसा छुपी होती है कि उसे सराहा जाए।" जैसा मैं पहले ही बता चुका हूँ कि यही लालसा हमें जानवरों से अलग करती है। यही लालसा मानव सभ्यता के विकास का कारण है।

दार्शनिक सदियों से मानव संबंधों के नियमों पर चिंतन-मनन करते आ रहे हैं और इस चिंतन-मनन से केवल एक महत्वपूर्ण सूत्र विकसित हुआ है। यह सूत्र नया नहीं है। यह उतना ही पुराना है जितना कि इतिहास। झोरोआस्ट्र ने दो हज़ार पाँच सौ साल पहले अपने अनुयायियों को इसकी शिक्षा दी थी। कन्फ़्यूशियस ने चीन में दो हज़ार चार सौ वर्ष पूर्व इसकी शिक्षा दी थी। ताओवाद के संस्थापक लाओ-त्से ने होन की घाटी में अपने शिष्यों को यह सूत्र सिखाया था। बुद्ध ने ईसा के पाँच सौ साल पहले पवित्र गंगा नदी के किनारे पर इसका पाठ पढ़ाया था। 1900 साल पहले हिंदू धार्मिक ग्रंथों ने इस सूत्र की व्याख्या की थी। ईसा मसीह ने इस नियम को एक विचार के रूप में संक्षेप में कहा था- जो शायद दुनिया का सबसे महत्वपूर्ण नियम है, "दूसरों के साथ वही व्यवहार करो, जैसा तुम चाहते हो कि वे तुम्हारे साथ करें।"

आप चाहते हैं कि आपसे मिलने-जुलने वाले लोग आपकी तारीफ़ करें। आप चाहते हैं कि आपकी प्रतिभा को पहचाना जाए। आप चाहते हैं कि आप अपनी छोटी सी दुनिया में महत्वपूर्ण बनें। आप सस्ती चापलूसी या झूठी तारीफ़ नहीं सुनना चाहते। परंतु आप सच्ची प्रशंसा अवश्य सुनना चाहते हैं। आप चाहते हैं कि आपके मित्र और सहयोगी, जैसा चार्ल्स श्वाब ने कहा है, आपकी दिल खोलकर तारीफ़ करें और मुक्त कंठ से सराहना करें। हम सभी यह चाहते हैं।

इसलिए हमें स्वर्णिम नियम का पालन करना चाहिए और दूसरों को वही देना चाहिए जो हम उनसे अपने लिए चाहते हैं।

कब? कैसे? कहाँ? जवाब है : हर समय, हर कहीं।

विस्कॉन्सिन के डेविड जी. स्मिथ ने हमारी क्लास में बताया

कि जब उन्हें एक चैरिटी कंसर्ट के लिए रिफ्रेशर बूथ का चार्ज दिया गया तो किस तरह उन्होंने एक नाज़ुक परिस्थिति को सँभाला।

"संगीत समारोह जिस रात को होने वाला था उस रात को मैं पार्क में आया और मैंने देखा कि दो बुज़ुर्ग महिलाएँ बुरा सा मुँह बनाए रिफ्रेशर स्टैंड के पास खड़ी हैं। दोनों को ही यह ग़लतफ़हमी हो गई थी कि वही इस कार्यक्रम की इंचार्ज थीं। जब मैं वहाँ खड़ा विचार कर रहा था कि क्या किया जाए तो प्रायोजक समिति की एक सदस्य आई और उसने मुझे कैशबॉक्स दे दिया और प्रोजेक्ट पर काम करने के लिए धन्यवाद दिया। उसने रोज़ और जेन का परिचय मेरे सहायकों के रूप में करवाया और रवाना हो गई।

"काफ़ी देर चुप्पी छाई रही। मुझे एहसास था कि कैश बॉक्स अब सत्ता का प्रतीक बन गया है, इसलिए मैंने उसे रोज़ को दे दिया और कहा कि शायद मैं पैसे का हिसाब-किताब ठीक से नहीं रख पाऊँगा और यदि वह यह ज़िम्मेदारी उठा ले तो मुझे अच्छा लगेगा। फिर मैंने जेन को सुझाव दिया कि वह दो किशोरों को, जिन्हें रिफ्रेशमेंट देने के लिए नियुक्त किया गया था, सोडा मशीन ठीक से चलाना सिखा दे। मैंने जेन से कहा कि वह प्रोजेक्ट के इस हिस्से की इंचार्ज रहेगी।

"पूरी शाम मज़ेदार रही। रोज़ ख़ुशी-ख़ुशी पैसे गिनती रही और जेन किशोरों को मार्गदर्शन देती रही और मैं संगीत समारोह का आनंद लेता रहा।"

प्रशंसा की इस फ़िलॉसफ़ी का प्रयोग करने के लिए आपको तब तक इंतज़ार नहीं करना चाहिए जब तक कि आप फ्रांस के राजदूत न हो जाएँ या किसी कमेटी के चेयरमैन न बन जाएँ। आप लगभग हर दिन इसका जादू की तरह इस्तेमाल कर सकते हैं।

उदाहरण के लिए यदि वेटर आपके लिए आलू की जगह फ्रेंच बीन्स ले आए तो आप कहिए, "मुझे आपको परेशान करने में कष्ट हो रहा है, परंतु मुझे फ्रेंच बीन्स पसंद हैं।" शायद वह जवाब देगी "कोई परेशानी नहीं" और आलू बदलने में उसे ख़ुशी होगी क्योंकि

आपने उसके प्रति सम्मान दर्शाया है।

"मुझे आपको परेशान करने में कष्ट हो रहा है," "क्या आप कृपया यह करेंगे- ?" "क्या आप कृपया ?" "आपको कष्ट तो नहीं होगा ?" "धन्यवाद" जैसे छोटे-छोटे वाक्य रोज़मर्रा के जीवन की खुरदुरी मशीन में तेल की तरह जाकर इसे एक बार फिर से चिकना बना देंगे। ज़ाहिर है इन छोटे-छोटे वाक्यों से यह भी पता चलता है कि आप कितने सुसंस्कृत हैं।

हम एक और उदाहरण लेते हैं। हॉल केन के उपन्यास बीसवीं सदी के शुरू में बहुत लोकप्रिय हुआ करते थे। उनकी पुस्तकें *क्रिश्चियन, द डीम्स्टर, द मैंक्समैन* इत्यादि बेस्टसेलर बन चुकी थीं। करोड़ों लोग उनके उपन्यास पढ़ा करते थे। वे एक लुहार के पुत्र थे। उन्हें ज़िंदगी में आठ साल तक ही पढ़ने का अवसर मिला, परंतु जब उनकी मृत्यु हुई तो वे अपने समय के सबसे अमीर साहित्यकार थे।

कहानी इस तरह है : हॉल केन को सॉनेट और बैलेड प्रिय थे, इसलिए उन्होंने दान्ते गैब्रील रॉसैटी की सारी कविताएँ पढ़ी थीं। यही नहीं, उन्होंने रॉसैटी की साहित्यिक उपलब्धियों और योगदान पर एक प्रशंसात्मक लेख भी लिखा और रॉसैटी को इसकी एक प्रति भेजी। रॉसैटी उसे पढ़कर गद्‌गद हो गया। रॉसैटी ने ख़ुद से यह कहा होगा, "जो नौजवान मेरी प्रतिभा को समझ सकता है, वह निश्चित रूप से ख़ुद भी प्रतिभावान होगा।" इसके बाद रॉसैटी ने इस लुहार के बेटे को लंदन बुलवाकर अपना सेक्रेटरी बना लिया। इस घटना ने हॉल केन के जीवन को बदलकर रख दिया क्योंकि इसी वजह से वह अपने युग के महान साहित्यकारों से मिल पाया। उनकी सलाह से लाभ लेकर और उनके प्रोत्साहन से प्रेरित होकर उसने अपने करियर को इस तरह शुरू किया कि उसने अपना नाम आसमान पर लिखवा लिया।

ऑइल ऑफ़ मैन पर उसका घर ग्रीबा कैसल दुनिया भर के सैलानियों के लिए मक्का बन गया और उसने विरासत में करोड़ों डॉलर की जायदाद छोड़ी। और कौन जाने, अगर उसने एक प्रसिद्ध

व्यक्ति की प्रशंसा में वह लेख न लिखा होता, तो शायद वह ग़रीबी में ही जिया और ग़रीबी में ही मरा होता।

यही सच्ची, दिल से निकलने वाली प्रशंसा की प्रबल शक्ति है।

रॉसैटी ख़ुद को महत्वपूर्ण समझता था। इसमें कोई अजीब बात नहीं है। हम सभी ख़ुद को महत्वपूर्ण, बहुत महत्वपूर्ण समझते हैं।

कई लोगों की ज़िंदगी शायद बदल जाए अगर कोई उन्हें यह अनुभव करा दे कि वे महत्वपूर्ण हैं। रोनाल्ड जे. रॉलैन्ड कैलिफ़ोर्निया में हमारे कोर्स के शिक्षक थे और वे कला के शिक्षक भी थे। उन्होंने क्रिस नाम के विद्यार्थी के बारे में हमें बताया :

क्रिस बहुत शांत और शर्मीला बच्चा था जिसमें आत्मविश्वास कम था और वह उस तरह का विद्यार्थी था जिस पर लोग उतना ध्यान नहीं देते थे जितना कि दिया जाना चाहिए। मैं एक एडवांस्ड क्लास भी पढ़ाता हूँ जिसमें पढ़ना गौरव की बात समझी जाती है और यह माना जाता है कि उसमें पहुँचने वाले विद्यार्थी में कोई विशेष प्रतिभा होती है।

बुधवार को क्रिस अपनी डेस्क पर मेहनत से काम में जुटा हुआ था। मुझे सचमुच महसूस हुआ कि उसके भीतर गहराई में कोई छुपी हुई आग धधक रही है। मैंने क्रिस से पूछा कि क्या वह एडवांस्ड क्लास में जाना चाहेगा। क्रिस का चेहरा देखने लायक़ था! मैं उसके चेहरे के भावों का बयान नहीं कर सकता। चौदह साल का वह संकोची लड़का अपने आँसुओं को रोकने की कोशिश कर रहा था।

"कौन ? मैं, मिस्टर रॉलैन्ड ? क्या मैं इतना अच्छा हूँ ?"

"हाँ, जिम, तुम यक़ीनन इतने अच्छे हो।"

मुझे बात को वहीं पर रोकना पड़ा क्योंकि मेरी आँखों में भी आँसू आ रहे थे। जब क्रिस उस दिन क्लास से बाहर निकला तो वह अपने आपको दो इंच लंबा महसूस कर रहा था। उसने अपनी नीली चमकदार आँखों से मेरी तरफ़ देखते

हुए जोशीली आवाज़ में कहा, "धन्यवाद, मिस्टर रॉलैन्ड।"

क्रिस ने मुझे वह सबक़ सिखाया जिसे मैं कभी नहीं भूल पाऊँगा- महत्वपूर्ण अनुभव करने की हमारी प्रबल आकांक्षा। मैंने तय किया कि मैं इस नियम को हमेशा याद रखूँगा और मैंने एक पोस्टर बना लिया, **"आप महत्वपूर्ण हैं।"** यह पोस्टर क्लासरूम के सामने सबकी आँखों के सामने टँगा रहता है और हर विद्यार्थी को यह एहसास दिलाता है कि वह महत्वपूर्ण है।

बिना लागलपेट के सच बात यह है कि आपसे मिलने वाले ज़्यादातर लोग अपने आपको आपसे किसी न किसी मामले में सुपीरियर समझते हैं। उनका दिल जीतने का अचूक तरीक़ा किसी कुशल तरीक़े से उन्हें यह जता देना है कि आपको उनके महत्व का एहसास है और आप इसे सचमुच स्वीकार करते हैं।

इमर्सन की बात याद रखें : "हर व्यक्ति मुझसे किसी न किसी बात में बेहतर होता है। मैं उसकी वह बात सीख लेता हूँ।"

और इस मामले का दुखद पहलू यह है कि अक्सर ऐसे लोग जिनके पास ख़ुद को सुपीरियर समझने का कोई कारण नहीं होता वे अपने ईगो को संतुष्ट करने के लिए अहंकार और बहस का सहारा लेते हैं जो सचमुच दिल दुखाने वाली बात है। जैसा शेक्सपियर ने कहा है : "मनुष्य, घमंडी मनुष्य! ज़रा सी सत्ता की पोषाक पहनते ही... ईश्वर की आँखों के सामने ऐसे-ऐसे करतब दिखाता है जिन्हें देखकर देवदूत आँसू बहाने लगते हैं।"

मैं अब आपको यह बताने जा रहा हूँ कि मेरे कोर्स के विद्यार्थियों ने किस तरह से इन सिद्धांतों को अपने जीवन में सफलतापूर्वक उतारा। हम कनैक्टिकट के एक वकील का उदाहरण लेते हैं जो अपने रिश्तेदारों की वजह से अपना नाम गोपनीय रखना चाहता है।

कोर्स में भाग लेने के कुछ ही दिनों के बाद मिस्टर आर. अपनी पत्नी के साथ लाँग आइलैंड पर अपनी पत्नी के रिश्तेदारों से

मिलने गए। पत्नी ने उसे अपनी बूढ़ी चाची से बातें करने के लिए बिठा दिया और ख़ुद अपने कुछ युवा रिश्तेदारों से मिलने चली गई। चूँकि मिस्टर आर. को हमारी क्लास में एक भाषण देना था जिसमें उन्हें प्रशंसा के सिद्धांतों पर अमल और उनके परिणामों के बारे में बताना था, इसलिए उन्होंने उस वृद्ध महिला की प्रशंसा करने का निर्णय लिया। उन्होंने घर में चारों तरफ़ देखा कि वे किस चीज़ की सच्ची तारीफ़ कर सकते हैं।

"यह घर 1890 में बना है। है ना?" उन्होंने पूछा।

"हाँ," महिला ने जवाब दिया, "यह घर उसी साल बना था।"

"यह मुझे उस घर की याद दिलाता है जहाँ मैं पैदा हुआ था।" उन्होंने कहा, "यह बहुत सुंदर है। इसे दिल से बनाया गया है। इसमें बहुत जगह है। आजकल ऐसे घर बनते कहाँ हैं?"

वृद्ध महिला ने कहा, "बिलकुल ठीक कहा। आजकल लोगों को सुंदर घर की क़द्र ही कहाँ है? वे तो बस एक छोटा सा अपार्टमेंट चाहते हैं और फिर वे अपनी कारों में बैठकर इतराते फिरते हैं।

"यह हमारे सपनों का घर था।" उसने काँपती हुई आवाज़ में कहा। "हमने इसे प्रेम से बनाया था। मेरे पति और मैंने इसका बरसों तक सपना देखा था। हमने इसे बनवाने में किसी आर्किटेक्ट की मदद नहीं ली। हम लोगों ने ख़ुद ही इसका नक़्शा बनाया था।"

फिर उस महिला ने मिस्टर आर. को पूरा घर दिखाया। मिस्टर आर. ने उन ख़ूबसूरत चीज़ों की दिल खोलकर तारीफ़ की, जिन्हें वह महिला अपनी यात्राओं में ख़रीदकर लाई थी और जिन्हें सँजोने में उसने जीवन बिता दिया था- मख़मली शाल, पुराना अँग्रेज़ी टी-सेट, सिल्क के पर्दे जो कभी फ़्रांस के महल की शोभा बढ़ाते थे।

घर दिखाने के बाद वृद्ध महिला मिस्टर आर. को अपने गैरेज में ले गई। वहाँ कवर से ढँकी हुई एक नई चमचमाती पैकार्ड कार खड़ी हुई थी।

"मेरे पति ने अपनी मृत्यु से कुछ समय पहले ही यह कार ख़रीदी थी।" महिला ने आहिस्ता से कहा। "उनकी मौत के बाद मैं इसमें कभी नहीं बैठी। ... तुम अच्छी चीज़ों की क़द्र करते हो, और इसलिए मैं तुम्हें यह कार तोहफ़े में देना चाहती हूँ।"

"अरे, आंटी," मिस्टर आर. ने कहा, "आप यह क्या कह रही हैं? आपने तो मुझे अभिभूत कर दिया। मैं आपकी उदारता की प्रशंसा करता हूँ, परंतु मैं इसे कैसे ले सकता हूँ। मैं तो आपका निकट संबंधी भी नहीं हूँ। मेरे पास एक नई कार है और फिर आपके कई रिश्तेदार इस पैकार्ड के मालिक बनना चाहते होंगे।"

"रिश्तेदार," महिला ने कहा। "हाँ, मेरे रिश्तेदार तो मेरे मरने का रास्ता देख रहे हैं ताकि वे मेरी कार पर क़ब्ज़ा कर सकें। परंतु यह कार उन्हें नहीं मिलने वाली।"

"अगर यह कार आप उन्हें नहीं देना चाहतीं, तो फिर आप इसे बड़ी आसानी से किसी सेकंडहैंड डीलर को बेच सकती हैं।" उन्होंने सुझाव दिया।

"बेच दूँ?" महिला चीख़ी। "क्या तुम्हें लगता है कि मैं इस कार को बेचूँगी? क्या तुम्हें लगता है कि मैं कभी यह सहन कर पाऊँगी कि अजनबी लोग इस कार में घूमें, - उस कार में जिसे मेरे पति मेरे लिए ख़रीदकर लाए थे। मैं इसे बेचने की बात तो सपने में भी नहीं सोच सकती। मैं यह कार तुम्हें दे रही हूँ। तुम सुंदर चीज़ों की क़द्र करते हो।"

उसने बहुत प्रयास किया कि वह कार के तोहफ़े को अस्वीकार कर दे, परंतु महिला का दिल दुखाए बिना ऐसा करना संभव नहीं था।

वह वृद्ध महिला अपने बड़े, पुराने महल में अपनी मखमली शालों और फ़्रांसीसी एन्टीक्स और अपनी यादों के साथ रह रही थी और थोड़े से आदर, थोड़ी सी प्रशंसा के लिए तरस रही थी। वह भी कभी युवा और सुंदर थी। उसने भी कभी प्रेम से अपने सपनों का घर बनवाया था और इसे सजाने के लिए पूरे यूरोप से दुर्लभ

चीज़ें इकट्ठी की थीं। अब वह बुढ़ापे में अकेले दिन गुज़ार रही थी और वह प्रेम चाहती थी, सच्ची सराहना चाहती थी- और उसे यह कहीं नहीं मिले। और जब यह उसे मिले, तो उसे लगा कि रेगिस्तान में झरना मिल गया है। अपनी कृतज्ञता दिखाने के लिए उसे अपनी पसंदीदा पैकार्ड कार को तोहफ़े में देने से कम कोई बात पर्याप्त ही नहीं लगी।

अब हम एक और उदाहरण लेते हैं। डोनाल्ड एम. मैक्मैहन न्यूयॉर्क में राई में लैंडस्केप आर्किटेक्ट कंपनी *ल्युइस एंड वैलेंटाइन* का सुपरिंटेंडेंट था। उसने हमें यह घटना सुनाई :

"'*हाऊ टु विन फ्रैंड्स एंड इन्फ़्लुएंस पीपुल*' कोर्स में भाग लेने के बाद एक दिन मैं एक प्रसिद्ध जज की जायदाद को लैंडस्केप कर रहा था। जज ने बाहर आकर मुझे निर्देश दिए कि वे कहाँ पौधे लगाना चाहते हैं।

"मैंने कहा, 'आपकी हॉबी बहुत अच्छी है। मैं काफ़ी देर से सोच रहा था कि आपने कितने सुंदर कुत्ते पाल रखे हैं। मुझे लगता है कि आप मैडीसन स्क्वेयर गार्डन के शो में हर साल बहुत सारे ब्लू रिबन जीतते होंगे।'

"इस थोड़ी सी प्रशंसा का प्रभाव बहुत आश्चर्यजनक था।

"'हाँ,' जज ने जवाब दिया, 'मुझे अपने कुत्तों के साथ बहुत आनंद आता है। क्या आप मेरा डॉगहाउस देखना पसंद करेंगे?'

"जज ने मुझे एक घंटे तक कुत्ते और उनके द्वारा जीते गए इनाम दिखाए। इसके बाद उन्होंने उनकी वंशावली का बखान किया और मुझे समझाया कि किस तरह उनके शुद्ध जातीय रक्त की वजह से ही वे इतने सुंदर और बुद्धिमान हो पाए हैं।

"आख़िरकार मेरी तरफ़ मुड़ते हुए उन्होंने मुझसे पूछा, 'क्या आपके यहाँ कोई छोटा बच्चा है?'

"मैंने कहा, 'हाँ, मेरे एक बेटा है।'

"'क्या वह कुत्ते के पिल्ले से खेलना पसंद करेगा?' जज ने पूछा।

"'हाँ, वह तो ख़ुशी से पागल हो जाएगा।' मैंने जवाब दिया।

"'ठीक है, तो फिर मैं उसे एक पिल्ला तोहफ़े के रूप में भिजवा देता हूँ।' जज ने घोषणा की।

"इसके बाद उन्होंने मुझे यह बताना शुरू किया कि पिल्ले को कैसे खिलाया जाता है। फिर वे रुके। 'अगर मैं आपको मुँहज़बानी बताऊँगा तो आप भूल जाएँगे। बेहतर होगा कि मैं इसे लिख दूँ।' जज घर के अंदर गए, और वहाँ पिल्ले की वंशावली और खानपान की आदतें टाइप कीं। उन्होंने सैकड़ों डॉलर का बहुमूल्य पिल्ला और अपना सवा घंटे का क़ीमती समय मुझे इसलिए दिया क्योंकि मैंने उनकी हॉबी और उनकी उपलब्धियों की सच्ची तारीफ़ की थी।"

कोडक फ़ेम जॉर्ज ईस्टमैन ने ट्रांसपेरेंट फ़िल्म का आविष्कार किया जिसकी वजह से मोशन पिक्चर्स बनना संभव हुआ। उनके पास एक अरब डॉलर की संपत्ति थी और वे दुनिया के सबसे सफल बिज़नेसमैनों में से एक थे। परंतु अपनी इन सारी अद्‌भुत उपलब्धियों के बावजूद वे भी प्रशंसा के उतने ही भूखे थे जितने कि आप और मैं।

एक उदाहरण लें : ईस्टमैन रॉशेस्टर में स्कूल ऑफ़ म्यूज़िक और किलबोर्न हॉल बनाने जा रहे थे। ईस्टमैन की इन इमारतों में थिएटर चेयर्स लगनी थीं इसलिए सुपीरियर सीटिंग कंपनी के प्रेसिडेंट अपनी कंपनी के लिए उनसे कुर्सियों का ऑर्डर लेना चाहते थे। मिस्टर एडमसन ने आर्किटैक्ट को फ़ोन करके रोशेस्टर में मिस्टर ईस्टमैन से मुलाक़ात का समय ले लिया।

जब एडमसन उनके ऑफ़िस पहुँचे, तो आर्किटैक्ट ने कहा, 'मैं जानता हूँ कि आप यह ऑर्डर हासिल करना चाहते हैं। परंतु मैं आपको यह भी बताना चाहता हूँ कि अगर आपने जॉर्ज ईस्टमैन का पाँच मिनट से अधिक समय लिया, तो आप अपने मक़सद में कामयाब नहीं हो पाएँगे। वे बहुत अनुशासनप्रिय व्यक्ति हैं। वे बेहद व्यस्त हैं। इसलिए जल्दी से अपनी बात कहो और वापस आ जाओ।'

एडमसन यही सब करने के लिए पूरी तरह तैयार थे।

कमरे में दाख़िल होने के बाद एडमसन ने देखा कि मिस्टर ईस्टमैन अपनी डेस्क पर रखे काग़ज़ों के गट्ठे पर झुके हुए थे। थोड़ी देर बाद मिस्टर ईस्टमैन ने अपना सिर उठाया, चश्मा उतारा और मिस्टर एडमसन तथा आर्किटैक्ट की तरफ़ बढ़कर कहा, "गुड मॉर्निंग, मैं आपके लिए क्या कर सकता हूँ?"

आर्किटैक्ट ने उनका परिचय कराया और फिर मिस्टर एडमसन ने कहा, "जब मैं बाहर आपका इंतज़ार कर रहा था, मिस्टर ईस्टमैन, तो मैं मन ही मन आपके ऑफ़िस की तारीफ़ कर रहा था। ऐसे ऑफ़िस में काम करने का किसका दिल नहीं करेगा? मैं इंटीरियर बिज़नेस में हूँ और मैंने अपने जीवन में इससे सुंदर ऑफ़िस नहीं देखा।"

जॉर्ज ईस्टमैन ने जवाब दिया : "आपने मुझे वह बात याद दिला दी जिसे मैं लगभग भूल चुका था। यह ऑफ़िस सुंदर है, है ना? जब मैंने इसे बनवाया था, तो शुरू में मुझे इसमें काम करने में बहुत आनंद आता था। परंतु अब मेरे दिमाग़ में दूसरी बहुत सी बातें रहती हैं और कई बार तो मैं हफ़्तों तक अपने कमरे को ही ठीक से नहीं देख पाता।"

एडमसन ने उठकर अपने हाथ से एक पैनल को छुआ। "यह इंग्लिश ओक है, है ना? यह इटेलियन ओक से ज़रा हटकर है।"

"हाँ," ईस्टमैन ने जवाब दिया। "यह इम्पोर्टेड इंग्लिश ओक है। इसे मेरे दोस्त ने ख़ास तौर पर पसंद करके चुना था और मेरा दोस्त लकड़ी का विशेषज्ञ है।"

फिर ईस्टमैन ने उसे पूरा कमरा दिखाया, उसके आकार पर टिप्पणी की, उसके रंग, और वे सारी चीज़ें जिनकी उन्होंने योजना बनाई थी और जिनके अनुसार यह कमरा तैयार हुआ था।

कमरे में घूमते समय और लकड़ी के काम की सराहना करते हुए वे लोग एक खिड़की के सामने रुक गए और जॉर्ज ईस्टमैन ने अपने विनम्र अंदाज़ में उन संस्थाओं की ओर संकेत किया जिनके द्वारा वे मानवता की सेवा करने का प्रयास कर रहे थे : *युनिवर्सिटी*

ऑफ़ रोशेस्टर, जनरल हॉस्पिटल, होम्योपैथिक हॉस्पिटल, फ्रैंडली होम, चिल्ड्रंस हॉस्पिटल इत्यादि। एडमसन ने दौलत का आदर्शवादी उपयोग करने के लिए उनकी तारीफ़ की कि वे अपनी संपत्ति का प्रयोग मानवता के दुख-दर्द कम करने के लिए कर रहे हैं। फिर जॉर्ज ईस्टमैन ने काँच का एक केस खोला और उसमें से अपना पहला कैमरा निकालकर एडमसन को दिखाया- एक आविष्कार, जिसे उन्होंने एक अँग्रेज़ से ख़रीदा था।

एडमसन ने ईस्टमैन से विस्तार से पूछा कि बिज़नेस में इतनी अपार सफलता हासिल करने से पहले उन्हें शुरुआत में किस तरह के संघर्षों से गुज़रना पड़ा। मिस्टर ईस्टमैन ने बचपन की अपनी ग़रीबी के बारे में बताया कि किस तरह उनकी विधवा माँ बोर्डिंग हाउस चलाती थीं, जबकि वे एक बीमा ऑफ़िस में क्लर्क का काम करते थे। ग़रीबी का राक्षस उन्हें दिन-रात डराता रहता था और इसी वजह से उन्होंने यह संकल्प किया कि वे इतना अधिक धन कमाएँगे कि उनकी माँ को काम करने की ज़रूरत न रहे। मिस्टर एडमसन सवाल पूछते रहे और मन लगाकर पूरी बात सुनते रहे। फिर मिस्टर ईस्टमैन ने बताया कि किस तरह वे ड्राई फ़ोटोग्राफ़िक प्लेट्स के साथ प्रयोग किया करते थे। किस तरह वे पूरे दिन ऑफ़िस में काम करके रात को प्रयोगशाला में काम करते थे। झपकी लेने का समय भी वे प्रयोग के दौरान ही निकालते थे, जबकि केमिकल्स अपना काम करते रहते थे। कभी-कभी तो लगातार बहत्तर घंटे तक वे अपने कपड़े भी नहीं बदलते थे और वे उन्हीं कपड़ों में सोते भी थे, और काम भी करते थे।

जेम्स एडमसन को ईस्टमैन के ऑफ़िस में घुसने से पहले यह चेतावनी दी गई थी कि मुलाक़ात पाँच मिनट से अधिक नहीं चलनी चाहिए परंतु दो घंटे गुज़रने के बाद भी उनकी बातें ख़त्म होने का नाम नहीं ले रही थीं।

अंत में, जॉर्ज ईस्टमैन ने एडमसन से कहा, "पिछली बार मैं जापान से कुछ कुर्सियाँ लेकर आया था, और उन्हें अपने पोर्च में रख दिया था। परंतु सूर्य की गरमी के कारण उनका पेंट उखड़ गया।

इसलिए मैं कुछ दिन पहले बाज़ार जाकर पेंट लाया और मैंने अपने हाथों से उन कुर्सियों को पेंट किया है। क्या आप देखना चाहेंगे कि मैंने कैसा पेंट किया है? अच्छा, तो आइए, मेरे साथ लंच पर घर चलिए और मैं आपको वे कुर्सियाँ दिखाता हूँ।"

लंच के बाद मिस्टर ईस्टमैन ने एडमसन को वे कुर्सियाँ दिखाईं जिन्हें वे जापान से ख़रीद कर लाए थे। उनकी क़ीमत कुछ डॉलर से अधिक नहीं थी, परंतु जॉर्ज ईस्टमैन को, जो अब एक अरबपति था, इस बात पर गर्व था कि इन कुर्सियों को उसने ख़ुद पेंट किया था।

जिन कुर्सियों का ऑर्डर लेने के लिए एडमसन गया था, वह ऑर्डर ९०,००० डॉलर का था। आपको क्या लगता है, ऑर्डर किसे मिला होगा- जेम्स एडमसन को या उसके किसी प्रतिद्वंद्वी को?

इस घटना के बाद जॉर्ज ईस्टमैन और जेम्स एडमसन पक्के दोस्त बन गए और उनकी दोस्ती मिस्टर ईस्टमैन की मृत्यु तक चलती रही।

फ़्रांस के एक रेस्तराँ मालिक क्लॉड मॉरिस ने इस सिद्धांत का प्रयोग करते हुए अपनी एक महत्वपूर्ण कर्मचारी को नौकरी न छोड़ने के लिए राज़ी कर लिया। यह महिला उसके यहाँ पाँच साल से नौकरी कर रही थी और वह मॉरिस तथा उसके इक्कीस लोगों के स्टाफ़ के बीच की महत्वपूर्ण कड़ी थी। जब इस महिला ने अपना इस्तीफ़ा रजिस्टर्ड पोस्ट से भिजवाया तो मॉरिस को धक्का लगा।

"मुझे बहुत आश्चर्य हुआ, और उससे भी बढ़कर मैं निराश हुआ क्योंकि मुझे लगता था कि मैं उसके साथ पूरी तरह न्याय कर रहा हूँ और उसकी आवश्यकताओं को पूरा कर रहा हूँ। चूँकि वह कर्मचारी के साथ-साथ दोस्त भी थी, इसलिए हो सकता है कि मैं उससे अन्य कर्मचारियों की तुलना में कुछ ज़्यादा ही अपेक्षाएँ करने लगा था और इसलिए उस पर मानसिक दबाव बढ़ गया हो।

"बिना पूरी बात को समझे मैं उसका इस्तीफ़ा मंज़ूर नहीं कर सकता था। मैंने उसे अकेले में बुलाकर उससे कहा, 'पॉलेट, तुम्हें यह समझ लेना चाहिए कि मैं तुम्हारा इस्तीफ़ा मंज़ूर नहीं कर

सकता। तुम मेरे और इस कंपनी के लिए बहुत महत्वपूर्ण हो। इस रेस्तराँ की सफलता के लिए तुम भी उतनी ही महत्वपूर्ण हो, जितना कि मैं हूँ।' मैंने इस वाक्य को पूरे स्टाफ़ के सामने कहा और फिर मैं उसे अपने घर ले गया और वहाँ पर अपने परिवार के सामने भी उससे यही कहा।

"पॉलेट ने अपना इस्तीफ़ा वापस ले लिया और आज मैं उस पर पहले से अधिक विश्वास कर सकता हूँ। मैं बार-बार उसके काम की सराहना करता हूँ और उसे यह बताता रहता हूँ कि वह मेरे और रेस्तराँ के लिए कितनी महत्वपूर्ण है।"

ब्रिटिश साम्राज्य पर शासन करने वाले सबसे बुद्धिमान व्यक्तियों में से एक डिज़राइली ने कहा था, "लोगों से उनके बारे में बात कीजिए और वे घंटों तक आपकी बातें सुनते रहेंगे।"

सिद्धांत 6
सामने वाले व्यक्ति को महत्वपूर्ण अनुभव कराएँ – और ईमानदारी से कराएँ।

संक्षेप में
लोगों का चहेता बनने के छह तरीक़े

सिद्धांत 1
दूसरे लोगों में सचमुच रुचि लें।

सिद्धांत 2
मुस्कराएँ।

सिद्धांत 3
याद रखें किसी व्यक्ति का नाम उसके लिए सबसे महत्वपूर्ण और मधुरतम शब्द होता है।

सिद्धांत 4
अच्छे श्रोता बनें। दूसरों को ख़ुद के बारे में बातें करने के लिए प्रोत्साहित करें।

सिद्धांत 5

सामने वाले व्यक्ति की रुचि के विषय में बात करें।

सिद्धांत 6

सामने वाले व्यक्ति को महत्वपूर्ण अनुभव कराएँ – और ईमानदारी से कराएँ।

खंड तीन

लोगों से अपनी बात कैसे मनवाएँ

1

बहस से कोई फ़ायदा नहीं होता

प्रथम विश्वयुद्ध समाप्त होने के कुछ ही समय बाद मैंने लंदन में एक रात एक बहुमूल्य सबक़ सीखा। मैं उस वक़्त सर रॉस स्मिथ का मैनेजर था। युद्ध के दौरान सर रॉस फ़िलिस्तीन में ऑस्ट्रेलियाई सरकार के महत्वपूर्ण व्यक्ति थे। युद्ध के बाद सर रॉस ने आधी दुनिया का हवाई चक्कर लगाकर दुनिया को आश्चर्यचकित कर दिया। इस तरह का कारनामा इससे पहले कभी नहीं किया गया था। इस अभूतपूर्व प्रयास ने ज़बर्दस्त सनसनी फैला दी। इंग्लैंड के सम्राट ने उन्हें नाइट की पदवी दी और कुछ समय तक वे ब्रिटिश साम्राज्य के सर्वाधिक चर्चित व्यक्ति रहे। एक रात मैं सर रॉस के सम्मान में दिए गए भोज में शामिल हुआ और डिनर के दौरान मेरे बग़ल में बैठे व्यक्ति ने एक मज़ाक़िया कहानी सुनाई जो एक कोटेशन पर आधारित थी, "कोई दैवी शक्ति हमारे भाग्य को नियंत्रित करती है, चाहे हम कितनी ही कोशिश करें।"

कहानी सुनाने वाले ने ज़िक्र किया कि यह बाइबल का कोटेशन है। मैं जानता था कि यह ग़लत था। मैं अच्छी तरह जानता था। इस बारे में मेरे मन में ज़रा भी संदेह नहीं था। और इसलिए, महत्वपूर्ण बनने की लालसा के कारण और अपनी श्रेष्ठता सिद्ध करने के लिए मैंने अपने आपको सुधारक समिति का अध्यक्ष बना लिया। बहरहाल वह अपनी बात पर अड़ा रहा। क्या? शेक्सपियर का कोटेशन? असंभव! बकवास! यह कोटेशन तो बाइबल का ही

है। और उसे पूरा विश्वास था कि यह सच है।

कहानी सुनाने वाला मेरी दाईं तरफ़ बैठा था और मेरे पुराने दोस्त फ़्रैंक गैमंड मेरी बाईं तरफ़ बैठे थे। गैमंड ने वर्षों तक शेक्सपियर का अध्ययन किया है। इसलिए हमने उन्हीं से इस विवाद का निपटारा करवाने का फ़ैसला किया। गैमंड ने हमारी पूरी बात सुनी और टेबल के नीचे से मुझे पैर मारते हुए कहा, "डेल, तुम ग़लत हो। यह सज्जन सही हैं। यह कोटेशन बाइबल का ही है।"

उस रात को घर लौटते समय मैंने रास्ते में गैमंड से कहा, "फ़्रैंक, तुम जानते थे ना कि वह कोटेशन शेक्सपियर का है?"

"हाँ, हाँ, क्यों नहीं," उसने जवाब दिया, "*हैमलेट* नाटक के पाँचवें अंक के दूसरे सीन में यह कोटेशन आता है। पर मेरे प्यारे दोस्त डेल, हम एक समारोह में अतिथि बनकर गए थे। किसी आदमी के सामने यह सिद्ध करने से क्या फ़ायदा कि वह ग़लत है। क्या इससे वह तुम्हें पसंद करने लगेगा? क्यों न उसे उसकी इज़्ज़त बचाने दी जाए? उसने तुम्हारी राय नहीं पूछी थी। उसे तुम्हारी राय की ज़रूरत भी नहीं थी। उसके साथ बहस क्यों करना? तीखी बहस से हमेशा बचना चाहिए।"

मुझे इसी तरह के सबक़ की सख़्त ज़रूरत थी, क्योंकि वाद-विवाद करना या बहस करना मेरा प्रिय शौक़ था। अपनी जवानी में मैं दुनिया की हर बात पर तर्क और वाद-विवाद किया करता था। जब मैं कॉलेज में गया तो मैंने तर्कशास्त्र और तर्क-वितर्क का अध्ययन किया और वाद-विवाद प्रतियोगिताओं में ज़ोर-शोर से हिस्सा लिया। मिसूरी के लोगों में यह आदत होती है, और मैं तो वहाँ पैदा हुआ था। मैं चाहता था कि दुनिया मुझे देखे और देखती रह जाए। बाद में, मैंने वाद-विवाद और तर्क-वितर्क करने के ग़ुर न्यूयॉर्क में सिखाए, और मुझे यह स्वीकार करने में शर्म आती है कि एक बार तो मैंने इस विषय पर एक पुस्तक लिखने की योजना भी बनाई थी। तब से अब तक, मैंने हज़ारों बहसों में भाग लिया है, उन्हें सुना है, देखा है और अपने तथा दूसरे लोगों

के जीवन में उनके परिणाम देखे हैं। और इसके बाद मैं इस नतीजे पर पहुँचा हूँ कि ईश्वर की बनाई गई इस दुनिया में बहस से एक ही तरीक़े से फ़ायदा हो सकता है- और वह यह कि बहस से बचा जाए। बहस से उसी तरह से बचो जिस तरह से आप साँप या भूकंप से बचते हैं।

दस में से नौ बार तो बहस से कोई फ़ायदा इसलिए नहीं होता, क्योंकि दोनों ही पक्षों को बहस के बाद पूरा विश्वास हो जाता है कि वे सही थे।

आप बहस में नहीं जीत सकते। इसलिए, क्योंकि अगर आप हार जाते हैं, तब तो आपकी हार होती ही है, परंतु अगर आप जीत भी जाते हैं, तो भी आपकी हार होती है। क्यों? मान लीजिए आपने सामने वाले आदमी को ग़लत भी साबित कर दिया, अगर आपने यह भी साबित कर दिया कि उसके तर्क में कोई दम नहीं है और आपने उसकी हर बात की धज्जियाँ उड़ा दीं, तो भी क्या होगा? निश्चित रूप से आपको अच्छा लगेगा। परंतु उसकी हालत क्या होगी? आपने उसे सबके सामने नीचा दिखाया है। आपने उसके गर्व को आहत किया है। वह आपकी जीत से चिढ़ जाएगा। और-

अपनी इच्छा के बिना जो बात मानता है,
वह अब भी उसी विचार का होता है।

सालों पहले मेरी क्लास में पैट्रिक जे. ओ हेयर नाम का स्टुडेंट था। उसकी शिक्षा तो कम थी, पर उसे बहस करने में बहुत मज़ा आता था। एक बार वह शोफर का काम कर चुका था। वह मेरे पास इसलिए आया था क्योंकि वह ट्रक बेचने का काम करता था और उसके ट्रक बिक नहीं रहे थे। थोड़े सवालों से ही यह पता चल गया कि जिन लोगों को वह ट्रक बेचना चाहता था, उनसे बहस करके वह उन्हें अपना विरोधी बना लेता था। अगर कोई ग्राहक उसकी कंपनी के ट्रक में कोई खोट बताता था, तो पैट्रिक को जैसे लाल झंडी दिख जाती थी और वह ग्राहक का गला पकड़ लेता था। पैट ने इस तरह बहुत सी बहसें जीतीं। जैसा उसने बाद में मुझे बताया, "मैं

अक्सर किसी के ऑफ़िस से यह कहता हुआ निकलता था, 'आज मैंने उसे सबक़ सिखा ही दिया।' निश्चित रूप से मैंने उसे सबक़ सिखा दिया था, परंतु मैं उसे कुछ बेच नहीं पाया था।"

मेरी पहली समस्या यह नहीं थी कि पैट्रिक को बोलना सिखाया जाए। मेरी समस्या तो यह थी कि पैट्रिक को बोलने से और बहस करने से कैसे रोका जाए।

पैट्रिक ओ हेयर कुछ समय बाद व्हाइट मोटर कंपनी के स्टार सेल्समैन बन गए। यह किस तरह हुआ, उन्हीं के शब्दों में सुनिए, "अब अगर मैं किसी ग्राहक के ऑफ़िस में जाता हूँ और वह कहता है : 'क्या ? व्हाइट कंपनी का ट्रक ? उसमें कोई ख़ास दम नहीं है। अगर कोई मुझे मुफ़्त में भी वह ट्रक दे, तो मैं न लूँ। मैं तो हूज़इट कंपनी का ट्रक ख़रीदने वाला हूँ।' इस पर मैं कहता हूँ, 'हूज़इट कंपनी के ट्रक बहुत अच्छे होते हैं। अगर आप वह ट्रक ख़रीदेंगे, तो आपको पछताना नहीं पड़ेगा। हूज़इट कंपनी बहुत अच्छी है और उसके सेल्समैन भी बहुत बढ़िया हैं।'

"यह सुनने के बाद ग्राहक अवाक रह जाता है। अब बहस की कोई गुंजाइश नहीं रहती। अगर वह कहता है कि हूज़इट कंपनी के ट्रक सबसे अच्छे हैं और मैं यह मान लेता हूँ तो वह आगे बहस कर ही नहीं सकता। जब मैं उससे सहमत हो जाता हूँ तो वह पूरी दोपहर यही नहीं दोहरा सकता कि हूज़इट कंपनी के ट्रक सर्वश्रेष्ठ हैं। फिर हम हूज़इट के विषय से आगे बढ़ते हैं और मैं उसे व्हाइट ट्रक की ख़ासियत के बारे में बताता हूँ।

"पहले ऐसा होता था कि जब ग्राहक मेरी कंपनी की बुराई करता था तो मैं आगबबूला हो जाता था। मैं ज़ोर-शोर से हूज़इट कंपनी के ट्रक की बुराइयाँ करने में जुट जाता था और मैं जितनी ज़्यादा बुराई करता था, मेरा ग्राहक मेरी प्रतियोगी कंपनी की उतनी ही अधिक तरफ़दारी करने लगता था और मेरे प्रतियोगी का ट्रक ख़रीदने का उतना ही ज़्यादा मन बनाता जाता था।

"जब मैं पीछे मुड़कर देखता हूँ तो मुझे हैरत होती है कि मैंने

जितना माल बेचा वह भी मैं कैसे बेच पाया। मैंने बहस करने और झगड़ने में अपनी ज़िंदगी के कई साल बर्बाद कर लिए। अब मैं अपना मुँह बंद रखता हूँ। इससे मुझे बहुत फ़ायदा होता है।"

बेन फ्रैंकलिन ने एक बार कहा था,

> अगर आप बहस करते हैं और सामने वाले का विरोध करते हैं तो आप कई बार जीत सकते हैं; परंतु यह जीत खोखली होगी क्योंकि आपको अपने प्रतिद्वंद्वी का सद्भाव हासिल नहीं होगा।

तो आप ख़ुद ही सोचें। आप क्या पसंद करेंगे, बहस में नाटकीय, सैद्धांतिक विजय या सामने वाले का सद्भाव हासिल करना? दोनों चीज़ें एक साथ हासिल होना बहुत मुश्किल होता है।

बोस्टन ट्रांस्क्रिप्ट में एक बार कुछ महत्वपूर्ण पंक्तियाँ छपी थीं :

यहाँ विलियम जे का शरीर है लेटा हुआ,
जो सही रास्ते पर चलने की ख़ातिर मर गया-
गाड़ी चलाते समय वह सही था, पूरी तरह सही,
परंतु वह उतना ही मुर्दा है जैसे ग़लती उसी की थी।

आप भी जब अपनी बहस की गाड़ी को तेज़ रफ़्तार से चलाते हैं तो आप सही, पूरी तरह सही हो सकते हैं, परंतु जहाँ तक सामने वाले की मानसिकता बदलने का सवाल है, आपके प्रयास उतने ही निरर्थक साबित होंगे जैसे आप ही ग़लती पर हों।

फ्रैडरिक एस. पार्सन्स आयकर सलाहकार थे। वे एक सरकारी टैक्स इंसपेक्टर से एक घंटे से बहस कर रहे थे। नौ हज़ार डॉलर की रक़म का सवाल था। पार्सन्स का दावा था कि दरअसल यह रक़म एक बैड डेब्ट (bad debt) थी (एक ऐसा क़र्ज़ जिसके भुगतान की ज़रा भी उम्मीद नहीं थी), और इसलिए इस पर टैक्स नहीं लगना चाहिए। इंस्पेक्टर का जवाब था, "बैड डेब्ट! बिलकुल नहीं। इस पर तो टैक्स लगेगा।"

"इंस्पेक्टर भावशून्य, हठी और ज़िद्दी था," मिस्टर पार्सन्स ने

हमारी क्लास के सामने अपनी कहानी सुनाते हुए कहा। "तर्कों का कोई प्रभाव नहीं पड़ा। तथ्यों को बताने से भी वह नहीं पिघला। हमने जितनी ज़्यादा बहस की, वह उतना ही ज़्यादा अड़ता चला गया। इसलिए मैंने बहस का रास्ता छोड़ने का फ़ैसला किया, चर्चा का विषय बदला और उसकी प्रशंसा करने लगा।

"मैंने उससे कहा, 'मुझे लगता है यह छोटी सी रक़म आपके लिए कोई ख़ास महत्व नहीं रखती होगी, क्योंकि आपको तो बहुत बड़ी रक़मों के महत्वपूर्ण और पेचीदा मामले निपटाने पड़ते हैं। हालाँकि मैंने टैक्सेशन के बारे में पढ़ा है, परंतु मेरा ज्ञान किताबी है, जबकि आपको इस विषय में वर्षों तक काम करने का अनुभव है। काश कि मुझे भी आपके जितना अनुभव होता! इससे मैं बहुत कुछ सीख सकता था।' और मैंने जो कहा था, वह सब सच था।

"इसके बाद इंस्पेक्टर अपनी कुर्सी पर सीधा हुआ, पीछे की तरफ़ टिक गया और काफ़ी देर तक मुझे अपने काम के बारे में बताता रहा। उसने मुझे बताया कि उसने किस तरह कई बड़े-बड़े घपलों को पकड़ा था। उसका अंदाज़ धीरे-धीरे दोस्ताना हो गया और कुछ ही समय में वह मुझसे अपने बच्चों के बारे में बातें करने लगा। जब वह गया, तो उसने मुझसे कहा कि वह इस समस्या के बारे में थोड़ा और विचार करेगा और कुछ ही दिन में अपना फ़ैसला बता देगा।

"तीन दिन बाद वह लौटकर मेरे ऑफ़िस में आया और उसने मुझे बताया कि उसने मेरे टैक्स रिटर्न को उसी रूप में स्वीकार कर लिया है।"

यह टैक्स इंस्पेक्टर बहुत साधारण सी मानवीय कमज़ोरी का प्रदर्शन कर रहा था। हर इंसान की तरह उसे भी महत्व चाहिए था। जब तक मिस्टर पार्सन्स उससे बहस करते रहे, तब तक वह प्रबलता से बहस करके अपने आपको महत्वपूर्ण साबित करता रहा। परंतु जब मिस्टर पार्सन्स ने उसके महत्व को स्वीकार कर लिया तो बहस ख़त्म हो गई और वह सहानुभूतिपूर्ण और दयालु इंसान में बदल गया।

बुद्ध ने कहा है, "नफ़रत नफ़रत से नहीं, बल्कि प्रेम से ख़त्म होती है।" और ग़लतफ़हमी भी बहस से नहीं, बल्कि समझदारी, कूटनीति, सद्भावना, दूसरे के नज़रिए को समझने की इच्छा से ख़त्म होती है।

लिंकन ने एक बार एक युवा आर्मी ऑफ़िसर को अपने सहयोगी के साथ एक बड़े विवाद में उलझने पर फटकार लगाई थी। "जो व्यक्ति जीवन में अपनी क्षमताओं का सबसे अच्छा दोहन करने के लिए संकल्पवान है," लिंकन ने कहा, "उसके पास व्यक्तिगत विवाद के लिए समय ही नहीं होता। इसके अलावा वह परिणामों को झेलने के लिए भी तैयार नहीं होता जिसमें क्रोध और आत्म-नियंत्रण की कमी शामिल हैं। उन बड़ी चीज़ों को छोड़ दो जिन पर आपका दूसरों जितना ही अधिकार है। उन छोटी चीज़ों को छोड़ दो जो स्पष्ट रूप से आपकी ही हों। अगर कोई कुत्ता आपके रास्ते में आ जाता है तो उससे लड़ने के बजाय और ख़ुद को उससे कटवाने के बजाय बेहतर यही है कि आप उसके लिए रास्ता छोड़ दें। कुत्ते को बाद में आप मार भी दें, तो भी उसके काटे हुए घाव को भरना संभव नहीं होता।"

बिट्स एंड पीसेस नामक पत्रिका ने एक लेख छापा था। इसमें कुछ सुझाव दिए गए थे कि असहमति को बहस में तब्दील होने से किस तरह रोका जाए :

असहमति का स्वागत करें। याद रखें, "अगर दोनों ही पार्टनर हमेशा सहमत हो जाते हैं, तो उनमें से एक की ज़रूरत नहीं है।" अगर आपको कोई नया पहलू दिखाया जाता है, जिसके बारे में आपने नहीं सोचा है तो कृतज्ञ रहें कि उस तरफ़ आपका ध्यान दिलाया गया है। शायद यह असहमति एक अवसर हो, जिससे आप गंभीर ग़लती करने के पहले ही उसे सुधार सकें।

अपनी पहली भावना पर भरोसा न करें। जब भी हमारे सामने मुश्किल परिस्थिति आती है तो हमारी पहली प्रतिक्रिया

सुरक्षात्मक होती है। सावधान रहें। ठंडे दिमाग़ से सोचें। और अपनी पहली प्रतिक्रिया पर नज़र रखें। हो सकता है कि इस समय आप अपने सर्वश्रेष्ठ रूप में न होकर अपने निकृष्टतम रूप में हों।

अपने ग़ुस्से पर क़ाबू रखें। याद रखें, किसी व्यक्ति का आकार इस बात से नापा जा सकता है कि उसे किस बात पर ग़ुस्सा आता है।

पहले पूरी बात सुनें। अपने विरोधियों को बोलने का मौक़ा दें। उन्हें अपनी पूरी बात कह लेने दें। उनका विरोध न करें, बहस न करें, ख़ुद का बचाव न करें। इससे दीवार खड़ी होती है। इसके बजाय समझ के पुल बनाने का प्रयास करें। ग़लतफ़हमी की ऊँची दीवारें खड़ी न करें।

सहमति के क्षेत्र खोजें। जब आप अपने विरोधियों की पूरी बात सुन लें तो उन बिंदुओं से अपनी बात शुरू करें, जिन पर आप अपने विरोधी से सहमत हों।

ईमानदार रहें। उन बिंदुओं की तलाश करें जिनमें आप अपनी ग़लती मान सकते हों और ऐसा कह दें। अपनी ग़लती के लिए माफ़ी माँग लें। इससे आपके विरोधी भी ठंडे पड़ जाएँगे।

यह वादा करें कि आप अपने विरोधी के विचारों पर ध्यान से सोचेंगे। हो सकता है कि आपके विरोधी सही हों। इस स्टेज पर यह ज़्यादा आसान है कि आप उनके विचारों पर सोचने के लिए सहमत हो जाएँ बजाय इसके कि आप तेज़ी से आगे बढ़ जाएँ और कोई ऐसी ग़लती कर दें जिससे आपके विरोधियों को बाद में यह कहने का मौक़ा मिल जाए, "हमने आपको समझाने की बहुत कोशिश की थी, परंतु आपने हमारी एक नहीं सुनी।"

समस्या में रुचि लेने के लिए अपने विरोधियों को दिल से धन्यवाद दीजिए। जो आपसे बहस करने में समय देता है, उसकी रुचि का विषय भी वही है जो आपकी रुचि का विषय

है। उसे एक ऐसा व्यक्ति समझिए जो सचमुच आपकी मदद करना चाहता है। इस तरह आप अपने विरोधियों को अपना दोस्त बना सकते हैं।

दोनों पहलुओं से सोचने के बाद ही काम करें। आप सामने वाले से उसी दिन बाद में या अगले दिन मीटिंग के लिए कह सकते हैं, जब पूरे तथ्यों पर विचार-विमर्श किया जा सकता है। इस मीटिंग की तैयारी के लिए ख़ुद से कुछ कठोर सवाल पूछिए :

क्या यह हो सकता है कि मेरे विरोधी सही हों ? आंशिक रूप से सही हों ? क्या उनके नज़रिए या तर्क में सच्चाई या दम है ? क्या मैं वास्तव में समस्या को सुलझाने की कोशिश कर रहा हूँ या मैं केवल अपनी कुंठा निकाल रहा हूँ ? क्या मेरी प्रतिक्रिया की वजह से मेरे विरोधी मुझसे दूर जा रहे हैं या फिर वे मेरे क़रीब आ रहे हैं ? मैं जो करने जा रहा हूँ, क्या उससे मेरी प्रतिष्ठा बढ़ेगी ? मैं जीतूँगा या हारूँगा ? अगर मैं जीतता हूँ तो मुझे इसकी क्या क़ीमत चुकानी पड़ेगी ? अगर मैं इस बारे में शांत रहूँगा तो क्या यह असहमति समाप्त हो जाएगी ? क्या यह मुश्किल परिस्थिति किसी तरह मेरे लिए एक अवसर बन सकती है ?

ओपेरा स्टार जैन पियर्स ने अपने पचास साल के वैवाहिक जीवन की सफलता का राज़ बताते हुए कहा, "मेरी पत्नी और मैंने बहुत पहले एक समझौता किया था और हम चाहे एक दूसरे से कितने ही ग़ुस्सा हों हमने इस समझौते को निभाया है : जब एक ग़ुस्सा हो रहा हो और चीख़ रहा हो, तो दूसरा ठंडे दिमाग़ से उसकी बातें सुनेगा- क्योंकि अगर दोनों ही लोग चीख़ने लगें तो संवाद हो ही नहीं सकता और घर में शोरगुल और विवाद के अलावा कुछ भी नहीं होगा।"

सिद्धांत 1

बहस से एक ही फ़ायदा हो सकता है और वह है इससे बचना।

2

दुश्मन बनाने का अचूक तरीक़ा –
और इससे कैसे बचा जाए

जब थियोडोर रूज़वेल्ट व्हाइट हाउस में थे तो उन्होंने स्वीकार किया था कि अगर वे 75 प्रतिशत मौक़ों पर सही हो सकें, तो वे आशातीत सफलता प्राप्त कर सकते हैं।

अगर बीसवीं सदी के महानतम व्यक्तियों में से एक का यह कहना है तो फिर आपकी और मेरी तो हस्ती ही क्या है?

अगर आप 55 प्रतिशत मौक़ों पर सही हों, तो आप वॉल स्ट्रीट जाकर एक दिन में लाखों डॉलर कमा सकते हैं। परंतु अगर आप 55 प्रतिशत मौक़ों पर भी सही नहीं हैं, तो फिर आपको क्या हक़ है कि आप दूसरे लोगों को उनकी ग़लतियाँ बताएँ?

शब्दों से ही नहीं, बल्कि नज़रों से या आवाज़ के लहज़े से या अपने हाव-भाव से भी आप लोगों को बता सकते हैं कि वे ग़लत हैं– और अगर आप उनकी ग़लती बताते हैं तो क्या वे आपसे सहमत हो जाते हैं? कभी नहीं! इसलिए क्योंकि आपने उनकी बुद्धिमानी, गर्व और आत्मसम्मान पर सीधे चोट की है। इससे होगा यह कि वे पलटकर आप पर वार करना चाहेंगे। परंतु इसकी वजह से वे अपनी सोच को कभी नहीं बदलेंगे। आप चाहे प्लेटो या इमैनुअल कान्ट के पूरे तर्कों से भी उन पर हमला बोल दें तो भी वे अपने विचार नहीं बदलेंगे क्योंकि आपने उनकी भावनाओं को ठेस पहुँचाई है।

इस तरह से अपनी बात कभी शुरू न करें, "मैं आपके सामने अमुक बात सिद्ध करने जा रहा हूँ।" यह ग़लत शुरुआत है। दूसरे शब्दों में आप सामने वाले को यह बता रहे हैं : "मैं आपसे ज़्यादा स्मार्ट हूँ। मैं आपको एक-दो ऐसी बातें बताने जा रहा हूँ जिनसे आप अपने विचार बदल लेंगे।"

यह एक चुनौती है। इससे विरोध उत्पन्न होता है और इससे श्रोता आपके कुछ कहने से पहले ही आपसे युद्ध करने के लिए तत्पर हो जाता है।

अच्छी से अच्छी परिस्थितियों में भी लोगों की सोच या उनकी विचारधारा को बदलना कठिन है। तो इसे और मुश्किल क्यों बनाया जाए? अपने आपको कमज़ोर क्यों बनाया जाए?

अगर आप कुछ सिद्ध करने जा रहे हैं, तो किसी को भी इसका पता न चलने दें। इसे चतुराई से, कुशलता से इस तरह करें कि किसी को यह महसूस न हो कि आप ऐसा कर रहे हैं। इस विचार को अलैक्ज़ेंडर पोप ने संक्षेप में इस तरह व्यक्त किया था :

> लोगों को कोई बात इस तरह सिखानी चाहिए कि उन्हें यह पता ही न चले कि उन्हें कुछ सिखाया जा रहा है। और नए विचारों को इस तरह बताया जाना चाहिए जैसे कि आपको पुराने विचार याद आ गए हों।

गैलिलियो ने तीन सौ से भी अधिक वर्ष पहले यह कहा था :

> आप किसी आदमी को कुछ नहीं सिखा सकते; आप सिर्फ़ उसे अपने अंदर से सीखने में मदद कर सकते हैं।

जैसा लॉर्ड चेस्टरफ़ील्ड ने अपने पुत्र से कहा था :

> संभव हो तो दूसरे लोगों से ज़्यादा बुद्धिमान बनो; परंतु यह बात उनसे मत कहो।

सुकरात ने एथेन्स में अपने अनुयायियों से बार-बार कहा था :

> मैं केवल एक ही बात जानता हूँ और वो ये कि मैं कुछ नहीं जानता।

मैं यह दावा नहीं करता कि मैं सुकरात से ज़्यादा बुद्धिमान हूँ। इसलिए मैंने लोगों को यह बताना छोड़ दिया है कि वे ग़लत हैं। और मैंने पाया है कि इससे मुझे बहुत फ़ायदा हुआ है।

जब भी कोई व्यक्ति ऐसी बात कहे जो आपकी राय में ग़लत हो – चाहे आप अच्छी तरह जानते हों कि वह ग़लत है – तब भी क्या इस तरह कहना बेहतर नहीं रहेगा : "आइए, हम देखते हैं। मेरी राय आपसे भिन्न है, परंतु मैं ग़लत भी हो सकता हूँ। मैं कई बार ग़लत होता हूँ। और अगर ग़लती मेरी है, तो मैं अपनी ग़लती सुधारना चाहूँगा। आइए, हम तथ्यों का अवलोकन करें।"

"मैं ग़लत हो सकता हूँ, मैं कई बार ग़लत होता हूँ। आइए हम तथ्यों का अवलोकन करें।" – इस तरह के वाक्यों में जादू होता है।

दुनिया का कोई भी व्यक्ति आपकी इस बात का बुरा नहीं मानेगा, "मैं ग़लत हो सकता हूँ। आइए, हम तथ्यों का अवलोकन करें।"

हमारी क्लास के एक सदस्य मोन्टाना के कार डीलर हैरोल्ड रैन्के ने अपने ग्राहकों के साथ इस तकनीक का प्रयोग किया। उन्होंने बताया कि ऑटोमोबाइल बिज़नेस के तनावग्रस्त माहौल में वे अक्सर ग्राहकों की शिकायत पर ज़्यादा ध्यान नहीं दे पाते थे और उदासीनता का परिचय देते थे। इस वजह से बिज़नेस में नुक़सान होने लगा, ग्राहक ग़ुस्सा होने लगे और माहौल बिगड़ने लगा।

उन्होंने हमारी कक्षा को बताया : "यह महसूस करने के बाद कि मुझे अपनी शैली से फ़ायदा नहीं हो रहा था, मैंने अपनी तकनीक बदल ली। मैंने अपने ग्राहकों से यह कहना शुरू कर दिया, 'हमारी डीलरशिप से इतनी ग़लतियाँ हुई हैं कि मुझे अक्सर शर्मिंदा होना पड़ता है। आपके प्रकरण में भी शायद हमसे ग़लती हुई है। मुझे इसके बारे में विस्तार से बताएँ।'

"इस शैली से ग्राहक का ग़ुस्सा तत्काल ठंडा हो जाता था और जब वह अपनी शिकायत बताता था तो आम तौर पर वह अधिक तर्कपूर्ण ढंग से बताता था। दरअसल कई ग्राहकों ने तो मुझे इतनी अच्छी तरह से बात सुनने के लिए धन्यवाद भी दिया। दो ग्राहक तो

अपने दोस्तों को भी साथ लाए, ताकि वे भी इतनी अच्छी जगह से कार ख़रीद सकें। आज के प्रतियोगिता वाले समय में हमें इस तरह के ग्राहकों की ज़रूरत है और मुझे विश्वास है कि अगर हम ग्राहकों के विचारों के प्रति सम्मान दिखाएँ और उनके साथ कूटनीति व शिष्टता का व्यवहार करें तो हम अपने प्रतियोगियों से आगे निकल सकते हैं।"

अगर आप यह पहले ही मान लें कि आप ग़लत हो सकते हैं तो आप कभी मुश्किल में नहीं पड़ेंगे। इससे झगड़े की संभावना ही समाप्त हो जाएगी और इससे आपके प्रतियोगी को भी प्रेरणा मिलेगी कि वह भी आप जितना खुला, निष्पक्ष और विशालहृदय हो जाए। हो सकता है कि इसके बाद वह भी यह कहने पर विवश हो जाए कि वह भी ग़लत हो सकता है।

अगर आपको पूरा भरोसा है कि सामने वाला ग़लती पर है और आप उसे सीधे-सीधे यह बता देते हैं तो क्या होता है? आइए एक उदाहरण देखें। मिस्टर एस. न्यूयॉर्क के युवा वकील थे। एक बार वे युनाइटेड स्टेट्स सुप्रीम कोर्ट में एक महत्वपूर्ण मुकदमे (*लस्टगार्टन बनाम लीट कॉरपोरेशन 280 यू.एस. 320*) में बहस कर रहे थे। इस मुकदमे में बहुत सा धन तो दाँव पर था ही, क़ानून का एक महत्वपूर्ण प्रश्न भी उलझा हुआ था। बहस के दौरान सुप्रीम कोर्ट के एक जज ने उनसे पूछा : "एडमिरेल्टी लॉ में समय सीमा छह साल होती है, है ना?"

मिस्टर एस. रुके, उन्होंने जज की तरफ़ एक पल के लिए देखा और फिर साफ़ शब्दों में कह दिया : "युअर ऑनर, एडमिरेल्टी लॉ में कोई समय सीमा नहीं होती।"

"पूरी कोर्ट में सन्नाटा छा गया।" वकील ने हमारी कक्षा में बताया, "और कमरे का तापमान शून्य पर आ गया। मैं सही था। जज ग़लत था। और मैंने उसकी ग़लती उसे बता दी थी। परंतु क्या इससे उसका व्यवहार मेरे प्रति दोस्ताना हुआ? नहीं। मुझे अब भी भरोसा है कि वह मुकदमा मैं ही जीतता। मैंने इससे पहले इतनी अच्छी तरह बहस नहीं की थी। परंतु मैं अपनी बात मनवाने में सफल

नहीं हुआ। फ़ैसला मेरे ख़िलाफ़ हुआ। मैंने एक ज्ञानी और प्रसिद्ध जज को यह बताने की गुस्ताख़ी की थी कि वह ग़लती पर था।"

बहुत कम लोग तार्किक होते हैं। हममें से ज़्यादातर लोग पूर्वाग्रह से ग्रस्त होते हैं। हममें से अधिकांश में पहले से जमी हुई मान्यताएँ होती हैं, ईर्ष्या, शंका, डर, और अहंकार होते हैं। और ज़्यादातर लोग अपने विचार नहीं बदलना चाहते, चाहे सवाल उनकी हेयर स्टाइल का हो, धर्म का हो, साम्यवाद का हो या उनके फ़ेवरिट फ़िल्म स्टार का हो। इसलिए अगर आपकी ख़्वाहिश है कि आप लोगों की ग़लती बताएँ तो हर सुबह नाश्ते से पहले नीचे लिखे पैरेग्राफ़ को पढ़ने का कष्ट करें। इसे जेम्स हार्वे रॉबिन्सन की ज्ञानवर्द्धक पुस्तक *द माइंड इन द मेकिंग* से लिया गया है।

> हम बिना किसी प्रतिरोध या तीव्र भावना के अपने विचारों को अक्सर बदल लेते हैं, परंतु अगर हमें बताया जाए कि हम ग़लत हैं तो हम इस दोषारोपण से चिढ़ जाते हैं और अपने हृदय को सख़्त बना लेते हैं। हम अपने विश्वासों को बनाते समय अविश्वसनीय रूप से लापरवाह होते हैं, परंतु अगर कोई हमारे ग़लत विश्वासों को दूर करने का प्रयास करता है तो हम उन विचारों के प्रति अत्यधिक आसक्ति का अनुभव करने लगते हैं। स्पष्ट रूप से हमें अपने विचारों से प्रेम नहीं होता, बल्कि अपने आत्मसम्मान से प्रेम होता है जो ऐसे समय में हमें ख़तरे में दिखाई देता है... मानवीय संबंधों में सबसे महत्वपूर्ण शब्द "मेरा" होता है और बुद्धिमानी इसी में है कि इसका सामना कुशलता से किया जाए। इसकी शक्ति एक सी ही रहती है चाहे मामला "मेरे" डिनर, "मेरे" कुत्ते, "मेरे" घर, "मेरे" पिता, "मेरे" देश, या "मेरे" ईश्वर से संबंधित हो। हम न सिर्फ़ इस बात से चिढ़ जाते हैं कि हमारी घड़ी ग़लत है या हमारी कार गंदी है, बल्कि हम इस बात से भी चिढ़ जाते हैं कि मंगल की नहरों के बारे में हमारे विचार या हमारा "एपिक्टेटस" का उच्चारण ग़लत है, या सेलिसिन की चिकित्सकीय उपयोगिता के बारे में हमारे विचार ग़लत हैं या

वॉटरलू की तारीख़ हमें ठीक से नहीं मालूम। हम यह विश्वास करते रहना चाहते हैं कि हम जिसे सच मानते आए हैं वही सच है और जब हमारी मान्यताओं पर शंका की जाती है तो हम उत्तेजित हो जाते हैं और हम इससे चिपके रहने के लिए तरह-तरह के बहाने खोजने लग जाते हैं। परिणाम यह होता है कि हमारी तथाकथित तर्क करने की शक्ति अपनी वर्तमान मान्यताओं के लिए तर्क खोजने में जुट जाती है।

प्रसिद्ध मनोवैज्ञानिक कार्ल रॉजर्स ने अपनी पुस्तक *ऑन बिकमिंग ए पर्सन* में लिखा है :

> मैं इस बात को बहुत महत्त्व देता हूँ कि मैं अपने आपको सामने वाले का नज़रिया समझने की अनुमति दे दूँ। मैंने पिछले वाक्य को जिस तरह से कहा है वह आपको अजीब लगा होगा। क्या दूसरे को समझने के लिए हमें ख़ुद को अनुमति देनी होती है? मुझे लगता है कि यही सच है। अधिकांश बातों के बारे में (जो हम दूसरे लोगों के मुँह से सुनते हैं) हमारी पहली प्रतिक्रिया मूल्यांकन या निष्कर्ष की होती है और हम समझने की मेहनत ही नहीं करते। जब कोई व्यक्ति किसी भावना, विचार या विश्वास को व्यक्त करता है तो हमारी प्रवृत्ति तत्काल यह महसूस करने की होती है : "यह सही बात है," "यह मूर्खतापूर्ण है," "यह असामान्य है," "यह अतार्किक है," "यह ग़लत है," "यह उचित नहीं है।" कभी-कभार ही हम अपने आपको इस बात की अनुमति देते हैं कि हम सामने वाले को पूरी तरह से *समझने* की कोशिश करें और यह जानें कि सामने वाले का नज़रिया क्या है।

मैंने एक बार एक इंटीरियर डेकोरेटर से अपने घर के लिए नए पर्दों की सजावट करवाई। जब बिल आया, तो मुझे ज़ोर का झटका लगा।

कुछ दिनों बाद मेरी एक दोस्त आई और उसने कमरे में लगे नए पर्दों को देखा। जब उसे क़ीमत पता चली तो उसने कहा, "अच्छा?

इतने महँगे! मुझे लगता है कि दुकानदार ने तुम्हें लूट लिया।"

क्या यह सच था? हाँ, उसने मुझे सच्चाई बताई थी। परंतु बहुत कम लोग यह स्वीकार कर सकते हैं कि वे इस तरह बेवक़ूफ़ बने हैं। इसलिए इंसान होने के नाते मैंने ख़ुद का बचाव करना शुरू कर दिया। मैंने उससे कहा कि अच्छी क्वालिटी का सामान महँगा ही आता है और कलात्मक या सुंदर या अच्छा सामान फ़ुटपाथ पर नहीं मिलता इत्यादि।

अगले दिन मेरी एक और मित्र आई और उसने पर्दों की दिल खोलकर तारीफ़ की। उसने उत्साह भरे स्वर में कहा, "काश मैं भी अपने घर में इतने सुंदर पर्दे लगा पाती!" मेरी प्रतिक्रिया पूरी तरह अलग थी। "सच कहूँ तो मुझे लगता है कि मैंने इनकी कुछ ज़्यादा ही क़ीमत दे दी है। इन्हें ख़रीदकर अब मैं पछता रहा हूँ।"

जब हम ग़लत होते हैं, तो हम मन में अपनी ग़लती मान सकते हैं। यही नहीं, अगर सामने वाला समझदारी और कूटनीति से काम ले तो हम उसके सामने भी अपनी ग़लती मान सकते हैं और अपने खुलेपन और उदारता पर गर्व कर सकते हैं। परंतु तब नहीं, जब दूसरा इस बात पर हमारा गिरेबान पकड़ ले।

होरेस ग्रीले सिविल वॉर के दौरान अमेरिका के सर्वाधिक प्रसिद्ध संपादक थे। वे लिंकन की नीतियों से बुरी तरह असहमत थे। उनका विश्वास था कि वे बहस, उपहास और अपमान का अभियान चलाकर लिंकन को अपने पक्ष में सहमत कर लेंगे। उनका यह कटु अभियान महीने दर महीने, साल दर साल चला। दरअसल उन्होंने उस रात को भी लिंकन पर एक क्रूर, कटु, आलोचनात्मक और व्यक्तिगत आघात पहुँचाने वाला संपादकीय लिखा था, जिस रात को बूथ ने लिंकन पर गोलियाँ चलाई थीं।

परंतु क्या इतनी कटुता के बाद भी लिंकन ग्रीले से सहमत हुए? क़तई नहीं। उपहास और अपमान कभी किसी को सहमत नहीं करा सकते।

अगर आप लोगों के साथ अपने संबंध सुधारने के बारे में

उत्तम सुझाव चाहते हों, अगर आप अपने व्यक्तित्व को निखारना चाहते हों, तो आप बेंजामिन फ्रैंकलिन की आत्मकथा अवश्य पढ़ें। यह अमेरिकी साहित्य में अमर पुस्तक है और यह सबसे आकर्षक जीवनियों में से एक है। बेन फ्रैंकलिन बताते हैं कि उन्होंने अपनी बहस करने की आदत पर कैसे क़ाबू पाया और किस तरह उन्होंने अपने आपको अमेरिकी इतिहास के सर्वाधिक योग्य, सौम्य और कूटनीतिक मनुष्यों में से एक बनाया।

अपनी जवानी में बेन इतनी बहस किया करते थे कि एक पुराना क्वेकर दोस्त उन्हें एक तरफ़ ले गया और उन पर सच्चाई के कोड़े बरसाना शुरू कर दिया। दोस्त ने उनसे कहा, "बेन, तुम्हारा कुछ नहीं हो सकता। तुम्हारे विचार तुमसे असहमत होने वाले लोगों को हथौड़े की तरह लगते हैं। तुम्हारे विचार इतने आक्रामक होते हैं कि कोई उनकी परवाह नहीं करता। तुम्हारे दोस्त मानते हैं कि जब तुम नहीं होते हो तो उनका समय ज़्यादा आनंद में बीतता है। तुममें इतना ज़्यादा ज्ञान है कि दूसरा व्यक्ति तुम्हें कुछ नहीं बता सकता। और कोई तुम्हें कुछ बताने की कोशिश करेगा भी क्यों, जब इसमें उसे बहुत मेहनत करनी पड़ेगी और कष्ट होगा। इसलिए तुम ज़िंदगी में कुछ भी नहीं सीख पाओगे और तुम्हारे पास जो थोड़ा-बहुत ज्ञान है, वही तुम्हारे पास हमेशा रहेगा।"

बेन फ्रैंकलिन की तारीफ़ करनी होगी कि उन्होंने इस अपमानजनक आलोचना को बहुत अच्छी तरह से लिया। वे इतने महान और बुद्धिमान थे कि उन्होंने इस बात में छुपी सच्चाई को भाँप लिया और उन्हें अंदाज़ा हो गया कि अगर उन्होंने अपने आपको नहीं बदला तो वे असफलता और सामाजिक विनाश की तरफ़ बढ़ते चले जाएँगे। उन्हें अपनी ग़लती का एहसास हो गया और उन्होंने अपने सिस्टम से आलोचना और बहस को निकालने का फ़ैसला कर लिया।

फ्रैंकलिन कहते हैं, "मैंने यह नियम बना लिया कि मैं दूसरों की भावनाओं का सीधा विरोध करने से बचूँगा और अपनी बात को आक्रामक या दृढ़ अंदाज़ में कहने से परहेज़ करूँगा। मैंने यह फ़ैसला किया कि मैं अपनी भाषा से वैचारिक हठधर्मिता दर्शाने वाले

सभी शब्द जैसे 'निश्चित रूप से', 'निस्संदेह' इत्यादि को हटा दूँगा। इनके बजाय मैंने इस तरह के वाक्य बोलने का फ़ैसला किया : 'मुझे लगता है' या 'मैं समझता हूँ,' कि यह मामला इस तरह का है या 'मुझे इस समय ऐसा लग रहा है' या 'पहली नज़र में' यह इस तरह दिखता है। जब कोई व्यक्ति ऐसी कोई बात कह देता था जो मैं जानता था कि ग़लत थी, तो भी मैं उसका तत्काल विरोध करने का आनंद त्याग देता था। अगर मुझे ग़लती बतानी भी होती थी, तो मैं कूटनीतिक तरीक़े से ऐसा करता था। मैं कहता था कि कई प्रकरणों या परिस्थितियों में सामने वाले की बात सही हो सकती थी, परंतु मुझे लगता है कि इस प्रकरण में यह सही नहीं होगी। मुझे शैली बदलने का फ़ायदा हुआ। अब मेरी चर्चाएँ अधिक सुखद होने लगीं। चूँकि मैं विनम्र तरीक़े से अपने विचार रखता था, इसलिए लोग मेरे विचारों से ख़ुशी-ख़ुशी सहमत होने लगे। अगर मैं ग़लत भी साबित होता था, तो भी अब मुझे कम अपमान झेलना पड़ता था। और जब मैं सही होता था तो मेरे विरोधी भी अपनी ग़लती मानकर मेरी बात मान लेते थे।

"शुरुआत में इस तकनीक का प्रयोग करने में मुझे अपनी स्वाभाविक इच्छाओं को दबाना पड़ा था। परंतु बाद में यह तकनीक इतनी सहज हो गई और मुझे इसकी इतनी आदत हो गई कि शायद पिछले पचास वर्षों में किसी भी इंसान ने मेरे मुँह से कभी कोई हठधर्मी वाक्य नहीं सुना होगा। और इस आदत की वजह से (जो मेरे चरित्र के बाद दूसरे नंबर पर आती है) मुझे लगता है कि मैं अपने साथी नागरिकों में इतना लोकप्रिय हो गया कि जब भी मैं किसी नई संस्था का प्रस्ताव रखता था, या पुरानी संस्था में किसी बदलाव का प्रस्ताव रखता था तो लोग मेरी बात मान लेते थे। मुझे राजनीति में भी इतनी ज़्यादा सफलता इसीलिए मिली। हालाँकि मैं एक ख़राब वक्ता था, मुझमें बोलने की कला नहीं थी, मेरे शब्दों का चयन ठीक नहीं था, मेरी भाषा तो अच्छी थी ही नहीं, परंतु इस सबके बावजूद मैं अक्सर अपनी बात मनवा लेता था।"

क्या बेन फ़्रैंकलिन का तरीक़ा बिज़नेस में भी काम आ सकता

है ? आइए हम दो उदाहरण देखते हैं।

नॉर्थ कैरोलिना के किंग्स माउंटेन में रहने वाली कैथरीन ए. अल्फ्रेड एक यार्न-प्रोसेसिंग प्लांट में इंडस्ट्रियल इंजीनियरिंग सुपरवाइज़र हैं। उन्होंने हमारी क्लास को बताया कि किस तरह उन्होंने हमारी ट्रेनिंग लेने के पहले और बाद में एक संवेदनशील समस्या का सामना किया :

"मेरी एक ज़िम्मेदारी यह है कि मैं हमारे ऑपरेटर्स के लिए प्रोत्साहन और स्तरीयता को बनाए रखूँ ताकि हम अधिक यार्न का उत्पादन करके अधिक धन कमा सकें। हमारे द्वारा काम में लाया जा रहा सिस्टम तब तक तो ठीक चल रहा था जब हमारे पास केवल दो या तीन ही तरह के यार्न थे, परंतु हाल ही में हमने अपनी रेंज बढ़ा ली जिस वजह से हमें बारह अलग-अलग क़िस्म के यार्न से काम करना पड़ा। जिस तरह का काम हो रहा था, हम अपने ऑपरेटरों को उतना अच्छा भुगतान नहीं कर पा रहे थे और उत्पादन बढ़ाने के लिए उन्हें प्रोत्साहित नहीं कर पा रहे थे। मैंने एक नया सिस्टम लागू करने की योजना बनाई जिससे हम ऑपरेटर को यार्न की उस श्रेणी के हिसाब से भुगतान करें जिस पर वह वर्तमान में काम कर रहा था। नई योजना को हाथ में लिए मैं मीटिंग में गई। मैं मैनेजमेंट के सामने यह सिद्ध कर देना चाहती थी कि मेरी योजना ही वर्तमान स्थिति में सही तरीक़ा है। मैंने उन्हें विस्तार से बताया कि वे किस तरह ग़लत थे और यह भी बताया कि वे कहाँ पक्षपात कर रहे थे और किस तरह मेरी योजना उनकी ग़लतियों और भेदभाव को दूर कर सकती है। परंतु मैं बुरी तरह नाकामयाब हुई। नई योजना पर अपनी स्थिति के बचाव में मैं इतनी अधिक व्यस्त हो गई थी कि मैंने उनके लिए पुरानी योजना से जुड़ी समस्याओं को स्वीकार करने के लिए कोई जगह नहीं छोड़ी थी। मामला आया-गया हो गया।

"इस कोर्स में कई सत्र गुज़ारने के बाद मैंने महसूस किया कि मुझसे कहाँ ग़लती हुई थी। मैंने एक और मीटिंग बुलाई और इस बार मैंने उनसे पूछा कि उनकी नज़र में समस्याएँ कहाँ आ रही हैं। हमने हर बिंदु पर विचार-विमर्श किया और मैंने उनकी राय पूछी

कि इसे हल करने का सर्वश्रेष्ठ तरीक़ा क्या हो सकता है। उचित समय पर विनम्रता से मैंने बीच-बीच में उन्हें कुछ सुझाव दिए, परंतु मैंने उन्हें सिस्टम को ख़ुद विकसित करने दिया। मीटिंग के अंत में जब मैंने अपनी योजना प्रस्तुत की तो उन्होंने उत्साह से उसे स्वीकार कर लिया।

"मुझे अब पूरा विश्वास हो चुका है कि अगर आप किसी व्यक्ति को सीधे-सीधे यह बता देते हैं कि वह ग़लत है तो इससे कोई लाभ नहीं होता बल्कि काफ़ी नुक़सान होने का अंदेशा रहता है। इस तरह आप सिर्फ़ उस व्यक्ति के स्वाभिमान को चोट पहुँचाते हैं और अपने आपको बुरा बना लेते हैं।"

अब हम एक और उदाहरण लें– और याद रखें मैं जो प्रकरण बता रहा हूँ वे हज़ारों लोगों के अनुभव हो सकते हैं। आर. वी. क्राउले न्यूयॉर्क की एक लंबर कंपनी में सेल्समैन था। क्राउले ने माना कि वह सालों से सख़्तदिल लंबर इंस्पेक्टरों को यह बता रहा था कि वे ग़लत थे। और वह कई बहसों में जीता भी था। परंतु इससे उसे कोई फ़ायदा नहीं हुआ था। क्राउले ने कहा, "लंबर इंस्पेक्टर बेसबॉल के अंपायर की तरह होते हैं। एक बार वे फ़ैसला सुना देते हैं, तो फिर उसे नहीं बदलते।"

मिस्टर क्राउले ने देखा कि बहस में जीतने की वजह से उनकी फ़र्म को हज़ारों डॉलर का नुक़सान हो रहा है। इसलिए मेरे कोर्स में भाग लेने के दौरान उन्होंने अपनी तकनीक बदल ली और बहस करना छोड़ दिया। इसका परिणाम क्या हुआ ? यहाँ उनकी कहानी बताई जा रही है जो उन्होंने अपनी क्लास के सामने सुनाई :

"एक सुबह मेरे पास एक फ़ोन आया। फ़ोन के दूसरे छोर से एक ग़ुस्सैल और चिंतित आदमी ने मुझे यह बताया कि हमने उसके प्लांट में जो लंबर सप्लाई की थी, वह बेहद घटिया क्वालिटी की थी। उसकी फ़र्म ने माल को उतरवाना बंद कर दिया था और अब वे हमसे यह चाहते थे कि हम उस स्टॉक को उनके यार्ड से तत्काल उठवाने का बंदोबस्त करें। एक चौथाई ट्रक ख़ाली होने के बाद

लंबर इंस्पेक्टर ने अपनी रिपोर्ट दी कि लंबर का स्तर अपेक्षित क्वालिटी से 55 प्रतिशत कम था। इन परिस्थितियों में उनके पास पूरा माल वापस करने के अलावा कोई दूसरा रास्ता नहीं था।

"यह सुनते ही मैं तत्काल उस फ़र्म के गोदाम की तरफ़ रवाना हुआ। रास्ते में मैंने इस समस्या से निपटने की रणनीति बनाई। आम तौर पर मैंने इन परिस्थितियों में बहस की होती, नियम बताए होते, लंबर इंस्पेक्टर के रूप में अपने ज्ञान और अनुभव की डींगें हाँकी होतीं, जिससे सामने वाले इंस्पेक्टर के दिमाग़ में यह घुस जाए कि लंबर की क्वालिटी अच्छे ग्रेड की है और वह ग़लती पर था। परंतु मैंने कोर्स में सीखे हुए तरीक़े आज़माने का फ़ैसला किया।

"जब मैं प्लांट में पहुँचा, तो मैंने देखा कि लंबर इंस्पेक्टर और प्लांट का मैनेजर बहस करने और झगड़ने के पूरे मूड में थे। हम ट्रक के पास पहुँचे जिससे सामान उतारा गया था। मैंने आग्रह किया कि वे माल उतारना जारी रखें ताकि मैं देख सकूँ कि माल की क्वालिटी कैसी है। मैंने इंस्पेक्टर से कहा कि वह घटिया सामान को निकालकर अलग रखता जाए और अच्छे माल को निकालकर दूसरी तरफ़ रखता जाए, जैसा वह मेरे आने से पहले कर रहा था।

"कुछ समय तक उसे ऐसा करते देखने के बाद मैं समझ गया कि उसकी जाँच बहुत ही सख़्त थी और वह नियमों का ग़लत इस्तेमाल कर रहा था। यह लंबर सफ़ेद पाइन का था, और मैं जानता था कि उस इंस्पेक्टर को हार्ड वुड का ज्ञान है जबकि उसे सफ़ेद पाइन के बारे में कोई ख़ास समझ नहीं है। मैं सफ़ेद पाइन का विशेषज्ञ था परंतु क्या मैंने उसके ज्ञान पर कोई उँगली उठाई? बिलकुल नहीं। मैं देखता गया और धीरे-धीरे उससे यह पूछता गया कि अमुक-अमुक टुकड़े में क्या गड़बड़ी है। मैंने एक बार भी यह नहीं जताया कि इंस्पेक्टर ग़लत हो सकता है। मैं बार-बार इसी बात पर ज़ोर देता रहा कि मेरे सवाल पूछने का एकमात्र कारण यह था कि मैं भविष्य में उनकी फ़र्म को वही माल भिजवाऊँ जिससे वे संतुष्ट हो सकें।

"जब मैंने इस बात पर लगातार ज़ोर दिया कि जिन टुकड़ों

से वे संतुष्ट नहीं हैं, उन्हें अलग रखना उचित है तो मेरे दोस्ताना तरीक़े और सहयोगी ढंग से पूछे गए सवालों से हमारे बीच की दुश्मनी की दीवार पिघल गई। मैंने उन्हें सावधानी से यह सुझाव भी दिया कि शायद वे ज़्यादा महँगा माल चाहते थे क्योंकि उन्हें इससे बेहतर क्वालिटी की ज़रूरत थी। इससे उनके मस्तिष्क में यह विचार आ गया कि उन्होंने जिस ग्रेड का माल मँगवाया था, कई रिजेक्टेड टुकड़े दरअसल उस ग्रेड के मान से बिलकुल ठीक बैठते थे। फ़र्म के मैनेजर ने माना कि उन्हें सचमुच बेहतर क्वालिटी के और महँगे माल की ज़रूरत थी। मैं बहुत सावधान था कि कहीं वह यह न सोचने लगे कि मैं इस विषय को मुद्दा बना रहा हूँ।

"धीरे-धीरे उसका पूरा नज़रिया बदल गया। लंबर इंस्पेक्टर ने अंततः यह मान लिया कि उसे सफ़ेद पाइन का कोई ख़ास अनुभव नहीं है और फिर वह मुझसे हर टुकड़े के बारे में सवाल पूछने लगा। मैं उसे बताता रहा कि यह टुकड़ा उसी ग्रेड में क्यों आता है जिस ग्रेड का ऑर्डर दिया गया है, परंतु मैं यह भी कहता रहा कि अगर उन्हें यह लगता है कि यह सही नहीं है या उनके काम का नहीं है तो वह उसे अलग रख दे। आख़िरकार वह उस स्थिति में आ गया जहाँ वह हर टुकड़े को रिजेक्ट करते समय अपराधबोध से ग्रस्त होने लगा। अंततः उन्हें यह समझ में आ गया कि ग़लती उनकी थी क्योंकि उन्होंने उतने अच्छे ग्रेड के माल का ऑर्डर नहीं दिया था जितने अच्छे ग्रेड की उन्हें ज़रूरत थी।

"इसका नतीजा यह निकला कि मेरे वहाँ से लौटने के बाद एक बार फिर उसने पूरे ट्रक के माल की जाँच की। उसने जाँच के बाद पूरे माल को स्वीकार कर लिया और मुझे पूरी राशि का चेक भिजवा दिया।

"इसी एक उदाहरण से, थोड़ी सी व्यवहारकुशलता से और सामने वाले की ग़लती न बताने के संकल्प से न सिर्फ़ हमारी कंपनी को आर्थिक लाभ हुआ बल्कि सद्भावना भी मिली जो अनमोल थी।"

मार्टिन लूथर किंग से जब पूछा गया कि वे शांति के पक्षधर

होने के बावजूद देश के सबसे बड़े अश्वेत ऑफ़िसर एयर फ़ोर्स जनरल डेनियल "चैपी" जेम्स के प्रशंसक क्यों हैं, तो उन्होंने जवाब दिया, "मैं लोगों को उनके सिद्धांतों के तराज़ू पर तौलता हूँ, अपने सिद्धांतों के तराज़ू पर नहीं।"

इसी तरह जनरल रॉबर्ट ई. ली ने एक बार कॉन्फ़ेडरेसी के प्रेसिडेंट जेफ़रसन डेविस के सामने अपने एक अधीनस्थ ऑफ़िसर की बहुत तारीफ़ की। बग़ल में ही खड़ा एक ऑफ़िसर इस बात पर भौचक्का रह गया। उसने कहा, "जनरल, क्या आप नहीं जानते कि आप जिसकी तारीफ़ कर रहे हैं, वह आपके बारे में शत्रुतापूर्ण विचार रखता है और आपकी बुराई करने का कोई मौक़ा नहीं छोड़ता?" जनरल ली ने कहा, "मैं जानता हूँ। परंतु प्रेसिडेंट ने उसके बारे में मेरे विचार पूछे थे, मेरे बारे में उसके विचार नहीं पूछे थे।"

वैसे मैं इस अध्याय में कोई नई बात नहीं बता रहा हूँ। दो हज़ार साल पहले, ईसा मसीह ने कहा था, "अपने विरोधी से तत्काल सहमत हो जाओ।"

ईसा मसीह के पैदा होने के 2,200 साल पहले मिस्त्र के सम्राट अख़्तोई ने अपने पुत्र को यह समझदारीपूर्ण सीख दी थी, "कूटनीतिज्ञ बनो। इससे लोग तुम्हारी बात मानेंगे और तुम्हें बहुत फ़ायदा होगा।"

दूसरे शब्दों में, अपने ग्राहक, अपनी पत्नी या अपने विरोधी से बहस न करें। उन्हें यह न बताएँ कि वे ग़लत हैं। बस थोड़ी सी कूटनीति का प्रयोग करें।

सिद्धांत 2

दूसरे व्यक्ति के विचारों के प्रति सम्मान दिखाएँ। यह कभी न कहें, "आप ग़लत हैं।"

3

अगर ग़लती आपकी हो,
तो मान लें

मेरे घर के बिलकुल पास एक जंगल था जहाँ पर ऊँचे-ऊँचे पेड़ थे। वसंत ऋतु में यहाँ पर ब्लैकबेरी की झाड़ियाँ सफ़ेदी की छटा बिखेरती थीं, गिलहरियाँ अपने घर बनाती थीं और लंबी-लंबी घास उगा करती थी। इस सुंदर जंगल का नाम *फ़ॉरेस्ट पार्क* था और यह उसी तरह दिखता था जैसा यह उस समय रहा होगा जिस समय कोलंबस ने अमेरिका की खोज की थी। मैं अक्सर इस जंगल में अपने छोटे बोस्टन बुलडॉग रैक्स को घुमाने ले जाता था। रैक्स दोस्ताना क़िस्म का हानिरहित छोटा सा कुत्ता था और चूँकि जंगल में हमारे सिवा कोई नहीं होता था इसलिए मैं रैक्स को खुला छोड़ देता था।

एक दिन हमें वहाँ पर एक पुलिस वाला दिखा जो अपनी सत्ता के प्रदर्शन के लिए लालायित था।

"आपने कुत्ते को खुला क्यों छोड़ रखा है? इसे चेन में बाँधकर क्यों नहीं रखा? आप जानते हैं कि यह क़ानून के विरुद्ध है?" पुलिस वाले ने मुझे फटकारते हुए कहा।

"हाँ, मैं जानता हूँ," मैंने धीमे से जवाब दिया। "मुझे लगता है कि यह यहाँ किसी को नुक़सान नहीं पहुँचाएगा।"

"आपको लगता है, आपको लगता है! क़ानून को इस बात से कोई लेना-देना नहीं है कि आपको क्या लगता है। कुत्ता किसी

गिलहरी को मार सकता है या किसी बच्चे को काट सकता है। मैं आपको इस बार तो छोड़ रहा हूँ। परंतु अगर मैंने अगली बार कुत्ते को बिना ज़ंजीर के देखा, तो मैं आपको और आपके कुत्ते दोनों को अदालत के कटघरे में खड़ा कर दूँगा।"

मैंने अगली बार ऐसा न करने का वादा किया।

और मैंने अपना वादा निभाया भी- कुछ दिनों तक। पर न तो रैक्स को ज़ंजीर पसंद थी और न ही मुझे, इसलिए हमने क़िस्मत पर भरोसा करने का फ़ैसला किया। कुछ समय तक तो सब कुछ ठीकठाक रहा, परंतु एक दोपहर को जब मैं और रैक्स पहाड़ी पर दौड़ लगा रहे थे तो अचानक हमें फिर वही पुलिस वाला मिल गया। रैक्स आगे की तरफ़ दौड़ रहा था, सीधे पुलिस ऑफ़िसर की दिशा में।

मैं जानता था कि अब मैं बुरी तरह फँस चुका था। मैं अच्छी तरह से जानता था। इसलिए मैंने पुलिस ऑफ़िसर के बोलने का इंतज़ार नहीं किया। पुलिस वाले के कुछ कहने के पहले ही मैं बोल पड़ा, "ऑफ़िसर, आपने हमें रंगे हाथों पकड़ लिया है। मैं अपराधी हूँ। मैं कोई बहाना नहीं बनाना चाहता, कोई सफ़ाई नहीं देना चाहता। आपने मुझे पिछले हफ़्ते ही चेतावनी दी थी कि अगर मैंने अपने कुत्ते को बिना ज़ंजीर के घुमाया तो आप मुझ पर फ़ाइन कर देंगे। इसके बाद भी मैं अपने कुत्ते को बिना ज़ंजीर के घुमा रहा था।"

पुलिस वाले ने धीमे स्वर में कहा, "मैं जानता हूँ कि बिना ज़ंजीर के कुत्ता घुमाना सबको अच्छा लगता है, ख़ास तौर पर जब यहाँ आस-पास कोई नहीं है।"

"हाँ, अच्छा तो लगता है, परंतु यह क़ानून के ख़िलाफ़ है।" मैंने जवाब दिया।

"पर इतना छोटा कुत्ता किसी को क्या नुक़सान पहुँचाएगा ?" पुलिस वाले ने कहा।

"फिर भी, ऑफ़िसर, यह गिलहरियों को मार सकता है।"

"मुझे लगता है कि आप बात को कुछ ज़्यादा ही गंभीरता से

ले रहे हैं," उसने कहा। "आप कुत्ते को मेरी आँखों से दूर दौड़ जाने दें और फिर आप और मैं दोनों ही इस बात को भूल जाएँगे।"

पुलिस वाला भी इंसान था। वह भी महत्वपूर्ण दिखना चाहता था, इसलिए जब मैंने ख़ुद को दोष देना शुरू किया तो उसके पास अपने आत्मसम्मान को दर्शाने के लिए एक ही तरीक़ा था और वह था दया और उदारता दिखाना।

परंतु मान लीजिए मैं ख़ुद को बचाने की कोशिश करता तो फिर क्या होता? आप तो जानते ही हैं, पुलिस वाले से बहस में कोई नहीं जीत सकता।

उसके साथ शाब्दिक तलवारबाज़ी करने के बजाय मैंने मान लिया कि वह पूरी तरह सही था और मैं पूरी तरह ग़लत था। मैंने अपनी ग़लती तत्काल, पूरी तरह और उत्साह से मानी थी। इस मामले में मैंने उसका पक्ष लिया और उसने मेरा। इस तरह पूरा मामला अच्छी तरह से सुलझ गया। लॉर्ड चेस्टरफ़ील्ड भी इतने ज़्यादा अच्छे तरीक़े से उदारता नहीं दिखा सकते थे जितनी कि उस पुलिस ऑफ़िसर ने दिखाई थी जिसने एक हफ़्ते पहले ही मुझे अदालत के कटघरे का डर दिखाया था।

अगर आपकी ग़लती पर कोई आपको डाँटने वाला है, तो क्या यह बेहतर नहीं होगा कि हम ऐसा होने से पहले ही ख़ुद अपनी ग़लती मान लें, अपनी बुराई करने लगें बजाय इसके कि सामने वाला हमारी बुराई करे और हमें अपनी ग़लतियाँ बताए।

अपने बारे में उन सारी ग़लतियों का ज़िक्र करें जो आपके हिसाब से सामने वाला कहने वाला है या सोच रहा है- और बिना उसे मौक़ा दिए ख़ुद ही यह काम कर लें। सौ में से निन्यानवे बार सामने वाला आपके प्रति उदार और क्षमापूर्ण दृष्टिकोण अपनाएगा और आपकी ग़लतियों को कम करके बताएगा जैसा उस पुलिस वाले ने किया था।

कॉमर्शियल आर्टिस्ट फ़र्डिनन्ड ई. वॉरेन ने अपने एक चिड़चिड़े ग्राहक के सामने इसी तकनीक का इस्तेमाल किया।

"विज्ञापन और प्रकाशन के लिए ड्रॉइंग बनाते समय एकदम सटीक होना बहुत महत्वपूर्ण होता है," मिस्टर वॉरेन ने हमें यह कहानी सुनाते हुए कहा।

"कई आर्ट एडिटर्स बहुत जल्दी में अपना काम करवाते हैं और ऐसी स्थिति में छुटपुट ग़लतियों की संभावना होती है। मैं एक ऐसे आर्ट एडिटर को जानता हूँ जिसे छोटी-छोटी ग़लतियाँ ढूँढ़ने में हमेशा बहुत मज़ा आता है। उसके ऑफ़िस से निकलते समय मेरा मूड अक्सर ख़राब रहता है; आलोचना की वजह से नहीं, बल्कि उसके आक्रमण के तरीक़े की वजह से। हाल ही में मैंने एक जल्दी वाले काम को ताबड़तोड़ करके इस एडिटर के पास भिजवाया और उसने मुझसे तत्काल ऑफ़िस बुलवाया। फ़ोन पर उसने कहा कि मुझसे कोई ग़लती हुई थी। जब मैं पहुँचा, तो मैंने देखा कि माहौल बिलकुल वैसा ही था जैसी कि मैंने कल्पना की थी- और जिससे मैं डर रहा था। वह शत्रुतापूर्ण मूड में था और मन ही मन ख़ुश हो रहा था कि एक बार फिर उसे आलोचना करने का अवसर मिल गया। उसने गर्म होकर पूछा कि मैंने अमुक-अमुक चीज़ क्यों की। मैंने आपके कोर्स में पढ़ाए गए आत्म-आलोचना के सबक़ को आज़माने का निश्चय किया। इसलिए मैंने कहा, 'आप जो कह रहे हैं, सही है। मैं ग़लती पर हूँ और मेरी ग़लती के लिए मैं कोई बहाना भी नहीं बना सकता। मैं काफ़ी समय से ड्रॉइंग कर रहा हूँ और मुझसे इस तरह की ग़लती नहीं होनी चाहिए। मैं अपने आप पर शर्मिंदा हूँ।'

"तत्काल वह मेरा बचाव करने लगा, 'हाँ, आप ठीक कह रहे हैं। परंतु वैसे देखा जाए तो यह गंभीर ग़लती नहीं है। यह तो केवल-'

"मैंने उसे बीच में ही टोक दिया, 'कोई भी ग़लती महँगी साबित हो सकती है और उसकी वजह से चिढ़ तो होती ही है।'

"वह बीच में बोलना चाहता था, परंतु मैंने उसे बोलने का मौक़ा ही नहीं दिया। मुझे बहुत आनंद आ रहा था। अपने जीवन में पहली बार मैं ख़ुद की आलोचना कर रहा था- और मुझे इसमें

बहुत मज़ा आ रहा था।

"मैंने कहा, 'मुझे ज़्यादा सावधान रहना चाहिए था। आप मुझे बहुत सा काम देते हैं और मुझे आपके काम को सर्वश्रेष्ठ तरीक़े से करना चाहिए। इसलिए मैं इस ड्रॉइंग को दुबारा बनाकर दूँगा।'

"'नहीं, नहीं!' उसने विरोध किया। 'मैं आपको इतनी तकलीफ़ नहीं देना चाहूँगा।' उसने मेरे काम की तारीफ़ की और मुझे आश्वस्त किया कि इसमें केवल एक छोटे से सुधार की ज़रूरत है और मेरी छोटी सी ग़लती से उसकी फ़र्म को कोई नुक़सान नहीं होने वाला। और वैसे भी यह केवल तफ़सील यानी डिटेल्स की ग़लती है- जिस पर चिंता करने की कोई ज़रूरत नहीं है।

"ख़ुद की ग़लती तत्काल मान लेने से और ख़ुद की बुराई पहले ही कर देने से उसका ग़ुस्सा ठंडा पड़ गया। वह मुझे लंच पर ले गया और चलने से पहले उसने मुझे चेक दिया और दूसरा काम भी दिया।"

ख़ुद की ग़लती मानना हिम्मत का काम तो है ही, इसमें हमें संतुष्टि का एहसास भी होता है। इससे न सिर्फ़ हमारे भीतर का अपराधबोध और सुरक्षात्मकता समाप्त होते हैं, बल्कि इससे अक्सर ग़लती के कारण उत्पन्न समस्या को सुलझाने में भी मदद मिलती है।

अल्बकर्की, न्यू मेक्सिको के ब्रूस हार्वे ने मेडिकल लीव पर गए एक कर्मचारी को ग़लती से पूरी तनख़्वाह दे दी। जब उसे अपनी ग़लती का पता चला, तो उसने कर्मचारी से कहा कि वह उसकी अगली तनख़्वाह से यह पूरी राशि काट लेगा। कर्मचारी ने अनुरोध किया कि पूरी राशि एकमुश्त काटने से वह गंभीर आर्थिक समस्या में फँस जाएगा, इसलिए क़िस्तों में कटौती करना उचित होगा। ऐसा करने के लिए हार्वे को अपने सुपरवाइज़र से अनुमति लेने की आवश्यकता थी। हार्वे ने कहा, "और मैं जानता था कि ऐसा करने पर बॉस बहुत ग़ुस्सा होंगे। चूँकि यह सारा झमेला मेरी ग़लती की वजह से ही हुआ था, इसलिए मैंने यह फ़ैसला किया कि मैं बॉस के सामने अपनी ग़लती मान लूँगा।

"मैं बॉस के ऑफ़िस में गया और उन्हें बता दिया कि मुझसे एक ग़लती हो गई है और इसके बाद मैंने उन्हें पूरी बात बता दी। बॉस ने विस्फोटक स्वर में कहा कि यह मेरी नहीं, बल्कि पर्सनेल डिपार्टमेंट की ग़लती है। मैंने दोहराया कि नहीं, यह मेरी ही ग़लती थी। इस पर बॉस ने इसे अकाउंटिंग डिपार्टमेंट की लापरवाही बताया। एक बार फिर बॉस ने मेरा बचाव करते हुए इसका दोष दो लोगों पर मढ़ दिया। परंतु हर बार मैंने दोहराया कि ग़लती मेरी ही थी। अंत में, बॉस ने मेरी तरफ़ देखा और कहा, 'अच्छा, यह ग़लती आप ही की है। अब जाइए और ग़लती को ठीक कीजिए।' ग़लती ठीक कर दी गई और किसी को कोई तकलीफ़ नहीं हुई। मुझे बहुत अच्छा लगा क्योंकि मैं एक तनावपूर्ण परिस्थिति को अच्छे तरीक़े से सुलझाने में कामयाब हुआ था और मैंने बहाने बनाने के बजाय सही बात कहने का साहसिक विकल्प चुना था। इस घटना के बाद बॉस की नज़रों में मेरी इज़्ज़त पहले से बढ़ गई।"

कोई भी मूर्ख अपनी ग़लतियों के लिए बहाने बना सकता है- और ज़्यादातर मूर्ख ऐसा करते भी हैं। परंतु अपनी ग़लतियाँ मान लेने से आप भीड़ से अलग हो जाते हैं और आपको इसमें आनंद तथा प्रतिष्ठा का अनुभव भी होता है। उदाहरण के तौर पर, इतिहास रॉबर्ट ई. ली के बारे में जो सबसे रोचक बात बताता है वह यह है कि उन्होंने ख़ुद को और सिर्फ़ ख़ुद को गेटिसबर्ग के युद्ध में पिकेट के आक्रमण के बाद हुई पराजय के लिए दोषी माना।

इसमें कोई संदेह नहीं कि पिकेट का आक्रमण पश्चिमी जगत के इतिहास में हुआ सबसे शानदार और दर्शनीय आक्रमण था। जनरल जॉर्ज ई. पिकेट स्वयं दर्शनीय थे। उन्होंने अपने बाल इतने बढ़ा रखे थे कि वे उनके कंधों को छूते थे और नेपोलियन की ही तरह वे भी युद्ध के मैदान में लगभग हर रोज़ भावनात्मक उत्कटता से भरे प्रेमपत्र लिखा करते थे। उनके निष्ठावान सैनिकों ने उस दुखद जुलाई की दोपहर को उनका जोश बढ़ाते हुए नारे लगाए। पिकेट यूनियन लाइन्स की तरफ़ तेज़ी से आगे बढ़ चले और पूरी सेना उनके पीछे-पीछे चल दी। यह एक देखने लायक़ दृश्य था।

साहसिक। भव्य। यूनियन लाइन्स में जिसने भी यह दृश्य देखा, उसने इसकी सराहना की।

पिकेट की सेना आसानी से आगे की तरफ़ चल पड़ी और एक दर्रे को पार करती हुई आगे बढ़ी। इस पूरे समय दुश्मन की तोप के गोले उनकी सेना को निशाने पर लिए हुए थे। परंतु वे बिना डरे, बिना रुके आगे बढ़ते रहे।

अचानक सीमेट्री रिज की पत्थर की दीवार के पीछे से संघीय सेना प्रकट हुई जहाँ यह छुपी हुई थी और इसने पिकेट की आगे बढ़ रही सेना पर गोलाबारी शुरू कर दी। पहाड़ी की चोटी इस समय एक ज्वालामुखी की तरह जल रही थी, ऐसा लग रहा था जैसे यह क़त्ल का मैदान हो। कुछ ही मिनटों में एक को छोड़कर पिकेट के सभी ब्रिगेड कमांडर मौत के मुँह में समा गए और पाँच हज़ार सैनिकों की सेना में से सिर्फ़ एक हज़ार सैनिक ही ज़िंदा बचे।

जनरल ल्युइस ए. आर्मिस्टीड ने आख़िरी हमले में सैनिकों का नेतृत्व किया। वे आगे दौड़े, पत्थर की दीवार पर चढ़े और अपनी तलवार की नोक पर अपनी कैप को लहराते हुए चीख़े :

"मेरे बहादुर शेरों, उन्हें मज़ा चखा दो!"

सैनिकों ने ऐसा ही किया। उन्होंने दीवार को लाँघा, अपने दुश्मनों पर संगीनों से प्रहार किया और सीमेट्री रिज पर दक्षिण के झंडे गाड़ दिए।

यह झंडे सिर्फ़ एक पल के लिए ही वहाँ रहे। परंतु यह पल, चाहे यह कितना ही छोटा रहा हो, संघ के इतिहास का यादगार पल था।

पिकेट का आक्रमण अद्भुत और साहसिक होने के बावजूद अंत की शुरुआत थी। ली असफल हो गए थे। वे उत्तर दिशा को भेद नहीं पाए थे। और वे यह बात जानते थे।

दक्षिण का पतन तय था।

ली इतने दुखी थे, इतने सदमे में थे कि उन्होंने अपना इस्तीफ़ा

भिजवा दिया और संघ के प्रेसिडेंट जेफ़रसन डेविड से कहा कि वे उनकी जगह किसी "युवा और अधिक योग्य" व्यक्ति को नियुक्त कर दें। गेटिसबर्ग के युद्ध में पराजय के लिए जनरल ली अगर बहाना बनाना चाहते, तो वे बहुत सी बातों का बहाना बना सकते थे। उनके कई डिवीज़न कमांडरों ने उन्हें धोखा दिया था। पैदल सैनिकों के आक्रमण को सहारा देने के लिए घुड़सवार सेना समय पर नहीं आई थी। यह चीज़ ग़लत हुई थी, वह चीज़ गड़बड़ हुई थी।

परंतु जनरल ली इतने महान थे कि उन्होंने किसी दूसरे को दोष नहीं दिया। जब पिकेट के हारे और ख़ून से लथपथ सिपाही वापस आए तो रॉबर्ट ई. ली उनसे मिलने अकेले गए और उनका स्वागत आत्म-आलोचना से किया, जिसमें उनकी महानता झलकती थी। उन्होंने कहा, "सारी ग़लती मेरी ही थी। मैं और सिर्फ़ मैं ही इस हार के लिए ज़िम्मेदार हूँ।"

इतिहास में बहुत कम सेनापतियों ने इतने साहस और चारित्रिक दृढ़ता का परिचय दिया है।

माइकल च्यांग हमारे कोर्स हाँगकाँग में पढ़ाते हैं। उन्होंने हमें बताया कि किस तरह चीन की संस्कृति कई बार कुछ विशेष समस्याओं को जन्म देती है और किस तरह पुरानी परंपरा को बनाए रखने के बजाय हमें नए सिद्धांतों को अपनाने से लाभ होता है। उनकी क्लास में एक अधेड़ सदस्य था जिसका कई सालों से अपने पुत्र से मनमुटाव चल रहा था। पिता को अफ़ीम की लत थी, जो अब छूट गई थी। चीन में परंपरा यह है कि बड़े लोग माफ़ी माँगने के लिए पहला क़दम नहीं उठाते। इसलिए पिता को लग रहा था कि समझौते के लिए उसके पुत्र को ही पहल करनी चाहिए। शुरुआती सत्र में उसने क्लास को बताया कि उसने अपने पोतों का मुँह तक नहीं देखा और उसकी बहुत इच्छा थी कि उसके पुत्र और उसमें सुलह हो जाए। क्लास के सभी सदस्य चीन के थे और यह समझ सकते थे कि उसकी इच्छा और सदियों से चली आ रही परंपरा में कितना ज़बर्दस्त संघर्ष चल रहा होगा। पिता को यह लगता था कि नौजवान पीढ़ी को बुज़ुर्ग पीढ़ी का सम्मान करना

चाहिए और इस वजह से वह अपनी इच्छा के अनुसार क़दम न उठाने को सही ठहरा रहा था और इंतज़ार कर रहा था कि उसका पुत्र आएगा और उससे माफ़ी माँगेगा।

कोर्स के अंत में पिता ने एक बार फिर अपनी क्लास को संबोधित किया। उसने कहा, "मैंने समस्या पर अच्छी तरह विचार किया है। डेल कारनेगी कहते हैं, 'अगर ग़लती आपकी हो, तो तत्काल और पूरी तरह अपनी ग़लती मान लें।' हालाँकि मेरे लिए तत्काल अपनी ग़लती मानने में अब काफ़ी देर हो चुकी है, परंतु मैं अपनी ग़लती को पूरी तरह तो मान ही सकता हूँ। मैंने अपने पुत्र के साथ अन्याय किया है। इसमें उसका दोष नहीं है कि वह मुझे दुबारा नहीं देखना चाहता। इसमें उसका दोष नहीं है कि उसने मुझे अपनी ज़िंदगी से निकाल दिया है। हालाँकि अपनों से छोटे से माफ़ी माँगना हमारे यहाँ शर्म की बात समझी जाती है, परंतु ग़लती मेरी थी और इसे मानने की ज़िम्मेदारी भी मेरी है।" क्लास ने तालियाँ बजाकर उसकी बात का स्वागत किया और उसे अपना पूरा समर्थन दिया। अगली क्लास में उसने बताया कि वह किस तरह अपने पुत्र के घर गया, उससे माफ़ी माँगी और अब उनके रिश्ते सुधर गए हैं। अब उसकी बहू और पोते भी उसे पसंद करने लगे हैं, जिनसे वह आख़िरकार मिलने में कामयाब हो गया था।

अल्बर्ट हबार्ड देश के काफ़ी प्रतिष्ठित लेखक रहे हैं। अक्सर उनके चुभते हुए वाक्यों के कारण लोगों की भावनाएँ भड़क जाती थीं। परंतु हबार्ड में लोगों के साथ व्यवहार करने की वह दुर्लभ कला थी जिसकी वजह से वे अपने दुश्मनों को भी दोस्त बना लेते थे।

उदाहरण के तौर पर, जब कोई पाठक चिढ़कर उन्हें लिखता था कि वह उनके अमुक-अमुक लेख में व्यक्त विचारों से सहमत नहीं है और अंत में वह लिखता था कि उसकी नज़र में लेखक फलाना-ढिकाना है तो अल्बर्ट हबार्ड उस पत्र का जवाब कुछ इस तरह देते थे :

अगर सोचा जाए तो मैं भी आज की तारीख़ में अपने उस

लेख के विचारों से पूरी तरह सहमत नहीं हूँ। एक दिन मैं जो लिखता हूँ, वह अगले दिन मुझे ख़ुद ही अच्छा नहीं लगता। मुझे इस विषय पर आपके विचार जानकर ख़ुशी हुई। अगली बार आप जब भी इस तरफ़ आएँ, तो हम मिलकर इस बारे में विस्तार से चर्चा कर सकते हैं। तो हाल-फ़िलहाल तो मीलों दूर से ही मैं आपसे हाथ मिलाना चाहता हूँ।

भवदीय।

जो व्यक्ति पत्र का इस तरह जवाब दे, उसके बारे में आप क्या कह सकते हैं?

जब हम सही होते हैं, तो हमारा प्रयास यह होना चाहिए कि हम आहिस्ता से और कूटनीति से लोगों से अपनी बात मनवाने का प्रयास करें, और जब हम ग़लत हों - अगर हम ख़ुद के प्रति पूरी तरह ईमानदार रहेंगे तो ऐसा आश्चर्यजनक रूप से अक्सर होगा - तो हमें अपनी ग़लतियों को तत्काल और उत्साह से स्वीकार कर लेना चाहिए। इस तकनीक से न सिर्फ़ आश्चर्यजनक परिणाम मिलेंगे, परंतु यक़ीन कीजिए इससे आपको ख़ुद का बचाव करने की तुलना में अधिक आनंद भी मिलेगा।

पुरानी कहावत को याद कीजिए : "लड़ने से आपको पर्याप्त नहीं मिलता, परंतु हार मान लेने से आपको उम्मीद से ज़्यादा मिलता है।"

सिद्धांत 3

अगर ग़लती आपकी हो, तो तत्काल और पूरी तरह अपनी ग़लती मान लें।

4

शहद की बूँद

अगर आप ग़ुस्सा हैं और अगर आप सामने वाले को दो-चार बातें सुना देते हैं, तो इससे आपके दिल की भड़ास तो निकल जाएगी, पर सामने वाले पर क्या गुज़रेगी? क्या सामने वाले को भी आपके जितनी ख़ुशी मिलेगी? क्या आपके ग़ुस्से, आपके शत्रुतापूर्ण रवैये से वह आपकी बात मान लेगा?

वुडरो विल्सन ने कहा था, "अगर आप मेरी तरफ़ मुक्का ताने हुए आते हैं, तो मैं आपको यक़ीन दिलाता हूँ कि मैं भी अपना मुक्का तान लूँगा। परंतु अगर आप शांति से आकर मुझसे यह कहते हैं, 'चलिए, हम मिल-बैठकर चर्चा करते हैं और अगर हमारे बीच कुछ मतभेद हैं, तो यह समझने की कोशिश करते हैं कि किन-किन मुद्दों पर मतभेद हैं,' तो हमें जल्द ही पता चलेगा कि बहुत से मुद्दों पर हमारे विचार समान हैं और हमारे बीच बहुत कम मुद्दों पर मतभिन्नता है। और अगर हममें धैर्य हो, स्पष्टता से भावनाएँ व्यक्त करने की इच्छा हो और हम मिल-बैठकर चर्चा करने के लिए तैयार हों, तो हम अपने मतभेदों को दूर कर लेंगे।"

वुडरो विल्सन की इस बात का जॉन डी. रॉकफ़ेलर, जूनियर से अच्छा कोई उदाहरण नहीं हो सकता। 1915 में रॉकफ़ेलर को कॉलोरेडो में नफ़रत की निगाहों से देखा जाता था। दो साल से रॉकफ़ेलर की कंपनी में हड़ताल चल रही थी। यह अमेरिकी उद्योग के इतिहास में सबसे ख़ूँख़ार हड़ताल थी। ग़ुस्से से बौखलाए मज़दूर *कॉलोरेडो फ़्यूल एंड आइरन* कंपनी से ज़्यादा तनख़्वाह माँग रहे थे।

रॉकफ़ेलर के हाथ में उस कंपनी की बागडोर थी। मज़दूरों ने मशीनों और इमारतों में तोड़-फोड़ की और पुलिस को बुलाना पड़ा। काफ़ी ख़ूनख़राबा हुआ। हड़ताल करने वाले मज़दूरों पर गोलियाँ भी चलाई गईं और कई मज़दूर उन गोलियों के शिकार हुए।

ऐसे समय में जब हवा में इतनी नफ़रत फैली हुई थी, रॉकफ़ेलर हड़ताल करने वालों से अपनी बात मनवाना चाहते थे। और उन्होंने ऐसा कर भी लिया। कैसे ? यह रही कहानी। दोस्त बनाने में कई हफ़्ते लगाने के बाद रॉकफ़ेलर ने हड़तालियों के प्रतिनिधियों को संबोधित किया। उनका यह भाषण एक मास्टरपीस है। इसके आश्चर्यजनक परिणाम निकले। इससे नफ़रत की वे तूफ़ानी लहरें शांत हो गईं, जो रॉकफ़ेलर को डुबाने का इरादा रखती थीं। इस भाषण से उनके प्रशंसकों की संख्या बढ़ गई। इसमें तथ्यों को इस ढंग से प्रस्तुत किया गया था कि हड़ताल करने वाले कर्मचारी चुपचाप अपने काम पर वापस चले गए और उन्होंने वेतन बढ़ाने के बारे में एक शब्द भी नहीं कहा, जिस बात को लेकर इतना बवाल मचा था।

इस ऐतिहासिक भाषण की शुरुआत आगे दी गई है। यह देखें कि इसमें दोस्ती की झलक है। रॉकफ़ेलर उन लोगों से बात कर रहे थे, जो कुछ दिन पहले उनका गला घोंट देने का इरादा रखते थे और यह चाहते थे कि उन्हें किसी पेड़ पर फाँसी लगाकर मार दिया जाए। परंतु रॉकफ़ेलर इतने अधिक दोस्ताना थे, इतने अधिक उदार थे मानो वे मेडिकल मिशनरीज़ को संबोधित कर रहे थे। उनके भाषण में इस तरह के वाक्यांश थे : मुझे *गर्व* है कि मैं यहाँ हूँ; मैं आपके *घरों* में मेहमान बनकर *गया था*; मैं आपकी पत्नियों और बच्चों से मिल चुका हूँ; हम यहाँ अजनबियों की तरह नहीं, बल्कि *दोस्तों* की तरह मिल रहे हैं, और हमारे *हित साझा* हैं और *आपकी* सदाशयता की वजह से ही मैं यहाँ पर हूँ।

रॉकफ़ेलर ने अपने भाषण की शुरुआत कुछ इस तरह की, "मेरे जीवन का यह बहुत महत्वपूर्ण दिन है। पहली बार मुझे इस महान कंपनी के कर्मचारी प्रतिनिधियों से मिलने का सौभाग्य मिल

रहा है। मुझे आपसे मिलने में गर्व का अनुभव हो रहा है और मैं इस मुलाक़ात को ज़िंदगी भर नहीं भूलूँगा। अगर यह बैठक दो हफ़्ते पहले हुई होती, तो मैं यहाँ आपके सामने किसी अजनबी की तरह खड़ा होता और केवल कुछ ही लोगों को पहचान पाता। परंतु पिछले हफ़्ते मैं दक्षिणी कोयला क्षेत्र के सभी कैंपों में घूम चुका हूँ और मैं आप सभी के घर जाकर आप सबसे व्यक्तिगत रूप से मिल चुका हूँ और मैं आपके बीवी-बच्चों से भी मिला हूँ। हम यहाँ पर अजनबियों की तरह नहीं, बल्कि दोस्तों की तरह मिल रहे हैं। और मैं इसी दोस्ताना माहौल में आपके और अपने साझा हितों के संबंध में कुछ चर्चा करना चाहता हूँ।

"चूँकि यह कंपनी के अफ़सरों और कर्मचारियों के प्रतिनिधियों की मीटिंग है इसलिए आपकी सदाशयता की वजह से ही मैं यहाँ पर हूँ क्योंकि मैं दुर्भाग्य से इन दोनों श्रेणियों में नहीं आता। परंतु मुझे लगता है कि मैं आप लोगों से अंतरंगता से जुड़ा हुआ हूँ और एक तरह से मैं स्टॉकहोल्डर्स और डायरेक्टर्स का प्रतिनिधि हूँ।"

क्या यह दुश्मनों को दोस्त बनाने की कला का बेहतरीन उदाहरण नहीं है ?

मान लीजिए रॉकफ़ेलर ने दूसरी ही शैली में बात की होती। मान लीजिए उन्होंने हड़तालियों को दोषी ठहराया होता, उनके सामने विनाशकारी तथ्य प्रकट किए होते, उन्हें धमकाया होता। मान लीजिए उन्होंने अपनी आवाज़ की टोन और हावभाव से यह बताया होता कि वे ग़लत थे। मान लीजिए उन्होंने तर्कशास्त्र के समस्त नियमों का प्रयोग करते हुए यह साबित कर दिया होता कि मज़दूर ग़लत थे। तो क्या होता ? इसका परिणाम यह होता कि दोनों ही पक्षों में तनाव बढ़ता, नफ़रत बढ़ती, विद्रोह बढ़ता।

अगर किसी मनुष्य के दिल में आपके प्रति दुर्भावना और विद्वेष है तो आप तर्कशास्त्र के सहारे उससे अपनी बात नहीं मनवा सकते। डाँटने वाले माँ-बाप, फटकारने वाले बॉस और पति, तथा

चिड़चिड़ी पत्नियों को यह समझ लेना चाहिए कि लोग अपने विचार नहीं बदलना चाहते। शक्ति के प्रयोग द्वारा उन्हें इस बात के लिए मजबूर नहीं किया जा सकता कि वे आपसे या मुझसे सहमत हो जाएँ। परंतु अगर हम उनके प्रति विनम्र और दोस्ताना व्यवहार करें तो शायद हम उनसे अपनी बात मनवा सकें।

लिंकन ने यही बात सौ साल पहले कही थी। यह रहे उनके शब्द :

एक पुरानी और सच्ची कहावत है, "एक गैलन सिरके के बजाय शहद की एक बूँद से ज़्यादा मक्खियाँ पकड़ी जा सकती हैं।" इसी तरह अगर आप किसी का दिल जीतना चाहते हैं, उसे अपने पक्ष में करना चाहते हैं तो पहले उसे यह एहसास दिलवाएँ कि आप उसके मित्र हैं। यही वह शहद की बूँद है जो उसके दिल को जकड़ लेगी और यही वह महान राह है जिसके द्वारा आप उसके विचारों को भी बदल सकते हैं।

बिज़नेस एक्ज़ीक्यूटिव्ज़ जान चुके हैं कि हड़तालियों के प्रति दोस्ताना रवैये से लाभ होता है। उदाहरण के तौर पर, *व्हाइट मोटर कंपनी* के 2,500 कर्मचारी जब वेतन बढ़ाने और यूनियन शॉप की माँग को लेकर हड़ताल पर गए तो कंपनी के प्रेसिडेंट रॉबर्ट एफ़. ब्लैक ने अपना आपा नहीं खोया। उन्होंने उनकी आलोचना नहीं की, उन्हें डराया-धमकाया नहीं, उन्होंने साम्यवाद या तानाशाही का ज़िक्र नहीं किया। इसके बजाय, उन्होंने दरअसल हड़तालियों की तारीफ़ की। उन्होंने क्लीवलैंड के अख़बारों में एक विज्ञापन प्रकाशित करवाया जिसमें हड़तालियों के "शांतिपूर्ण तरीक़े से हड़ताल करने के लिए" उनकी तारीफ़ की गई थी। हड़तालियों को बेकार बैठे देखकर उन्होंने उनके लिए दो दर्जन बेसबॉल बैट और ग्लव्ज़ भी ख़रीद लिए और उन्हें ख़ाली जगहों पर बेसबॉल खेलने का सुझाव दिया। बॉलिंग में दिलचस्पी रखने वालों के लिए उन्होंने एक बॉलिंग एली को किराए पर भी ले लिया और मज़दूरों को वहाँ खेलने का न्यौता दिया।

ब्लैक की दोस्ताना पहल का वही असर हुआ जो दोस्ती का

हमेशा होता है : इसके जवाब में कर्मचारियों ने भी दोस्ताना जवाब दिया। हड़तालियों ने बेलचे, फावड़े उठाए और फ़ैक्टरी के चारों तरफ़ जमा काग़ज़, माचिस, सिगरेट के ठूंठों का कचरा साफ़ कर दिया। कल्पना कीजिए! कल्पना कीजिए कि हड़ताल पर गए कर्मचारी अधिक वेतन और यूनियन की मान्यता के लिए संघर्ष करते हुए फ़ैक्टरी के आस-पास जमा कचरे को साफ़ कर रहे थे। इस तरह की घटना अमेरिका की औद्योगिक हड़तालों के लंबे और तूफ़ानी इतिहास में पहले कभी नहीं हुई थी। यह हड़ताल एक सप्ताह में ही समाप्त हो गई और कटुता या तनाव पैदा होने का तो सवाल ही नहीं था।

डेनियल वेब्स्टर जो ईश्वर की तरह दिखते थे और देवदूतों की तरह बात करते थे, दुनिया के महानतम वकीलों में से एक थे। परंतु वे अपने सबसे सशक्त तर्कों को इस तरह की दोस्ताना टिप्पणियों से शुरू करते थे : "जूरी को इस बात पर ध्यान देना चाहिए," "शायद इससे यह पता चलता है," या "हमें इन तथ्यों को नहीं भूलना चाहिए," या "आप जैसे बुद्धिमान लोग आसानी से इन तथ्यों के महत्व को समझ सकते हैं।" कहीं कोई आक्रामकता नहीं, कहीं कोई दबाव नहीं, अपने विचार दूसरों पर थोपने का कोई इरादा नहीं। वेब्स्टर की इसी दोस्ताना, शांत और मृदु शैली की वजह से वे इतने सफल और महान वकील बन पाए।

हो सकता है कि आपके जीवन में हड़ताल तोड़ने या किसी मुकदमे की पैरवी करने की नौबत न आए, पर शायद आपको अपना किराया कम करवाना हो। क्या तब यह दोस्ताना शैली आपके काम आएगी ? आइए देखते हैं।

ओ. एल. स्ट्रॉब एक इंजीनियर थे। वे अपने मकान का किराया कम करवाना चाहते थे, परंतु वे यह भी जानते थे कि उनका मकान मालिक बहुत कड़क था। मिस्टर स्ट्रॉब ने हमारी क्लास में बताया, "मैंने मकान मालिक को लिख दिया कि मैं अपनी लीज़ के ख़त्म होते ही मकान ख़ाली करना चाहता हूँ। सच बात तो यह थी कि मैं मकान नहीं छोड़ना चाहता था। अगर मेरा किराया

कम हो जाता, तो मैं ख़ुशी-ख़ुशी वहीं पर रहता। परंतु इसकी कोई संभावना नहीं थी। दूसरे किराएदारों ने ऐसी कोशिश की थी और वे कामयाब नहीं हुए थे। सबने मुझसे यही कहा कि मकान मालिक से किराया कम करवाना लगभग असंभव है। परंतु मैंने ख़ुद से कहा, 'मैं लोगों को प्रभावित करने की कला का कोर्स कर रहा हूँ, इसलिए मैं अपने मकान मालिक पर कुछ सिद्धांतों का प्रयोग करके यह देखूँगा कि वे सिद्धांत कितने कारगर हैं।'

"पत्र मिलते ही वह अपने सेक्रेटरी के साथ मुझसे मिलने आया। मैंने दरवाज़े पर दोस्ताना अभिवादन के साथ उसका स्वागत किया। मेरे व्यवहार से सद्भाव और उत्साह साफ़-साफ़ झलक रहे थे। मैंने यह नहीं कहा कि किराया बहुत ज़्यादा था। मैंने शुरुआत इस बात से की कि मुझे उसका घर कितना पसंद था। यक़ीन मानिए, मैंने उसके मकान की दिल खोलकर तारीफ़ की। मैंने उसे यह भी बताया कि वह अपने मकान की बहुत अच्छी तरह देखभाल करता है। इसके बाद मैंने उसे बताया कि दरअसल मैं अगले साल भी इतने अच्छे मकान में रहना चाहता था, परंतु मैं मजबूर था; मैं इतना ज़्यादा किराया नहीं दे सकता था।

"ज़ाहिर था कि कोई किराएदार उससे इस तरह पेश नहीं आया था। उसे समझ नहीं आ रहा था कि वह ऐसी परिस्थिति में क्या करे।

"उसने मुझे अपनी मुश्किलों के बारे में बताया। वह हमेशा शिकायत करने वाले किराएदारों से परेशान था। एक किराएदार ने तो उसे चौदह पत्र लिखे थे जिनमें से कुछ तो बदतमीज़ी भरे थे। दूसरे किराएदार ने इसलिए मकान छोड़ने की धमकी दी थी क्योंकि ऊपर वाली मंज़िल का किराएदार खर्राटे भरता था। उसने कहा, 'आपकी तरह के संतुष्ट किराएदार को देखकर कितना अच्छा लगता है।' और फिर उसने बिना मेरे कहे किराए को थोड़ा कम करने का प्रस्ताव दिया। मैं ज़्यादा कटौती चाहता था, इसलिए मैंने उसे बता दिया कि मैं उसे कितना किराया दे सकता हूँ, और उसने विरोध में कुछ कहे बिना मेरी बात मान ली।

"जब वह चलने लगा तो उसने पलटकर मुझसे पूछा, 'आप अपने मकान में किस तरह का डेकोरेशन पसंद करेंगे?'

"अगर मैंने किराया कम करवाने के लिए दूसरे किराएदारों के तरीक़ों का प्रयोग किया होता, तो निश्चित रूप से मैं भी उन्हीं की तरह असफल हुआ होता। दोस्ताना, सहानुभूतिपूर्ण, प्रशंसात्मक तरीक़े से ही मैं सफल हो पाया।"

पेनसिल्वेनिया के पिट्सबर्ग में रहने वाले डीन वुडकॉक स्थानीय इलेक्ट्रिक कंपनी के एक डिपार्टमेंट में सुपरिंटेंडेंट हैं। उनके स्टाफ़ को एक खंभे पर लगे किसी उपकरण की मरम्मत करने का काम दिया गया। इस तरह का काम पहले किसी दूसरे डिपार्टमेंट के पास था और यह काम वुडकॉक के डिपार्टमेंट को हाल ही में दिया गया था। हालाँकि उसके कर्मचारियों को इस काम का प्रशिक्षण दिया गया था, परंतु यह पहली बार था जब उन्हें वास्तव में इस काम को करने का अवसर मिला था। कंपनी का हर आदमी यह देखना चाहता था कि वे इस काम को कर सकते हैं या नहीं, और अगर वे करते हैं तो किस तरह से करते हैं। मिस्टर वुडकॉक, उसके अधीनस्थ मैनेजर और डिपार्टमेंट के दूसरे सदस्य इस काम को देखने के लिए गए। कई कार और ट्रक वहाँ पर खड़े थे और बहुत से लोग खंभे पर चढ़े दोनों आदमियों को देखने के लिए जमा हो गए थे।

तभी वुडकॉक को सड़क पर खड़ी एक कार में से एक आदमी उतरता हुआ दिखा जिसके हाथ में कैमरा था। उनकी कंपनी सार्वजनिक छवि को लेकर बहुत अधिक सजग थी। वुडकॉक के मन में विचार आया कि कैमरा लिए हुए आदमी को शायद ऐसा लगेगा जैसे दो आदमियों के काम के लिए दर्जनों लोग बेवजह ही इकट्ठा हुए हैं। वे फ़ोटोग्राफ़र की तरफ़ आगे बढ़े।

"मुझे लगता है कि आप हमारे काम में रुचि ले रहे हैं।"

"हाँ, और मेरी माँ तो और भी अधिक रुचि लेंगी। वे आपकी कंपनी की स्टॉकहोल्डर हैं। इससे उनकी आँखें खुल जाएँगी। अब उन्हें यह समझ में आ जाएगा कि उन्होंने ग़लत जगह निवेश कर

दिया है। मैं उन्हें सालों से समझा रहा हूँ कि आप जैसी कंपनी में निवेश करना पैसे की बर्बादी है। अब यह सही साबित होगा। अख़बार वालों को भी यह तस्वीरें पसंद आएँगी।"

"आप ठीक कह रहे हैं। आपकी जगह मैं होता, तो मैं भी इसी तरह से सोचता। परंतु यह एक विशेष परिस्थिति है..." और फिर डीन वुडकॉक ने उसे बताया कि यह उनके डिपार्टमेंट का पहला काम है और इसलिए उनकी कंपनी के एक्ज़ीक्यूटिव से लेकर कर्मचारियों तक सभी इसकी सफलता में रुचि ले रहे हैं। उन्होंने उस व्यक्ति को आश्वस्त किया कि सामान्य परिस्थितियों में इस काम को केवल दो ही लोग कर रहे होते। यह सुनकर फ़ोटोग्राफ़र ने अपना कैमरा रख दिया, उसने वुडकॉक से हाथ मिलाया और उसे धन्यवाद दिया कि उसने इतनी अच्छी तरह से पूरा मामला समझा दिया।

डीन वुडकॉक की दोस्ताना शैली ने उसकी कंपनी को नीचा दिखने और बुरे प्रचार से बचा लिया था।

हमारी क्लास के एक और सदस्य न्यू हैंपशायर के जेराल्ड एच. विन ने बताया कि किस तरह दोस्ताना शैली की वजह से उन्हें एक *डैमेज क्लेम* पर संतोषजनक सेटलमेंट हासिल हुआ।

उन्होंने कहा, "वसंत की शुरुआत में जब ज़मीन पर बर्फ़ जमी हुई थी तब भारी बारिश हुई। आम तौर पर नज़दीकी नालियों में बह जाने वाला पानी उस इलाक़े में घुस आया जिसमें मैंने हाल ही में घर बनवाया था।

"पानी के निकलने की कोई जगह नहीं थी, इसलिए घर की नींव के चारों तरफ़ दबाव पड़ने लगा। पानी कंक्रीट के बेसमेंट फ़्लोर को तोड़ता हुआ अंदर घुस आया और पूरा बेसमेंट पानी से भर गया। इससे फ़रनेस और हॉट वॉटर हीटर बर्बाद हो गए। इस नुक़सान की मरम्मत करवाने का ख़र्च दो हज़ार डॉलर से अधिक था। मेरे पास इस तरह के नुक़सान के लिए कोई बीमा भी नहीं था।

"परंतु मैंने जल्दी ही इस बात का पता लगा लिया कि सबडिवीज़न के मालिक ने घर के पास स्टॉर्म ड्रेन बनाने का कष्ट

नहीं किया था। अगर स्टॉर्म ड्रेन होता तो इस समस्या से बचा जा सकता था। मैंने उससे मिलने के लिए अपॉइंटमेंट लिया। उसके ऑफ़िस तक जाते हुए पच्चीस मील लंबी यात्रा में मैंने स्थिति का पूरा अवलोकन किया और इस कोर्स में सीखे गए सिद्धांतों को ध्यान में रखते हुए मैंने फ़ैसला किया कि ग़ुस्सा होने से मुझे कोई फ़ायदा नहीं होगा। जब मैं पहुँचा तो मैं शांत रहा और मैंने शुरुआत में उससे उसकी हाल की वेस्ट इंडीज़ यात्रा के बारे में पूछा। फिर जब मुझे लगा कि सही समय आ गया है तो मैंने उसे बताया कि पानी की वजह से मुझे 'थोड़ा सा' नुक़सान हुआ है। वह तत्काल मान गया कि वह इस समस्या को हल करने में अपनी तरफ़ से पूरा सहयोग देगा।

"कुछ दिनों बाद वह आया और उसने कहा कि वह नुक़सान की भरपाई कर देगा और साथ ही वह स्टॉर्म ड्रेन भी बना देगा ताकि भविष्य में इस तरह के नुक़सान की संभावना ही न रहे।

"हालाँकि यह सबडिवीज़न के मालिक की ही ग़लती थी, परंतु अगर मैंने दोस्ताना तरीक़े से चर्चा शुरू नहीं की होती तो शायद वह पूरे नुक़सान की भरपाई करने के लिए इतनी आसानी से तैयार नहीं होता।"

सालों पहले उत्तर-पश्चिमी मिसूरी में पढ़ने वाले देहाती बच्चों की तरह मैं नंगे पैर जंगल में से गुज़रकर जाया करता था। मैंने अपने बचपन में सूर्य और हवा की नीतिकथा पढ़ी थी। दोनों में बहस हो रही थी कि कौन ज़्यादा ताक़तवर है। हवा ने कहा, "मैं अभी साबित कर देती हूँ कि कौन ज़्यादा ताक़तवर है। कोट पहने उस बूढ़े आदमी को देख रहे हो? मैं शर्त लगाती हूँ कि मैं इस बूढ़े आदमी के कोट को तुमसे जल्दी उतरवा सकती हूँ।"

सूर्य बादलों के पीछे चला गया और हवा तेज़ी से चलने लगी, इतनी तेज़ जैसे तूफ़ान आ गया हो। परंतु हवा जितनी तेज़ चलती थी, बूढ़ा आदमी अपने कोट को उतना ही कसकर पकड़ लेता था।

आख़िरकार, हवा ने हार मान ली और एक बार फिर अपनी

सामान्य रफ़्तार से चलने लगी। इसके बाद सूर्य बादलों के पीछे से निकला और बूढ़े आदमी पर दयालुता से मुस्कराया। बूढ़े आदमी ने अपना पसीना पोंछा और अपना कोट उतार दिया। तब सूर्य ने हवा को समझाया कि शक्ति और क्रोध के बजाय दयालुता और दोस्ती से कोई काम करवाना ज़्यादा आसान होता है।

जो लोग यह जान चुके हैं कि एक गैलन सिरके के बजाय एक बूँद शहद से ज़्यादा मक्खियाँ पकड़ी जा सकती हैं, वे विनम्र और दोस्ताना शैली का ही प्रयोग करते हैं। जब लूथरविले, मैरीलैंड के एफ़. गैल कॉनर अपनी चार महीने पुरानी कार को कार डीलर के सर्विस डिपार्टमेंट में तीसरी बार लेकर गए तो उन्होंने इसी शैली का प्रयोग किया। उन्होंने हमारी कक्षा में बताया : "यह स्पष्ट था कि सर्विस मैनेजर से बहस करने, उससे तर्क करने या उस पर चिल्लाने से मेरी समस्या सुलझने वाली नहीं थी।

"मैं शोरूम में गया और एजेंसी के मालिक मिस्टर व्हाइट से मिलने का अनुरोध किया। थोड़ी देर इंतज़ार करने के बाद, मुझे मिस्टर व्हाइट के ऑफ़िस में भेजा गया। मैंने अपना परिचय दिया और उन्हें बताया कि मैंने उनकी डीलरशिप से कार इसलिए ख़रीदी थी क्योंकि उनके यहाँ से कार ख़रीदने वाले मेरे कुछ दोस्तों ने मुझे ऐसा करने की सलाह दी थी। मुझे बताया गया था कि आपकी क़ीमतें बहुत वाजिब हैं और आपकी सर्विस बहुत अच्छी है। मेरी बात सुनते ही मिस्टर व्हाइट के चेहरे पर मुस्कान खिल गई। फिर मैंने उन्हें बताया कि मुझे सर्विस डिपार्टमेंट से क्या समस्या आ रही है। 'मुझे लगा शायद आप ऐसी स्थिति को जानना चाहेंगे जिससे आपकी प्रतिष्ठा पर दाग़ लग सकता है,' मैंने आगे कहा। उन्होंने मुझे यह बात बताने के लिए धन्यवाद दिया और मुझे आश्वस्त किया कि मेरी समस्या सुलझ जाएगी। न सिर्फ़ उन्होंने ख़ुद व्यक्तिगत रूप से मेरी समस्या में रुचि ली बल्कि जब तक मेरी कार सुधर रही थी, तब तक के लिए उन्होंने मुझे अपनी कार भी उधार दे दी।"

ईसप एक ग्रीक दास थे जो क्रॉसियस के दरबार में रहते थे।

उन्होंने ईसा मसीह से छह सौ साल पहले अपनी अमर कथाएँ लिखी थीं। परंतु मानव स्वभाव के बारे में जिन सच्चाइयों को उन्होंने उजागर किया था वे आज के बॉस्टन और बर्मिंघम में भी उतनी ही सही हैं जितनी कि वे छब्बीस सदी पहले एथेन्स में थीं। हवा की बजाय सूर्य आपका कोट अधिक जल्दी उतरवा सकता है; और ग़ुस्से या आलोचना की बजाय दयालु, दोस्ताना शैली और सराहना से लोगों की मानसिकता अधिक तेज़ी से बदल सकती है।

याद रखें लिंकन ने क्या कहा था : "एक गैलन सिरके के बजाय शहद की एक बूँद से ज़्यादा मक्खियाँ पकड़ी जा सकती हैं।"

सिद्धांत 4
दोस्ताना तरीक़े से शुरू करें।

5

सुकरात का रहस्य

लोगों से बात शुरू करते समय आप अपने मतभेदों का ज़िक्र सबसे पहले न करें। आप पहले उन बातों पर ज़ोर दीजिए और ज़ोर देते रहिए जिन पर आप दोनों सहमत हों। यदि संभव हो तो इस बात पर ज़ोर दीजिए कि आप दोनों का लक्ष्य एक ही है और आपमें अंतर सिर्फ़ उस साधन का है जिसके माध्यम से आप लक्ष्य तक पहुँचना चाहते हैं।

शुरुआत से ही सामने वाले व्यक्ति से "हाँ, हाँ" कहलवाते रहिए। जहाँ तक हो सके ऐसी नौबत ही न आने दें कि सामने वाला व्यक्ति "ना" कहे।

एक बार सामने वाला "ना" कर देता है, तो प्रोफ़ेसर ओवरस्ट्रीट के अनुसार, बाद में उसे टस से मस करना मुश्किल होता है। एक बार "ना" कहने के बाद आपके व्यक्तित्व का गर्व यह माँग करता है कि आप अपनी बात पर अड़े रहें। आपको बाद में लग सकता है कि आपने ग़लती से "ना" कह दिया था, परंतु आप अपने गर्व के कारण यह स्वीकार नहीं करना चाहते। आपने एक बार जो कह दिया, आप फिर उस पर अड़े रहना चाहते हैं। इसलिए यह बहुत महत्वपूर्ण हो जाता है कि बातचीत की शुरुआत "हाँ" से हो।

समझदार वक्ता अपने श्रोताओं से शुरू से ही "हाँ" कहलवाता जाता है। इस तरह श्रोताओं की मानसिकता सकारात्मक दिशा में

बन जाती है। यह किसी बिलियर्ड की गेंद की गति की तरह है। एक दिशा में जाने के बाद इसकी दिशा बदलने के लिए शक्ति की आवश्यकता होती है और इसे विपरीत दिशा में ले जाने के लिए तो बहुत अधिक शक्ति की ज़रूरत पड़ती है।

यहाँ पर मनोवैज्ञानिक पैटर्न बहुत स्पष्ट है। जब कोई व्यक्ति "ना" कहता है और वह वास्तव में नकारात्मक होता है तो वह सिर्फ़ इस शब्द को कहने से कुछ अधिक कर रहा है। उसका पूरा शरीर – उसकी ग्रंथियाँ, उसका नर्वस सिस्टम और उसका मांसपेशीय तंत्र – सभी एक नकारात्मक स्थिति में आ जाते हैं। आम तौर पर बहुत सूक्ष्म परंतु नज़र में आने वाले लक्षण देखे जा सकते हैं कि शारीरिक अलगाव है या उसकी तैयारी है। पूरा न्यूरोमस्कुलर सिस्टम स्वीकार करने के विरोध में हो जाता है। इसके विपरीत जब कोई व्यक्ति "हाँ" कहता है तो अलगाव के कोई लक्षण नज़र नहीं आते। पूरा सिस्टम आगे की तरफ़ बढ़ने वाला, स्वीकार करने वाला और खुला होता है। इसलिए हम शुरुआत में ही सामने वाले से जितनी बार "हाँ" कहलवाते हैं, हम अपने अंतिम प्रस्ताव को मनवाने में सफल होने के उतने ही क़रीब आते हैं।

"हाँ" कहलवाने की यह तकनीक बहुत आसान है। फिर भी इसे अक्सर नज़रअंदाज़ किया जाता है। ऐसा लगता है कि ज़्यादातर लोग शुरुआत में ही विरोध प्रदर्शन करके अपना महत्व साबित करना चाहते हैं।

जब कोई विद्यार्थी या कोई ग्राहक, बच्चा, पति या पत्नी शुरू में "ना" कह देता है तो फिर उससे "हाँ" कहलवाने के लिए आपको देवदूतों की बुद्धिमानी और धैर्य की ज़रूरत होती है।

"हाँ" कहलवाने की इसी तकनीक के कारण न्यूयॉर्क में *ग्रीनविच सेविंग्स बैंक* के टेलर जेम्स एबरसन एक ग्राहक को अपनी बैंक में खाता खोलने के लिए तैयार कर पाए।

मिस्टर एबरसन ने कहा, "यह आदमी हमारी बैंक में खाता खोलना चाहता था। मैंने उसे भरने के लिए सामान्य फ़ॉर्म दिया।

उसने कुछ सवालों के जवाब तो इच्छा से दिए, परंतु कुछ सवालों के जवाब देने से उसने साफ़ इंकार कर दिया।

"मानवीय संबंधों पर कोर्स में भाग लेने से पहले यदि ऐसा होता तो मैं इस संभावित ग्राहक से साफ़ कह देता कि अगर वह इन सवालों के जवाब नहीं देगा तो हम उसका खाता नहीं खोल पाएँगे। मुझे यह स्वीकार करने में शर्म आती है कि मैं अतीत में इस तरह की बातें कई बार कह चुका हूँ। स्वाभाविक रूप से इस तरह का अल्टीमेटम देने के बाद मुझे ख़ुशी का एहसास होता। मैं इस तरह बता देता था कि बॉस कौन था और बैंक के नियम-क़ायदों की अवहेलना नहीं की जा सकती। परंतु यह बात तो तय थी कि मेरे इस तरह के रवैये से सामने वाले उस व्यक्ति को महत्त्व और स्वागत का एहसास नहीं होता, जो हमारी बैंक में ग्राहक बनने के लिए आया था।

"इस दिन मैंने थोड़ी बुद्धि के प्रयोग का फ़ैसला किया। मैंने निश्चय किया कि मैं उसे यह नहीं बताऊँगा कि बैंक क्या चाहती थी, बल्कि यह बताऊँगा कि उन सवालों के जवाब देना ग्राहक के अपने हित में था। और सबसे बड़ी बात तो यह, कि मैंने उसे शुरू से ही 'हाँ', 'हाँ' कहने के लिए विवश कर दिया। मैंने उसे बताया कि अगर वह जानकारी नहीं देता है, तो उससे बैंक को कोई फ़र्क़ नहीं पड़ेगा।

"फिर मैंने उससे कहा, 'परंतु अगर आपकी मृत्यु हो जाए, तो क्या आप नहीं चाहेंगे कि आपका पैसा आपके वारिस को मिले, जो कि क़ानूनन उसे मिलना चाहिए।'

"'बिलकुल,' उसने जवाब दिया।

"मैंने कहा, 'क्या आपको नहीं लगता कि आप हमें अपने वारिस का नाम बता दें ताकि हम आपकी इच्छानुसार आपकी मृत्यु के बाद पैसा उसे बिना देरी या ग़लती के दे सकें।'

"एक बार फिर उसने कहा, 'हाँ।'

"उस व्यक्ति का मूड बदल गया था क्योंकि अब वह जान गया था कि यह जानकारी बैंक के फ़ायदे के लिए नहीं, बल्कि उसी के अपने फ़ायदे के लिए ज़रूरी थी। बैंक से रवाना होने से पहले न सिर्फ़ वह मुझे पूरी जानकारी देकर गया बल्कि उसने मेरे सुझाव पर अपनी माँ के नाम पर एक ट्रस्ट अकाउंट भी खोल दिया। यही नहीं, उसने अपनी माँ के बारे में पूछे गए सभी सवालों के जवाब भी ख़ुशी-ख़ुशी दिए।

"मैंने पाया कि शुरुआत से ही उससे 'हाँ, हाँ' करवाने से वह भूल गया कि मुद्दा क्या था और वह मेरे सुझावों को एक के बाद एक मानता गया।"

जोसेफ़ एलिसन *वेस्टिंगहाउस इलेक्ट्रिक कंपनी* के सेल्समैन थे। उन्होंने हमें अपनी कहानी बताई, "मेरे इलाक़े में एक आदमी था, जिसे हमारी कंपनी सामान बेचना चाहती थी। मुझसे पहले वाला सेल्समैन दस साल तक कोशिश कर चुका था। जब मैंने वह इलाक़ा सँभाला तो तीन साल तक मैंने भी कोशिश की परंतु मुझे कोई ऑर्डर नहीं मिला। आख़िरकार तेरह साल की मेहनत के बाद हम उसे कुछ मोटर बेचने में कामयाब हुए। मुझे ऐसी आशा थी कि यदि हमारी मोटर उसे पसंद आ जाएँगी तो वह हमसे बहुत सी मोटरें और ख़रीद लेगा।

"मुझे विश्वास था कि हमारी मोटरें उसे निश्चित रूप से पसंद आएँगी, इसलिए जब तीन हफ़्तों बाद मैं उससे मिलने गया तो मैं अच्छे मूड में था।

"परंतु चीफ़ इंजीनियर ने मुझे सदमा पहुँचाने वाली ख़बर सुनाई, 'एलीसन, मैं आपसे बाक़ी मोटरें नहीं ख़रीदना चाहता।'

"'क्यों,' मैंने हैरानी से पूछा। 'आख़िर क्यों?'

"'क्योंकि आपकी मोटरें काफ़ी गर्म हो जाती हैं। मैं उन पर हाथ तक नहीं रख सकता।'

"मैंने लंबे समय तक इस तरह के मामलों में बहस की थी,

परंतु अब मैं जान गया था कि ऐसी स्थिति में बहस से कोई फ़ायदा नहीं होता। इसलिए मैंने 'हाँ, हाँ' कहलवाने वाली तकनीक का इस्तेमाल किया।

"'अच्छा, मिस्टर स्मिथ,' मैंने कहा। 'मैं आपसे पूरी तरह सहमत हूँ कि अगर हमारी मोटरें ज़्यादा गर्म हो जाती हैं तो आपको इन्हें नहीं ख़रीदना चाहिए। आपको वही मोटर ख़रीदनी चाहिए जो *नेशनल इलेक्ट्रिकल मैन्युफ़ैक्चरर्स* के स्टैंडर्ड से अधिक गर्म न होती हों। नहीं क्या?'

"वह सहमत हो गया। मुझे अपनी पहली 'हाँ' मिल गई थी।

"'*इलेक्ट्रिकल मैन्युफ़ैक्चरर्स एसोसिएशन* के नियम के अनुसार मोटर का तापमान कमरे के तापमान से 72 डिग्री फ़ैरेनहाइट से ज़्यादा नहीं होना चाहिए। क्या यह ठीक है?'

"'हाँ,' वह सहमत हो गया। 'यह बिलकुल ठीक है। परंतु आपकी मोटरें उससे ज़्यादा गर्म हैं।'

"मैंने उससे बहस नहीं की। मैंने उससे सिर्फ़ इतना पूछा : 'मिल के कमरे का तापमान कितना है?'

"उसने जवाब दिया, 'लगभग 75 डिग्री फ़ैरेनहाइट।'

"इस पर मैंने कहा, 'अगर मिल के कमरे का तापमान 75 डिग्री फ़ैरेनहाइट है और हम उसमें 72 डिग्री और जोड़ दें तो यह कुल मिलाकर 147 डिग्री फ़ैरेनहाइट हो जाता है। अगर आप अपने हाथ को 147 डिग्री फ़ैरेनहाइट के गर्म पानी में रखेंगे तो क्या आपका हाथ नहीं जल जाएगा?'

"एक बार फिर उसे कहना पड़ा, 'हाँ।'

"'तो क्या यह अच्छा नहीं होगा कि आप मोटर से अपना हाथ दूर रखें?'

"'मुझे लगता है कि आप सही हैं।' उसने माना। हमने कुछ देर तक बातें कीं। इसके बाद उसने अपनी सेक्रेटरी को बुलाया और

हमें अगले महीने के लिए 35,000 डॉलर के बिज़नेस का ऑर्डर दे दिया।

"कई साल बाद और बिज़नेस में हज़ारों डॉलर का घाटा उठाने के बाद मैंने आख़िरकार यह सीख ही लिया कि बहस करने से कोई फ़ायदा नहीं होता। दूसरे व्यक्ति का नज़रिया समझना ज़्यादा महत्वपूर्ण और ज़्यादा फ़ायदेमंद होता है। उसके नज़रिए को समझकर उससे 'हाँ, हाँ' करवाना ज़्यादा कारगर तरीक़ा है।"

एड्डी स्नो ओकलैंड, कैलिफ़ोर्निया में हमारे कोर्स स्पॉन्सर करते हैं। उन्होंने हमें बताया कि वे एक दुकान के अच्छे ग्राहक सिर्फ़ इस वजह से बने क्योंकि प्रॉपराइटर ने उन्हें "हाँ, हाँ" कहने पर विवश किया था। एड्डी की रुचि बो हंटिंग (bow hunting) में थी और उन्होंने एक स्थानीय बो स्टोर से उपकरण और सप्लाई ख़रीदने में काफ़ी पैसे ख़र्च किए थे। जब उनका भाई उनसे मिलने के लिए आया तो उन्होंने अपने भाई के लिए एक धनुष (bow) किराए पर लेना चाहा। उन्होंने एक दुकान पर फ़ोन किया जहाँ सेल्स क्लर्क ने उन्हें बताया कि वे लोग धनुष किराए पर नहीं देते। इसलिए एड्डी ने दूसरे बो स्टोर में फ़ोन किया। एड्डी बताते हैं कि क्या हुआ :

"एक बहुत ख़ुशमिज़ाज व्यक्ति ने फ़ोन का जवाब दिया। किराए पर धनुष देने के मेरे सवाल के बारे में उसका नज़रिया बिलकुल ही अलग था। उसने कहा कि उसे खेद है कि वह हमें धनुष किराए पर नहीं दे सकता। उसने मुझसे पूछा कि क्या मैंने पहले कभी धनुष किराए पर लिए हैं। मैंने जवाब दिया, 'हाँ, कई साल पहले।' उसने मुझे याद दिलाया कि शायद मैंने किराए में 25 या 30 डॉलर दिए होंगे। मैंने एक बार फिर 'हाँ' कहा। फिर उसने पूछा कि क्या मैं इस तरह का व्यक्ति हूँ जो पैसे बचाना चाहता है। ज़ाहिर था कि मुझे 'हाँ' में जवाब देना ही था। फिर उसने आगे जानकारी दी कि उनके यहाँ धनुष के ऐसे सेट हैं जिनमें सारे आवश्यक उपकरण लगे हुए हैं और उनकी क़ीमत सिर्फ़ 34.95 डॉलर है। मैं धनुष के किराए में जितने पैसे ख़र्च करता, उससे सिर्फ़ 4.95 डॉलर

अधिक पैसे ख़र्च करके मैं धनुष का पूरा सेट ख़रीद सकता था। उसने बताया कि इसी कारण उन्होंने धनुष किराए पर देना बंद कर दिया है। क्या उसका यह तर्क मुझे सटीक लगा? अपनी 'हाँ' की प्रतिक्रिया की वजह से मैंने सेट ख़रीदा। सेट ख़रीदने के साथ ही मैंने उस दुकान से और भी कई सामान ख़रीदे और तब से मैं वहाँ का नियमित ग्राहक बन गया हूँ।"

एथेन्स के सुकरात दुनिया के महानतम दार्शनिकों में से एक थे। उन्होंने ऐसा कुछ किया जो इतिहास में केवल मुट्ठी भर लोग ही कर पाए हैं : उन्होंने मानव चिंतन की दिशा बदल दी। उनकी मौत चौबीस सदी पहले हुई थी, परंतु आज भी उन्हें सर्वश्रेष्ठ वाद-विवाद करने वालों में गिना जाता है जो लोगों से अपनी बात मनवाने में समर्थ थे।

उनका तरीक़ा क्या था? क्या वे लोगों को यह बताते थे कि वे ग़लत हैं? नहीं, सुकरात ऐसा कभी नहीं करते थे। वे इससे ज़्यादा चतुर थे। उनकी तकनीक, जिसे "सुकरात की तकनीक" (Socratic method) कहा जाता है, "हाँ, हाँ" का जवाब हासिल करने पर आधारित थी। वे ऐसे सवाल पूछते थे कि सामने वाले को उनसे सहमत होना ही पड़ता था। वे एक के बाद एक "हाँ" करवाते जाते थे। वे लगातार सवाल पूछते जाते थे और अंत में उनके विरोधी इस स्थिति में आ जाते थे कि उन्हें उसी निष्कर्ष पर पहुँचना पड़ता था, जिसे मानने के लिए वे कुछ समय पहले तक बिलकुल तैयार नहीं थे।

अगली बार जब हमारी इच्छा किसी को यह बताने की हो कि वह ग़लत है तो हम बूढ़े सुकरात को याद कर लें और एक नम्र सा सवाल पूछें- एक ऐसा सवाल पूछें जिसका जवाब "हाँ" में हो।

चीन में एक कहावत है जिसमें पूरब की सदियों पुरानी बुद्धिमत्ता का सार है : "हल्के क़दमों से चलने वाला आदमी दूर तक जाता है।'

उन्होंने मानव स्वभाव को समझने में पाँच हज़ार साल लगाए

हैं और उन्होंने अपने निष्कर्ष को बहुत ही अच्छे ढंग से व्यक्त किया है : *'हल्के क़दमों से चलने वाला आदमी दूर तक जाता है।'*

सिद्धांत 5

सामने वाले से तत्काल
"हाँ, हाँ" कहलवाएँ।

6

शिकायतों से निपटने का आसान तरीक़ा

ज़्यादातर लोग दूसरों से अपनी बात मनवाने के लिए बहुत बोलते हैं। इसके बजाय आपको सामने वाले को ज़्यादा बोलने का मौक़ा देना चाहिए। वे अपने बिज़नेस और अपनी समस्याओं के बारे में आपसे ज़्यादा जानते हैं। इसलिए आप उनसे सवाल पूछिए। उन्हें अपनी बात कहने दीजिए।

अगर आप उनसे असहमत हों, तो आपमें यह इच्छा जाग सकती है कि आप उनकी बात बीच में ही काट दें। परंतु ऐसा बिलकुल न करें। यह एक ख़तरनाक आदत है। चूँकि उनके दिमाग़ में बहुत से विचार होते हैं जिन्हें वे व्यक्त करना चाहते हैं, इसलिए वे आपकी बातों पर ध्यान नहीं देंगे। उचित यही होगा कि आप उनकी बात धैर्य और ध्यान से सुनें। इस बारे में गंभीर रहें। उन्हें अपने विचारों को पूरी तरह से व्यक्त करने के लिए प्रोत्साहित करें।

क्या यह तरीक़ा बिज़नेस में काम आता है? आइए देखते हैं। यहाँ एक सेल्समैन की कहानी है, जिसे मजबूरन चुप रहना पड़ा।

अमेरिका के एक बड़े ऑटोमोबाइल निर्माता को साल भर के लिए अपहोल्स्ट्री फ़ैब्रिक्स की ज़रूरत थी। तीन महत्वपूर्ण निर्माताओं ने अपने सैंपल भेजे। मोटर कंपनी के एक्ज़ीक्यूटिव्ज़ ने उनकी जाँच की। इसके बाद हर निर्माता को एक नोटिस भेजा गया कि एक निश्चित दिन उन्हें अवसर दिया जाएगा ताकि वे अपने कॉन्ट्रेक्ट पर

अंतिम विवरण दे सकें।

विस्तृत विवरण देने के लिए तीनों कंपनियों के निर्माताओं के प्रतिनिधि निश्चित दिन उपस्थित हुए। संयोग से जी.बी.आर. नामक प्रतिनिधि को लैरिंगाइटिस का सीरियस अटैक पड़ गया और उसका गला ख़राब हो गया। "जब कॉन्फ्रेंस में एक्ज़ीक्यूटिव्ज़ के सामने बोलने की मेरी बारी आई," मिस्टर आर. ने मेरी क्लास में यह प्रसंग सुनाया, "तो मेरी आवाज़ नहीं निकल रही थी। मैं मुश्किल से फुसफुसा पा रहा था। मुझे एक कमरे में ले जाया गया और मैंने वहाँ पर अपने आपको टेक्सटाइल इंजीनियर, परचेज़िंग एजेंट, सेल्स डायरेक्टर तथा कंपनी के प्रेसिडेंट के सामने खड़ा पाया। मैं बोलने के लिए खड़ा हुआ, और मैंने बहादुरीपूर्वक अपनी बात रखने की कोशिश की, परंतु मैं कुछ शब्दों से ज़्यादा नहीं बोल पाया।

"वे सब लोग एक टेबल के चारों तरफ़ बैठे हुए थे, इसलिए मैंने एक काग़ज़ पर लिख दिया, 'मेरा गला ख़राब है। मैं बोल नहीं सकता।'

"कंपनी के प्रेसिडेंट ने कहा, 'आपकी तरफ़ से मैं बोलूँगा।' और उन्होंने बोलना शुरू कर दिया। उन्होंने मेरे सैंपल दिखाए और उनकी विशेषताएँ बताईं। मेरे प्रॉडक्ट की गुणवत्ता पर एक रोचक बहस छिड़ गई। और चूँकि प्रेसिडेंट मेरे बदले में बोल रहे थे, इसलिए उन्होंने चर्चा में मेरा ही प्रतिनिधित्व किया। पूरी चर्चा में मेरी भागीदारी सिर्फ़ कुछ मुस्कराहटों, सिर हिलाने और चेहरे के हाव-भाव तक ही सीमित थी।

"इस अद्भुत मीटिंग की वजह से मुझे कॉन्ट्रैक्ट मिल गया। पाँच लाख गज़ अपहोल्स्ट्री फ़ैब्रिक्स का ऑर्डर, जिसकी कुल क़ीमत 16,00,000 डॉलर थी। यह अब तक मिला मेरी ज़िंदगी का सबसे बड़ा ऑर्डर था।

"मैं जानता हूँ कि अगर मेरा गला नहीं बैठता तो मेरे हाथ से कॉन्ट्रैक्ट निकल जाता। इसलिए क्योंकि पूरे मामले के बारे में मेरे विचार ही ग़लत थे। भाग्यवश ही मैं समझ पाया कि कई बार दूसरे

व्यक्ति के बोलने से हमें ज़्यादा फ़ायदा होता है।"

बिज़नेस की ही तरह परिवार में भी हमें दूसरों की बातें सुनने से ज़्यादा फ़ायदा होता है। अपनी पुत्री से बारबरा विल्सन के संबंध तेज़ी से बिगड़ रहे थे। लॉरी पहले एक शांत और अच्छी बच्ची हुआ करती थी, परंतु अब वह चिड़चिड़ी और असहयोगी टीनएजर में बदल चुकी थी। बारबरा ने उसे डाँटा, डराया-धमकाया, समझाया परंतु कोई फ़ायदा नहीं हुआ।

मिसेज़ विल्सन ने क्लास को बताया, "एक दिन मैंने हार मान ली। लॉरी को मैंने बाहर जाने के लिए मना किया, परंतु उसने मेरा कहना नहीं माना और वह घर का काम करने से पहले अपनी सहेली से मिलने के लिए चली गई। जब वह लौटी तो मैं दस हज़ारवीं बार उस पर चीख़ना चाहती थी, परंतु मुझमें डाँटने की ताक़त ही नहीं बची थी। मैंने उसकी तरफ़ दुख से देखा और सिर्फ़ इतना कहा, 'क्यों, लॉरी, क्यों?'

"लॉरी ने मेरी स्थिति देखी और मुझसे शांत स्वर में पूछा, 'क्या आप सचमुच जानना चाहती हैं?' मैंने हाँ में सिर हिलाया। इसके बाद लॉरी ने पहले तो झिझकते हुए अपनी बात शुरू की, परंतु कुछ ही देर में उसके मन का सारा ग़ुबार बाहर निकल आया। मैं उसकी बात कभी नहीं सुनती थी। जब वह मुझे अपने विचार और भावनाएँ बताना चाहती थी, तब मैं उसे आदेश देकर चुप कर देती थी। मुझे इस बात का एहसास हुआ कि मेरी बेटी मुझसे यह चाहती थी कि मैं एक दोस्त की तरह व्यवहार करूँ, जबकि मैं डाँटने वाली माँ का रोल निभा रही थी। वह मेरे साथ किशोरावस्था के तनावों को बाँटना चाहती थी। मैं हमेशा उसके सामने बोलती ही रहती थी, जबकि मुझे उसकी बात सुननी चाहिए थी। मैंने उसकी बात सुनने की तरफ़ कभी ध्यान ही नहीं दिया था।

"उस दिन के बाद से मैंने उसकी बात सुनना शुरू कर दिया। अब वह मुझे बता देती है कि उसके दिलोदिमाग़ में क्या चल रहा है और अब हमारे संबंध बहुत अच्छे हैं। अब वह फिर से सुधर गई है।"

न्यूयॉर्क के एक अख़बार के फ़ाइनेंशियल पेज पर एक बड़ा विज्ञापन छपा जिसमें नौकरी के लिए बहुत ही योग्य और अनुभवी उम्मीदवार चाहा गया था। चार्ल्स टी. क्यूबेलिस ने दिए गए बॉक्स नंबर पर अपना आवेदन भिजवा दिया। कुछ दिनों बाद उसे इंटरव्यू के लिए बुलवाया गया। जाने से पहले उसने उस कंपनी और वहाँ के मालिक के बारे में वॉल स्ट्रीट से हरसंभव जानकारी हासिल करने की कोशिश की। इंटरव्यू के दौरान उसने कहा, "आपकी कंपनी का रिकॉर्ड इतना अच्छा है कि इसके साथ जुड़कर मुझे गर्व होगा। मेरे ख़्याल से आपने 28 साल पहले सिर्फ़ एक डेस्क रूम और एक स्टेनोग्राफ़र के साथ अपना बिज़नेस शुरू किया था। क्या यह सही है?"

हर सफल व्यक्ति को अपने शुरुआती संघर्षों के बारे में बात करना अच्छा लगता है। यह व्यक्ति भी इसका अपवाद नहीं था। उसने लंबे समय तक अपनी कहानी सुनाई कि किस तरह उसने 450 डॉलर और एक सपने के साथ अपनी बिज़नेस यात्रा शुरू की थी। उसने बताया कि आलोचना, मखौल और निराशा के बावजूद उसने हिम्मत नहीं हारी थी। शुरू-शुरू में तो उसे एक दिन में सोलह घंटे तक काम करना पड़ता था और वह रविवार और छुट्टियों के दिन भी काम करता था। आख़िरकार उसने क़िला फ़तह कर लिया और अंततः आज वह इस स्थिति में पहुँच गया है कि वॉल स्ट्रीट के सबसे महत्वपूर्ण एक्ज़ीक्यूटिव्ज़ भी उससे सलाह और मार्गदर्शन लेने के लिए आते हैं। उसे अपने रिकॉर्ड पर गर्व था। उसे होना ही चाहिए था और इसके बारे में बताना उसे अच्छा लगा। अपनी कहानी सुनाने के बाद उसने आख़िर में क्यूबेलिस से संक्षेप में उसके अनुभव के बारे में पूछा और अपने वाइस प्रेसिडेंट को बुलाकर कहा, "मुझे लगता है कि हमें इसी आदमी की तलाश थी।"

मिस्टर क्यूबेलिस ने अपने संभावित मालिक के बारे में सारी जानकारी हासिल करने का कष्ट उठाया था। उसने सामने वाले व्यक्ति में और उसकी समस्याओं में रुचि ली थी। उसने सामने वाले व्यक्ति को बोलने के लिए प्रोत्साहित किया था और इसी कारण उसका अच्छा प्रभाव पड़ा और उसे सुखद परिणाम मिला।

सैक्रेमेंटो, कैलिफ़ोर्निया के रॉय जी. ब्रेडले के साथ इसकी विपरीत समस्या थी। जब एक संभावित अच्छा कर्मचारी ब्रेडले की फ़र्म में नौकरी के लिए अपनी बात कह रहा था तो उसने उसकी बात सुनी। रॉय ने हमें बताया :

"हमारी फ़र्म एक छोटी ब्रोकरेज फ़र्म थी, इसलिए हमारे यहाँ कोई अतिरिक्त लाभ जैसे मेडिकल इंश्योरेंस, पेंशन या अस्पताल के ख़र्च उठाने का कोई प्रावधान नहीं था। हर प्रतिनिधि एक स्वतंत्र एजेंट था। हम संभावित ग्राहकों को लीड भी उपलब्ध नहीं कराते थे क्योंकि हम उनके लिए विज्ञापन नहीं दे सकते थे जैसा कि हमारे बड़े प्रतिद्वंद्वी किया करते थे।

"रिचर्ड प्रायर को उस तरह का अनुभव था जो हम चाहते थे। पहले मेरे असिस्टैंट ने उसका इंटरव्यू लिया था और उसे हमारे काम से जुड़ी सारी नकारात्मक बातें बताईं। जब वह मेरे ऑफ़िस में आया तो वह थोड़ा निराश दिख रहा था। मैंने उसे अपनी फ़र्म से जुड़ने का इकलौता लाभ बताया कि वह एक स्वतंत्र कॉन्ट्रैक्टर बन सकता था और इसलिए वह एक तरह से सेल्फ़-एम्प्लॉइड था।

"जब वह इंटरव्यू के लिए आया तो उसके दिमाग़ में बहुत सी नकारात्मक बातें थीं, परंतु जब उसने इन लाभों के बारे में बात करना शुरू किया तो वह एक-एक करके अपने नकारात्मक विचारों से मुक्त होने लगा। कई बार ऐसा लगा जैसे वह ख़ुद से बातें कर रहा था, जैसे वह अपने मन में विचार कर रहा था। कई बार मेरे मन में आया कि मैं उसके विचारों को स्पष्ट कर दूँ, परंतु मैंने ऐसा नहीं किया। जब इंटरव्यू ख़त्म हुआ तो मुझे लगा कि उसने अपने आप को यह विश्वास दिला दिया था कि वह हमारी फ़र्म के लिए काम करना चाहेगा।

"चूँकि मैं एक अच्छा श्रोता था और मैंने डिक को ही बोलने का ज़्यादा मौक़ा दिया, इसलिए उसने अपने दिमाग़ में दोनों पहलुओं को अच्छी तरह तौल लिया और वह सकारात्मक निष्कर्ष पर पहुँच गया जिसे उसने अपने लिए एक चुनौती की तरह लिया। हमने उसे

काम पर रख लिया और आज वह हमारी फ़र्म के सर्वश्रेष्ठ प्रतिनिधियों में से एक है।"

यहाँ तक कि हमारे दोस्त भी हमारी उपलब्धियों के बारे में सुनने के बजाय अपनी उपलब्धियों के बारे में सुनाना ज़्यादा पसंद करेंगे।

फ्रांसीसी दार्शनिक ला रोशफ़ूको ने कहा था, "अगर आप दुश्मन बनाना चाहते हैं, तो अपने दोस्तों से आगे निकल जाएँ। अगर आप दोस्त बनाना चाहते हैं तो अपने दोस्तों को ख़ुद से आगे निकल जाने दें।"

क्या यह सच है ? हाँ, क्योंकि अगर आपके दोस्त आपसे आगे निकल जाते हैं, तो वे ख़ुद को महत्वपूर्ण समझते हैं; परंतु जब आप उनसे आगे निकल जाते हैं तो वे - या कम से कम उनमें से कुछ - हीन और ईर्ष्यालु महसूस कर सकते हैं।

न्यूयॉर्क सिटी में *मिडटाउन पर्सनेल एजेंसी* की हेनरीटा जी. सबसे लोकप्रिय प्लेसमेंट काउंसलर थीं। ऐसा हमेशा नहीं था। एजेंसी में आने के शुरुआती महीनों में हेनरीटा का अपने सहकर्मियों में कोई दोस्त नहीं था। क्यों ? क्योंकि हर दिन वह अपनी शेख़ी बघारती थी कि आज उसने कितने प्लेसमेंट किए, आज उसने कितने नए अकाउंट खोले और आज उसने कितनी उपलब्धियाँ हासिल कीं।

"मैं अपने काम को अच्छी तरह से करती थी, और मुझे इस पर गर्व था," हेनरीटा ने हमारी क्लास को बताया। "परंतु मेरे सहकर्मी मेरी सफलताओं में हिस्सा लेने के बजाय उनसे चिढ़ जाते थे। मैं चाहती थी कि मेरे सहकर्मी मुझे पसंद करें। मैं उन्हें सचमुच अपना दोस्त बनाना चाहती थी। इस कोर्स के कुछ सुझावों को सुनने के बाद मैंने अपने बारे में बोलना कम कर दिया। मेरे सहकर्मियों के पास भी अपनी शेख़ी बघारने के लिए काफ़ी कुछ रहता था और मेरी सफलताओं के बारे में सुनने के बजाय वे अपनी सफलताओं के बारे में सुनाने के लिए लालायित रहते थे। अब जब भी हमारे पास बातचीत का समय होता है तो मैं उनसे पूछती हूँ कि उनका

दिन कैसा रहा और मैं अपनी उपलब्धियों का ज़िक्र तभी करती हूँ जब वे मुझसे इस बारे में पूछते हैं।"

सिद्धांत 6
सामने वाले व्यक्ति को ज़्यादा बातें करने दें।

7

सहयोग कैसे हासिल किया जाए

दूसरे व्यक्तियों के विचारों के बजाय हम सभी को अपने विचारों पर ज़्यादा विश्वास होता है। इसलिए इसमें समझदारी नहीं है कि हम अपने विचारों को दूसरों के गले से नीचे उतारने के लिए अपना पूरा ज़ोर लगा दें। इसके बजाय क्या यह बेहतर नहीं होगा कि हम सिर्फ़ सुझाव दें- और सामने वाले व्यक्ति को निष्कर्ष सोचने दें।

एडॉल्फ़ सेल्ट्ज़ ऑटोमोबाइल शोरूम के सेल्स मैनेजर हैं और मेरे एक कोर्स के विद्यार्थी हैं। उनके सामने अचानक यह समस्या आ गई कि उन्हें हताश और बिखरे हुए ऑटोमोबाइल सेल्समैनों के समूह में उत्साह फूँकना पड़ा। उन्होंने एक सेल्स मीटिंग बुलाई और सेल्समैनों से पूछा कि वे कंपनी से क्या-क्या चाहते हैं? उनके विचार सुनते समय उन्होंने सुझावों को ब्लैकबोर्ड पर लिख लिया। इसके बाद उन्होंने कहा, "आप मुझसे जो चाहते हैं, वह सब आपको मिलेगा। अब मैं आपसे यह जानना चाहता हूँ कि मुझे आपसे क्या अपेक्षाएँ रखनी चाहिए।" जवाब जल्दी और तेज़ी से आए : वफ़ादारी, ईमानदारी, टीमवर्क, हर दिन आठ घंटे मन लगाकर काम करना, उत्साह, जोश इत्यादि। मीटिंग एक नई प्रेरणा, एक नई आशा के साथ ख़त्म हुई। एक सेल्समैन ने तो चौदह घंटे रोज़ काम करने का वादा किया। और मिस्टर सेल्टज़ ने मुझे बताया कि इस मीटिंग के बाद उनकी कंपनी की बिक्री बहुत बढ़ गई।

मिस्टर सेल्ट्ज़ बताते हैं, "इन लोगों ने मुझसे एक तरह का नैतिक समझौता किया था। जब तक मैं अपनी तरफ़ के वादे पर

क़ायम रहूँगा, इन लोगों को भी अपने वादे पर क़ायम रहना होगा। उनकी इच्छाओं को पूछना वह जादुई तरीक़ा था, जिसने कमाल कर दिया।'

कोई भी इस बात को पसंद नहीं करता कि उसे कुछ बेचा जाए या उसे कुछ समझाया जाए। हम सब इस बात को पसंद करते हैं कि हम ख़ुद कोई बात सोचें या अपने मन से कोई चीज़ ख़रीदने का फ़ैसला करें। हमें अपनी इच्छाओं, अपने विचारों के हिसाब से काम करना अच्छा लगता है।

यूजीन वेसन का उदाहरण लें। उन्होंने यह सच्चाई जानने से पहले हज़ारों डॉलर का कमीशन गँवा दिया था। मिस्टर वेसन स्टाइलिस्ट्स और टेक्सटाइल निर्माताओं को स्केच बेचा करते थे। मिस्टर वेसन तीन साल से हर सप्ताह न्यूयॉर्क के एक नामी स्टाइलिस्ट के पास जा रहे थे। मिस्टर वेसन ने कहा, "हालाँकि उसने मुझसे मिलने से कभी मना नहीं किया, परंतु उसने मेरा कोई स्केच नहीं ख़रीदा। वह हमेशा मेरे स्केच को बहुत ध्यान से देखता था और इसके बाद कहता था : 'नहीं, वेसन, मुझे लगता है कि यह स्केच हमारे काम नहीं आएँगे।'"

150 बार असफल होने के बाद वेसन ने महसूस किया कि शायद उसका दिमाग़ ठीक से काम नहीं कर रहा है, इसलिए उसने एक सप्ताह तक मानवीय व्यवहार को प्रभावित करने की कला पर हो रहे एक कोर्स में हिस्सा लिया ताकि उसे नए विचार मिल सकें और उसमें नया उत्साह जाग सके।

उसने अपनी सीखे हुए नए तरीक़े पर अमल करने का फ़ैसला किया। एक दिन वह अपने हाथ में आधा दर्जन अधबने स्केच लेकर ख़रीदार के ऑफ़िस में पहुँचा और कहा, "मैं आपसे मदद चाहता हूँ। मेरे पास कुछ अधूरे स्केच हैं। क्या आप मुझे बताएँगे कि आप इन्हें किस तरह बनवाना चाहते हैं ताकि यह आपके काम आ सकें?"

ख़रीदार ने बिना कुछ कहे कुछ देर तक स्केचों की तरफ़ देखा और अंत में उसने कहा, "आप इन स्केचों को छोड़ जाएँ और कुछ

दिन बाद आकर मिलें।"

वेसन तीन दिन बाद मिलने गया। ख़रीदार ने उसे जो सुझाव दिए थे उनके हिसाब से उसने स्केच पूरे किए और नतीजा यह निकला कि सभी स्केच स्वीकार कर लिए गए।

इसके बाद ख़रीदार ने वेसन को बहुत से स्केचों का ऑर्डर दिया और मिस्टर वेसन ने वे सभी स्केच भी उसी के विचारों की मदद से बनाए। मिस्टर वेसन का कहना था, "मैं तब तक इसलिए असफल होता रहा क्योंकि मैं उसे अपनी मनचाही चीज़ बेचना चाहता था। मैं उसे वह बेचना चाहता था जो मुझे लगता था कि उसे ख़रीदना चाहिए। फिर मैंने अपनी शैली पूरी तरह बदल डाली। मैंने उससे उसके विचार पूछे। इससे उसे ऐसा लगा जैसे वह ख़ुद ही डिज़ाइन बना रहा हो। और एक तरह से ऐसा ही हो रहा था। मुझे उसे स्केच बेचने नहीं पड़े। उसने अपने आप स्केच ख़रीदे।"

सामने वाले व्यक्ति को यह अनुभव कराना कि यह विचार उसी का है, बिज़नेस और राजनीति में भी काम करता है और पारिवारिक जीवन में भी। ओक्लाहामा के पॉल एम. डेविस ने अपनी क्लास को बताया कि उन्होंने किस तरह इस सिद्धांत पर अमल किया :

"मेरे परिवार और मैंने एक बहुत बढ़िया वैकेशन ट्रिप का आनंद लिया। मैं हमेशा से ऐतिहासिक स्थानों पर घूमने का सपना देखा करता था जैसे गेटिसबर्ग में गृहयुद्ध की रणभूमि, फ़िलाडेल्फ़िया में इंडिपेंडेंस हॉल और हमारे देश की राजधानी। मैं जहाँ जाना चाहता था उनमें वैली फ़ोर्ज, जेम्सटाउन और विलियम्सबर्ग भी शामिल थे।

"मार्च में मेरी पत्नी नैन्सी ने कहा कि गर्मियों में उसके हिसाब से न्यू मैक्सिको, एरिज़ोना, कैलिफ़ोर्निया, नेवादा इत्यादि पश्चिमी राज्यों का भ्रमण करना ठीक रहेगा। वह कई सालों से इन जगहों पर जाना चाहती थी। ज़ाहिर था कि यह दोनों ट्रिप एक साथ नहीं हो सकती थीं।

"हमारी बेटी एन ने जूनियर हाई स्कूल में अमेरिकी इतिहास में हाल ही में कोर्स पूरा किया था और वह अपने देश के विकास

को आकार देने वाली घटनाओं में बहुत रुचि रखती थी। मैंने उससे पूछा कि क्या वह हमारे अगले वैकेशन में उन जगहों की यात्रा करना चाहेगी जिनके बारे में उसने केवल किताबों में पढ़ा है। उसने कहा कि अगर ऐसा होता है तो उसे बहुत ख़ुशी होगी।

"इस चर्चा के दो दिन बाद जब हम डिनर टेबल पर बैठे तो नैन्सी ने घोषणा की कि यदि हम सब सहमत हों तो इन गर्मियों के वैकेशन में पूर्वी राज्यों का भ्रमण कर लिया जाए, क्योंकि यह एन के लिए बहुत ही रोमांचक यात्रा होगी और हम सबको भी इसमें मज़ा आएगा। हम तत्काल सहमत हो गए।"

इसी मनोवैज्ञानिक तकनीक का प्रयोग एक एक्स-रे निर्माता ने किया। ब्रुकलिन के एक बड़े अस्पताल में एक्स-रे मशीन की ज़रूरत थी। यह अस्पताल अमेरिका में सबसे अच्छा एक्स-रे डिपार्टमेंट कहलाने के लिए सबसे आधुनिक उपकरण लगवाना चाहता था। एक्स-रे डिपार्टमेंट के प्रभारी डॉक्टर एल. के पास बहुत से सेल्समैन आ-आकर अपनी कंपनी की मशीनों की तारीफ़ करते थे।

परंतु एक निर्माता ज़्यादा चतुर था। वह मानव स्वभाव के बारे में अपने प्रतिद्वंद्वियों से ज़्यादा जानता था। उसने डॉक्टर एल. को इस तरह का एक पत्र लिखा :

> हमारी फ़ैक्ट्री ने हाल ही में एक नई एक्स-रे मशीन बनाई है। यह मशीनें अभी हाल हमारे ऑफ़िस में आई हैं। हम जानते हैं कि यह मशीन निर्दोष नहीं होगी। हम इसमें सुधार करना चाहते हैं। हम आपके आभारी होंगे यदि आप आकर इस मशीन को देखें और हमें बताएँ कि हम इसे आपके व्यवसाय के लिए किस तरह अधिक उपयोगी और बेहतर बना सकते हैं। मैं जानता हूँ कि आप व्यस्त हैं, इसलिए मैं आपको लेने के लिए आपके कहे समय पर गाड़ी भिजवा दूँगा।

डॉक्टर एल. ने हमारी क्लास के सामने यह घटना सुनाते हुए कहा, "यह पत्र मिलने पर मुझे आश्चर्य हुआ। मैं आश्चर्यचकित भी था और ख़ुश भी। पहली बार किसी एक्स-रे मशीन निर्माता ने मुझसे

सलाह माँगी थी। इससे मुझे ऐसा लगा जैसे मैं महत्वपूर्ण था। मैं उस सप्ताह बहुत व्यस्त था, परंतु मैंने एक डिनर अपॉइंटमेंट कैंसल कर दिया और मशीन देखने चला गया। मशीन को मैंने जितने ध्यान से देखा, उतना ही मैं इस नतीजे पर पहुँचा कि यह मशीन बहुत अच्छी थी।

"किसी ने मुझे यह मशीन बेचने की कोशिश नहीं की थी। मुझे महसूस हुआ जैसे अस्पताल के लिए वह उपकरण ख़रीदने का विचार मेरा ही था। मैंने इसकी अच्छी क्वालिटी के कारण इसे ख़रीदा था।"

राल्फ़ वॉल्डो इमर्सन ने अपने निबंध "सेल्फ़-रिलायंस" में कहा है, "हर महान काम में हम अपने नकारे हुए विचारों को पहचान लेते हैं; वे एक विशिष्ट गरिमा के साथ हमारी ओर लौटते हैं।"

जब वुडरो विल्सन व्हाइट हाउस में थे, तब कर्नल एडवर्ड एम. हाउस राष्ट्रीय और अंतर्राष्ट्रीय मामलों में काफ़ी दख़ल रखते थे। विल्सन कर्नल हाउस की गोपनीय सलाह और परामर्श पर जितने निर्भर थे, उतने अपनी कैबिनेट के मंत्रियों पर भी नहीं थे।

कर्नल प्रेसिडेंट को प्रभावित करने के लिए कौन सा तरीक़ा इस्तेमाल करते थे? सौभाग्य से हमें यह बात पता है, क्योंकि हाउस ने ख़ुद यह बात आर्थर डी. हाउडन स्मिथ को बताई थी जिन्होंने इसका ज़िक्र *द सैटरडे ईवनिंग पोस्ट* में छपे अपने लेख में किया है।

"जब मैंने प्रेसिडेंट को अच्छे से जान लिया," हाउस ने कहा, "तो मैंने यह भी जान लिया कि उनसे अपनी बात मनवाने का सबसे अच्छा तरीक़ा है किसी विचार को उनके सामने हल्के-फुल्के ढंग से बता देना जिससे उनके मन में इसके प्रति रुचि जाग जाए, ताकि वे ख़ुद इसके बारे में सोचने लगें। पहली बार तो ऐसा संयोगवश हुआ था। मैं व्हाइट हाउस में गया था और मैंने उनके सामने एक ऐसी नीति का प्रस्ताव रखा था जिस पर वे उस वक़्त असहमत थे। कई दिनों के बाद डिनर टेबल पर उन्होंने मेरे सामने मेरे ही सुझाव को इस तरह रखा जैसे वह सुझाव उन्हीं के दिमाग़ से निकला हो। मैं हैरान रह गया।

क्या हाउस ने प्रेसिडेंट को टोककर यह कहा, "यह आपका

विचार नहीं है। यह तो मेरा विचार है।" नहीं, हाउस ने ऐसा कुछ नहीं किया। वे बहुत बुद्धिमान थे। उन्हें श्रेय लेने की परवाह नहीं थी। वे तो परिणाम चाहते थे। इसलिए उन्होंने विल्सन को यह लगने दिया जैसे यह उन्हीं का विचार हो। हाउस इससे भी आगे बढ़ गए। उन्होंने विल्सन को इन विचारों के लिए सार्वजनिक रूप से भी श्रेय दिया।

हमें यह ध्यान रखना चाहिए कि हम जिन लोगों के संपर्क में आते हैं वे सभी उतने ही मानवीय हैं जितने कि वुडरो विल्सन थे। इसलिए हमें कर्नल हाउस की तकनीक का प्रयोग करना चाहिए।

एक बार न्यू ब्रन्सविक के सुंदर कनाडाई प्रदेश के एक व्यक्ति ने इसी तकनीक का प्रयोग मुझ पर किया और उसने मुझे अपना ग्राहक बना लिया। एक बार मैं न्यू ब्रन्सविक में फ़िशिंग और केनोइंग करने की योजना बना रहा था। इसलिए मैंने टूरिस्ट ब्यूरो से कैंपों की जानकारी चाही। स्पष्ट था कि मेरा नाम और पता मेलिंग लिस्ट में डाल दिया गया था। मेरे पास बहुत से कैंप मालिकों के पत्र, बुकलेट और छपे हुए प्रशंसा के कोटेशन आ गए। मैं उलझन में था। मुझे समझ में नहीं आ रहा था कि मैं क्या करूँ। तभी एक कैंप मालिक ने चतुराई से काम लिया। उसने मुझे न्यूयॉर्क के बहुत से लोगों के नाम और टेलीफ़ोन नंबर लिखकर भिजवा दिए और मुझसे कहा कि मैं उनसे फ़ोन करके पूछ सकता हूँ कि उसकी व्यवस्था कैसी है।

संयोग से मैं उस सूची में से एक व्यक्ति को पहचानता था। मैंने उसे फ़ोन करके उसका अनुभव पूछा, और इसके बाद मैंने कैंप के मालिक को अपने पहुँचने का टेलीग्राम कर दिया। दूसरे लोग मुझे अपनी सेवाएँ बेचने की कोशिश कर रहे थे। इस व्यक्ति ने मुझे सेवाएँ ख़रीदने के लिए विवश कर दिया। इसीलिए वह कैंप वाला जीत गया।

ढाई हज़ार साल पहले लाओ त्से नामक चीनी दार्शनिक ने कुछ ऐसी बातें कही थीं, जिन पर इस पुस्तक को पढ़ने वाले अमल कर सकते हैं, "नदियाँ और समुद्र सैकड़ों पहाड़ी धाराओं का पानी सिर्फ़

इसलिए ग्रहण करते हैं क्योंकि वे अपने आपको उनसे नीचे रखते हैं। इसी वजह से वे पहाड़ी झरनों पर शासन कर पाते हैं। इसी तरह संत भी अपने आपको इंसानों से नीचे रखते हैं ताकि वे उनसे ऊपर उठ सकें; उनसे पीछे रखते हैं ताकि वे उनसे पहले रह सकें। इसी कारण हालाँकि संत इंसानों से ऊपर होता है परंतु इंसानों को उससे तकलीफ़ नहीं होती, हालाँकि वह उनसे पहले होता है परंतु इंसानों को उससे कोई कष्ट नहीं होता।"

सिद्धांत 7

दूसरे व्यक्ति को यह लगने दें कि यह विचार उसी का है।

8

एक फ़ॉर्मूला जो आपके लिए चमत्कार कर दे

याद रखिए दूसरे लोग पूरी तरह ग़लत हो सकते हैं। परंतु अपनी नज़रों में वे ग़लत नहीं होते। उनकी आलोचना मत कीजिए। कोई भी मूर्ख ऐसा कर सकता है। उन्हें समझने की कोशिश कीजिए। केवल समझदार, सहिष्णु और विरले लोग ही ऐसा करने की कोशिश करते हैं।

सामने वाला व्यक्ति ऐसा व्यवहार क्यों कर रहा है या ऐसा क्यों सोच रहा है इसके पीछे कोई न कोई कारण होता है। उस कारण को जानिए - और आपको उसके कार्यों की कुंजी मिल जाएगी, शायद उसके व्यक्तित्व की कुंजी भी।

अपने आपको ईमानदारी से उसकी जगह रखने की कोशिश कीजिए।

ख़ुद से यह पूछिए, "अगर मैं उसकी जगह होता, तो मैं कैसा महसूस करता?" यदि आप ऐसा करते हैं तो आप चिढ़ने से बच जाएँगे और अपना समय बचा लेंगे क्योंकि "कारण में रुचि लेकर आप परिणाम की आलोचना करने से बच सकते हैं।" इसके अलावा, इससे मानवीय संबंधों की आपकी कला भी तेज़ी से विकसित होगी।

केनेथ एम. गुड ने *हाउ टु टर्न पीपुल इन्टु गोल्ड* पुस्तक में

लिखा है, "एक मिनट के लिए रुककर सोचिए। आपकी अपने आप में बहुत रुचि है, परंतु दूसरों में आपकी रुचि बहुत कम है। दुनिया में हर व्यक्ति इसी तरह सोचता है। अगर आप यह जान लेंगे तो लिंकन और रूज़वेल्ट की तरह आप भी मानवीय संबंधों की इकलौती बुनियाद को समझ लेंगे। आप जान लेंगे कि लोगों को प्रभावित करने के लिए आपको सामने वाले के नज़रिए को सहानुभूतिपूर्वक समझना होगा।"

हेम्प्स्टेड, न्यूयॉर्क का सैम डगलस अपनी पत्नी से कहा करता था कि वह लॉन की सफ़ाई में मेहनत करके अपना समय बर्बाद करती है। उसकी पत्नी सप्ताह में दो बार लॉन से खरपतवार साफ़ करती थी, खाद डालती थी, घास काटती थी। इतनी मेहनत के बावजूद लॉन की हालत वैसी ही नज़र आती थी, जैसी कि यह चार साल पहले थी, जब वे उस मकान में रहने आए थे। सैम की यह बात सुनकर उसकी पत्नी चिढ़ जाती थी और उनकी पूरी शाम बर्बाद हो जाती थी।

हमारे कोर्स में हिस्सा लेने के बाद डगलस ने महसूस किया कि वह इतने सालों से मूर्खतापूर्ण व्यवहार कर रहा है। उसने यह सपने में भी नहीं सोचा था कि पत्नी को यह काम करने में आनंद आता होगा और इसलिए वह अपनी मेहनत के बारे में तारीफ़ सुनना चाहती होगी।

डिनर के बाद एक शाम को उसकी पत्नी ने कहा कि वह लॉन से कुछ खरपतवार साफ़ करना चाहती है और उसने अपने पति से भी साथ में चलने का आग्रह किया। पहले तो पति ने मना कर दिया, परंतु बाद में विचार करने के बाद वह उसके साथ लॉन में गया और खरपतवार उखाड़ने में अपनी पत्नी का सहयोग करने लगा। ज़ाहिर था कि पत्नी ख़ुश हो गई और दोनों ने इकट्ठे कड़ी मेहनत करते हुए और साथ में रोचक चर्चा करते हुए एक घंटे का समय बिताया।

इसके बाद उसने बागवानी में अक्सर अपनी पत्नी की मदद

की और अपनी पत्नी की प्रशंसा करते हुए कहा कि सफ़ाई के बाद लॉन पहले से बेहतर दिख रहा है। उसने कहा कि कंक्रीट जैसी सख़्त ज़मीन के बावजूद उसकी मेहनत के कारण लॉन की हाल बहुत सुधर गई है। परिणाम : दोनों का वैवाहिक जीवन सुखी हो गया क्योंकि डगलस ने अपनी पत्नी के नज़रिए से देखना सीख लिया था- चाहे मामला खरपतवार जैसी छोटी चीज़ का था।

अपनी पुस्तक *गेटिंग थ्रू टु पीपुल* में डॉ. जेराल्ड एस. निरेनबर्ग लिखते हैं, "चर्चा में सहयोग तब हासिल होता है जब आप यह प्रदर्शित करते हैं कि आप सामने वाले व्यक्ति की भावनाओं और विचारों को अपनी भावनाओं और विचारों की तरह ही महत्वपूर्ण मानते हैं। अगर आप यह चाहते हैं कि आपका श्रोता आपके विचारों को पसंद करे तो आपको अपनी चर्चा इस तरह से शुरू करनी चाहिए कि सामने वाला आपकी चर्चा की दिशा को समझ ले। आप जो कहना चाहते हैं वह कहते समय इस बात की कल्पना करें कि यदि आप श्रोता की जगह होते तो आप क्या सुनना चाहते। श्रोता के नज़रिए को स्वीकार करने से श्रोता भी आपका नज़रिया स्वीकार कर लेता है।"

मुझे अपने घर के पास वाले पार्क में घूमना और घुड़सवारी करना अच्छा लगता है। एक ओक ट्री ऐसा है जिससे मेरा विशेष लगाव है। परंतु हर मौसम में मैं यह देखकर दुखी होता हूँ कि पार्क में अक्सर आग लग जाती है जिस वजह से कई पेड़ और झाड़ियाँ जलकर राख हो जाते हैं। यह आग सिगरेट पीने वालों की लापरवाही से नहीं लगती। अक्सर जंगल में आग उन युवाओं के द्वारा जलाई गई आग से लगती है जो वहाँ पिकनिक मनाने आते हैं और अंडे या फ्रैंकफ़र्टर बनाने के लिए आग जलाते हैं। कई बार तो आग इतनी भीषण हो जाती है कि फ़ायर ब्रिगेड को बुलाना पड़ जाता है।

पार्क में एक कोने में एक बोर्ड लगा हुआ है जिसमें लिखा है कि आग जलाने वाले पर जुर्माना किया जाएगा और उसे सज़ा दी जाएगी, परंतु यह साइनबोर्ड ऐसी जगह पर लगा हुआ है जहाँ किसी की नज़र नहीं पड़ती और ज़्यादातर लोग इसे नहीं देख पाते। पार्क

की सुरक्षा के लिए एक पुलिस वाला भी तैनात है, परंतु वह अपने काम को गंभीरता से नहीं लेता और इस वजह से हर साल आग लग जाती है। एक बार तो मैं पुलिस वाले के पास दौड़ता हुआ गया और उसे बताया कि पार्क में आग तेज़ी से फैल रही है और इसलिए फ़ायर ब्रिगेड वालों को तत्काल फ़ोन कर देना चाहिए। परंतु पुलिस वाले ने उदासीनता से जवाब दिया कि यह उसका काम नहीं है क्योंकि वह स्थान उसके एरिया में नहीं आता। यह सुनकर मैं बहुत उद्विग्न हो गया और इसके बाद मैंने पार्क की सुरक्षा का ज़िम्मा ख़ुद पर ले लिया। शुरुआत में तो मैं दूसरे लोगों के नज़रिए को समझने की कोशिश ही नहीं करता था। जब भी मैं किसी को आग जलाते हुए देखता था, मैं दुखी हो जाता था। सही काम करने के लिए मैं इतना उतावला था कि मैं ग़लत काम कर जाता था। मैं घोड़े पर चढ़कर उन किशोरों के पास जाता था और उन्हें धमकी देता था कि पार्क में आग जलाने के कारण उन्हें सज़ा हो सकती है और मैं किसी अधिकारी जैसी आवाज़ में उन्हें आग बुझाने का आदेश देता था। मैं उन्हें यह भी बता देता था कि अगर उन्होंने आग नहीं बुझाई तो मैं उन्हें गिरफ़्तार करवा दूँगा। मैं उनके नज़रिए को समझने की कोशिश किए बिना अपने दिल का ग़ुबार निकालता रहता था।

परिणाम? वे मेरी बात मान लेते थे - वे मन मारकर और चिढ़कर मेरी बात मान लेते थे। हो सकता है कि मेरे चले जाने के बाद वे फिर से आग जला लेते हों और यह चाहते हों कि पूरे पार्क में आग लग जाए।

कई साल गुज़रने के बाद मुझे मानवीय संबंधों के बारे में ज्ञान हुआ और मैंने सामने वाले के नज़रिए से चीज़ों को देखने की प्रवृत्ति विकसित की और कूटनीति का प्रयोग करना शुरू किया। ऑर्डर देने के बजाय मैं आग के पास जाकर इस तरह की बात कहता था :

"मज़े कर रहे हो, बच्चो? खाने में क्या बन रहा है? ... जब मैं छोटा था तो मुझे भी आग जलाना बहुत पसंद था - और मुझे आज भी पसंद है। परंतु तुम लोग शायद यह नहीं जानते कि पार्क में आग जलाना ख़तरनाक भी होता है। मैं जानता हूँ कि तुम लोग

कोई नुक़सान नहीं करना चाहते, परंतु दूसरे बच्चे इतने सावधान नहीं रहते। वे आते हैं और देखते हैं कि तुम लोगों ने आग जलाई थी; इसलिए वे भी आग जला लेते हैं और घर जाते समय उस आग को नहीं बुझाते, जिससे सूखी पत्तियों में आग लग जाती है और पेड़ भी जल जाते हैं। अगर हम सावधानी न बरतें तो हो सकता है कि सारे पेड़ जल जाएँ। जंगल में आग जलाने के जुर्म में तुम्हें सज़ा भी हो सकती है। परंतु मैं तुम्हें ऑर्डर नहीं देना चाहता और तुम्हारे आनंद में बाधा नहीं पहुँचाना चाहता। मैं चाहता हूँ कि तुम लोग पिकनिक का पूरी तरह आनंद लो। परंतु क्या यह बेहतर नहीं होगा कि तुम लोग आस-पास से सूखी पत्तियाँ हटा दो और जाते समय आग को धूल से ढँक दो ? और अगली बार जब भी तुम लोग आग जलाओ, तो उस पहाड़ी पर बने हुए सैंडपिट में ही आग जलाना। इससे कोई नुक़सान नहीं होगा। ... सुनने के लिए धन्यवाद, बच्चो। मौज करो।"

दोनों शैलियों में कितना फ़र्क़ था। इस तरह की शैली से बच्चे सहयोग के मूड में आ जाते थे। वे उदास नहीं होते थे, वे मुझसे चिढ़ते नहीं थे। उन्हें आदेश का पालन करने के लिए बाध्य नहीं किया गया था। उन्हें अपनी लाज बचाने का मौक़ा मिल गया था। उन्हें भी अच्छा लगता था और मुझे भी अच्छा लगता था क्योंकि मैंने उनका नज़रिया समझने के बाद स्थिति का सामना किया था।

जब हम सामने वाले व्यक्ति के नज़रिए से चीज़ों को देखने लगते हैं, तो हमारी व्यक्तिगत समस्याएँ और तनाव भी कम हो सकते हैं। न्यू साउथ वेल्स, ऑस्ट्रेलिया की एलिजाबेथ नोवाक अपनी कार के पेमेंट में छह सप्ताह लेट हो गईं। उन्होंने बताया, "एक शुक्रवार को मेरे पास अकाउंटेंट का फ़ोन आया कि अगर मैंने सोमवार की सुबह तक 122 डॉलर जमा नहीं किए तो कंपनी कार्यवाही करेगी। इस दौरान पैसे का इंतज़ाम नहीं हो सका। इसलिए जब सोमवार की सुबह उसका फ़ोन दुबारा आया तो मैं बुरे से बुरे परिणाम की कल्पना करने लगी। परंतु विचलित होने के बजाय मैंने उसके नज़रिए से स्थिति को देखा। मैंने उसे हुई असुविधा के लिए

माफ़ी माँगी। मैंने कहा कि उनके ग्राहकों में शायद मैं ही उन्हें सबसे ज़्यादा कष्ट देती होऊँगी क्योंकि मैं अक्सर अपने पेमेंट देर से करती हूँ। तत्काल उसकी आवाज़ की टोन बदल गई और उसने मुझे आश्वस्त किया कि ऐसी बात नहीं है। कई लोग तो और भी ज़्यादा कष्ट देते हैं। उसने मुझे कई उदाहरण दिए कि कई बार तो ग्राहक बदतमीज़ी पर उतर आते हैं, कई झूठ बोलते हैं और ज़्यादातर तो उससे बात करने से बचते हैं। मैंने कुछ नहीं कहा। मैं सिर्फ़ सुनती रही और मैंने उसे अपनी समस्याएँ बताने का पूरा मौक़ा दिया। फिर बिना मेरे कुछ कहे उसने कहा कि अगर मैं तत्काल पूरा पैसा न दूँ तो कोई बात नहीं। मैं सिर्फ़ महीने के आख़िर तक सिर्फ़ 20 डॉलर जमा कर दूँ और बाक़ी का पैसा अपनी सुविधा से चुका दूँ।'

कल किसी को आग लगाने से रोकने से पहले या सामान ख़रीदने से पहले या अपनी प्रिय चैरिटी में दान देने से पहले क्यों न आप थोड़ा ठहरकर अपनी आँखें बंद कर लें और सामने वाले के नज़रिए से चीज़ों को देखने की कोशिश करें? ख़ुद से पूछें, "सामने वाला यह क्यों करना चाहता है?" इसमें समय लगेगा, परंतु इससे आपके दुश्मन नहीं बनेंगे और आपको बेहतर परिणाम मिलेंगे। इससे तनाव कम होगा और आपके जूते भी नहीं फटेंगे।

हारवर्ड बिज़नेस स्कूल के डीन डॉनहैम का कहना था, "मैं किसी मीटिंग के पहले किसी व्यक्ति के ऑफ़िस के सामने फ़ुटपाथ पर दो घंटे तक टहलना पसंद करूँगा, परंतु मैं बिना इस बात की कल्पना किए अंदर नहीं घुसूँगा कि मैं क्या कहने वाला हूँ और – उसकी रुचियों और लक्ष्यों के बारे में मेरे ज्ञान के आधार पर – सामने वाला उसका क्या जवाब देगा।"

यह इतना महत्वपूर्ण वाक्य है कि मैं इसे दोबारा दोहराना चाहूँगा ताकि आप इसके महत्व को समझ सकें।

मैं किसी मीटिंग के पहले किसी व्यक्ति के ऑफ़िस के सामने फ़ुटपाथ पर दो घंटे तक टहलना पसंद करूँगा, परंतु मैं बिना इस बात की कल्पना किए अंदर नहीं घुसूँगा कि मैं क्या कहने वाला हूँ

और - उसकी रुचियों और लक्ष्यों के बारे में मेरे ज्ञान के आधार पर - सामने वाला उसका क्या जवाब देगा।

अगर आप इस पुस्तक से सिर्फ़ एक बात सीख लें - हमेशा अपने नज़रिए के साथ-साथ सामने वाले के नज़रिए से सोचना और सामने वाले के नज़रिए से देखना - अगर आप इस पुस्तक से सिर्फ़ यही बात सीख लें तो इसी से आपके करियर में काफ़ी तरक़्क़ी हो सकती है।

सिद्धांत 8
ईमानदारी से सामने वाले व्यक्ति का नज़रिया समझने की कोशिश करें।

9

लोग क्या चाहते हैं?

क्या आपको किसी ऐसे जादुई वाक्य की तलाश है जो बहस ख़त्म कर दे, दुर्भावना समाप्त कर दे, सद्भाव क़ायम कर दे और सामने वाले व्यक्ति को आपकी बात ध्यान से सुनने पर मजबूर कर दे?

हाँ, तो फिर यह रहा वह वाक्य : "मैं आपको बिलकुल भी दोष नहीं देता। अगर मैं आपकी जगह होता, तो इसमें कोई शक नहीं कि मैं भी आप ही की तरह सोचता।"

इस तरह की बात से बड़े से बड़ा आलोचक भी नर्म पड़ जाएगा। और जब आप यह कहते हैं, तो आप सौ फ़ीसदी सही होते हैं। क्योंकि अगर आप उस व्यक्ति की जगह होते तो निश्चित रूप से आप भी वही कर रहे होते जो वह कर रहा है। अल केपोन का उदाहरण लें। मान लीजिए अगर आपके पास उसके जैसा शरीर, स्वभाव और दिमाग़ होता, अगर आपको वही माहौल मिलता, अगर आपको वैसे ही अनुभव मिलते तो आप भी बिलकुल उसी की तरह होते- जैसा वह था। क्योंकि वह इन्हीं सब बातों के कारण अल केपोन बना था। उदाहरण के लिए, अगर आप साँप नहीं हैं, तो इसका कारण सिर्फ़ इतना सा है कि आपके माता-पिता साँप नहीं थे।

आप जो हैं, उसका बहुत कम श्रेय आपको जाता है- और याद रखें, अगर लोग चिड़चिड़े, अतार्किक या पूर्वाग्रह से ग्रस्त हैं तो इसमें उनका दोष भी बहुत कम है। उन दुर्भाग्यशाली व्यक्तियों के

लिए अफ़सोस कीजिए। उनके साथ सहानुभूति रखिए। ख़ुद से कहिए, "अगर ईश्वर की कृपा न होती, तो मैं इसकी जगह हो सकता था।"

आप जिन लोगों से मिलते हैं, उनमें से तीन चौथाई सहानुभूति के भूखे हैं। आप उन्हें सहानुभूति देंगे, तो वे आपसे प्रेम करने लगेंगे।

मैंने एक बार *लिटिल विमेन* की लेखिका लुइसा मे अलकॉट पर एक रेडियो वार्ता दी थी। मैं जानता था कि वे मैसेश्यूट्स के कॉन्कॉर्ड में रहती थीं और उन्होंने वहीं अपनी पुस्तकें लिखी थीं, परंतु मैंने बिना सोचे-समझे यह कह दिया कि मैं उनसे न्यू हैम्पशायर के कॉन्कॉर्ड में मिला। अगर मैंने न्यू हैम्पशायर का ज़िक्र केवल एक बार किया होता, तो मुझे माफ़ किया जा सकता था। परंतु मैंने यही ग़लती दो बार की थी। मेरे पास पत्रों और टेलिग्रामों का अंबार लग गया, जिनमें मेरी ग़लती पर मुझे काफ़ी भला-बुरा कहा गया था। कई तो बहुत ग़ुस्से में लिखे गए थे और कुछ तो अपमानजनक थे। कॉलोनियल डेम नाम की एक महिला जो कॉन्कॉर्ड में बड़ी हुई थी और जो अब फ़िलाडेल्फ़िया में रहती थी, उसने मुझ पर अपना पूरा ग़ुस्सा उतार दिया। अगर मैंने यह कहा होता कि मिस अलकॉट न्यू गिनी की नरभक्षी हैं तो भी वह इससे अधिक अपमान नहीं कर सकती थी। उसका पत्र पढ़ने के बाद मैंने ख़ुद से कहा, "मेरी ख़ुशक़िस्मती है कि इस महिला से मेरी शादी नहीं हुई।" मैं उसे यह बताना चाहता था कि मैंने भूगोल से संबंधित एक भूल ज़रूर की थी, परंतु उसने मानवीय संबंधों से संबंधित सामान्य शिष्टाचार की मुझसे भी बड़ी भूल की थी। यह मेरा पहला वाक्य होता। फिर मैं अपनी बाँहें चढ़ाकर उसे बताना चाहता था कि उसके बारे में मेरे क्या विचार थे। परंतु मैंने ऐसा नहीं किया। मैंने ख़ुद पर क़ाबू रखा। मैंने महसूस किया कि कोई भी मूर्ख ऐसा कर सकता था - और ज़्यादातर मूर्ख यही करते।

मैं मूर्खों की श्रेणी से ऊपर उठना चाहता था। इसलिए मैंने उसकी दुश्मनी को दोस्ती में बदलने की कोशिश करने का निश्चय किया। यह एक चुनौती थी, एक तरह का खेल जो मैं खेल रहा था।

मैंने ख़ुद से कहा, "अगर मैं उसकी जगह पर होता, तो शायद मैंने भी इसी तरह का पत्र लिखा होता।" इसलिए मैंने उसके नज़रिए के प्रति सहानुभूतिपूर्ण दृष्टिकोण रखा। अगली बार जब मैं फ़िलाडेल्फ़िया गया, तो मैंने उसे फ़ोन किया, और हमारी चर्चा कुछ इस तरह हुई :

मैं : श्रीमती अमुक-अमुक, आपने कुछ सप्ताह पहले मुझे पत्र लिखा था, और मैं आपको धन्यवाद देना चाहता हूँ।

वह : (सभ्य, सुसंस्कृत लहज़े में) कौन बोल रहा है?

मैं : मैं आपके लिए अजनबी हूँ। मेरा नाम डेल कारनेगी है। आपने कुछ समय पहले लुईसा मे अल्कॉट पर मेरी रेडियो वार्ता सुनी थी। मैंने यह कहने का अक्षम्य अपराध किया था कि लुईसा मे अल्कॉट हैंपशायर के कॉन्कॉर्ड में रहती थीं। यह बहुत ही मूर्खतापूर्ण ग़लती थी और मैं इसके लिए माफ़ी माँगना चाहता हूँ। मुझे बहुत अच्छा लगा कि आपने मुझे मेरी ग़लती बताने के लिए समय निकाला।

वह : मुझे इतना कड़क पत्र लिखने के लिए खेद है, मिस्टर कारनेगी। मैं अपना आपा खो बैठी थी। मैं आपसे माफ़ी माँगना चाहती हूँ।

मैं : नहीं, नहीं। आपको नहीं, माफ़ी तो मुझे माँगनी चाहिए। स्कूल जाने वाले किसी भी बच्चे को मुझसे ज़्यादा ज्ञान होना चाहिए था। मैंने अगले रविवार को रेडियो पर माफ़ी माँग ली थी, और मैं अब आपसे व्यक्तिगत रूप से माफ़ी माँगना चाहता हूँ।

वह : मैं मैसेश्यूट्स के कॉन्कॉर्ड में पैदा हुई हूँ। मेरा परिवार दो सदियों से वहाँ का महत्वपूर्ण परिवार है और मुझे अपने पैदाइशी राज्य पर बहुत गर्व है। इसी वजह से दरअसल मैं यह सुनकर दुखी हो गई थी कि मिस अल्कॉट हैम्पशायर में रहती थीं। अब मैं अपने लिखे हुए पत्र पर शर्मिंदा हूँ।

मैं : मैं आपको विश्वास दिलाना चाहता हूँ कि आप उतनी

शर्मिंदा नहीं होंगी जितना कि मैं हूँ। मेरी ग़लती से मैसेश्यूट्स को उतनी चोट नहीं पहुँची जितनी कि मुझे पहुँची है। बहुत कम बार ऐसा होता है कि आप जैसे सुसंस्कृत लोग रेडियो पर बोलने वालों को पत्र लिखने का समय निकालते हैं और मुझे आशा है कि भविष्य में भी आप मुझे मेरी ग़लतियाँ बताने का समय निकाल पाएँगी।

वह : आपने जिस तरह अपनी आलोचना को लिया है, मुझे वह तरीक़ा बहुत पसंद आया। आप बहुत भले आदमी होंगे। मैं आपसे मिलना चाहूँगी।

चूँकि मैंने माफ़ी माँगी थी और उसके नज़रिए के प्रति सहानुभूति प्रकट की थी, इसलिए उसने भी माफ़ी माँगी और मेरे नज़रिए के प्रति सहानुभूति प्रकट की। मुझे अपने ग़ुस्से पर क़ाबू रखने का संतोष तो मिला ही, अपमान के बदले में दयालुता देने का सुख भी मिला। उसे श्यूल्किल नदी में कूदने की सलाह देने की बजाय मुझे उसे अपना प्रशंसक बनाने में अधिक आनंद भी मिला।

व्हाइट हाउस में आने वाले हर प्रेसिडेंट के सामने मानवीय संबंधों की कष्टकारी समस्याएँ लगभग हर रोज़ आती हैं। प्रेसिडेंट टैफ़्ट भी इसके अपवाद नहीं थे। उन्होंने अपने अनुभव से सीखा कि कटु भावनाओं के अम्ल को सहानुभूति के रसायन से किस तरह बेअसर किया जा सकता है। अपनी पुस्तक *ईथिक्स इन सर्विस* में टैफ़्ट बताते हैं कि उन्होंने किस तरह एक निराश और महत्वाकांक्षी माँ के ग़ुस्से को ठंडा किया।

टैफ़्ट लिखते हैं, "वॉशिंगटन की एक महिला, जिसके पति का कुछ राजनीतिक प्रभाव था, मेरे पास आई और छह सप्ताह तक मुझसे यह कहती रही कि मैं उसके पुत्र को एक पद पर नियुक्त कर दूँ। उसने काफ़ी बड़ी संख्या में सीनेटर्स और संसद सदस्यों की सहायता भी ली और उनके साथ आकर यह सुनिश्चित कर लिया कि वे भी पूरी शक्ति से उसके समर्थन में बोलें। इस पद के लिए तकनीकी योग्यता की ज़रूरत थी और ब्यूरो प्रमुख की अनुशंसा का

पालन करते हुए मैंने किसी दूसरे व्यक्ति को उस पद पर नियुक्त कर दिया। इसके बाद मुझे उस माँ का एक पत्र मिला जिसमें उसने कहा कि मैं बहुत ही कृतघ्न था, क्योंकि मैंने उसकी ख़ुशी छीन ली थी, जो मेरे हाथ में थी। उसने यह भी शिकायत की कि उसने अपने स्टेट डेलीगेशन के साथ मेहनत करके एक प्रशासनिक विधेयक के लिए वे सारे वोट भी जुटा लिए थे जिसमें मेरी विशेष रुचि थी और इसके बदले में मैंने उसे यह पुरस्कार दिया था।

"जब इस तरह का पत्र आपको मिलता है तो आपके मन में पहली बात यह आती है कि आप ऐसे व्यक्ति के साथ कैसा व्यवहार करेंगे जिसने आपके साथ बदसलूकी की हो या कुछ हद तक असभ्यता का भी परिचय दिया हो। फिर आप उसे जवाब लिखने बैठ जाते हैं। फिर अगर आप समझदार हैं, तो आप उस पत्र को ड्रॉअर में रख देते हैं और ड्रॉअर पर ताला लगा देते हैं। इसे दो दिन बाद बाहर निकालें - इस तरह के पत्रों का जवाब देने में हमेशा दो दिन का समय लेना चाहिए - और जब आप इसे इतने समय बाद बाहर निकालते हैं, तो आप इसे नहीं भेजेंगे। यही रास्ता मैंने अपनाया। इसके बाद, मैं बैठा और मैंने उसे बहुत विनम्र सा पत्र लिखा। मैंने उसे बताया कि इन परिस्थितियों में किसी माँ का दिल कितना दुखी होगा, यह मैं समझ सकता हूँ, परंतु दरअसल इस नियुक्ति में मेरी व्यक्तिगत भावनाओं के लिए कोई स्थान नहीं था। मुझे तकनीकी योग्यताओं वाले व्यक्ति को चुनना था और इस वजह से मुझे ब्यूरो प्रमुख की अनुशंसा का पालन करना पड़ा। मैंने आशा व्यक्त की कि उसका पुत्र अपने वर्तमान पद पर रहते हुए ही बड़ी उपलब्धियाँ हासिल कर सकेगा। इससे उसका ग़ुस्सा ठंडा पड़ गया और उसने मुझे दूसरा पत्र लिखा जिसमें उसने कहा कि वह अपने लिखे हुए पहले पत्र को लेकर शर्मिंदा है।

"परंतु मैंने जो नियुक्ति की थी, उसे संसद की मंज़ूरी मिलने में थोड़ा वक़्त लग गया। कुछ समय बाद मुझे एक और पत्र मिला जो उसके पति के नाम से लिखा गया था, हालाँकि उसकी हैंडराइटिंग भी महिला के लिखे पत्रों जैसी ही थी। इस पत्र में मुझे बताया गया

कि उस महिला को इतनी निराशा हुई थी कि वह बुरी तरह बीमार हो गई थी और उसने बिस्तर पकड़ लिया था और उसे आमाशय का गंभीर कैंसर हो गया था। क्या मैं अपने सुझाए गए पहले नाम को वापस लेकर और उसके पुत्र को नियुक्ति देकर उस महिला को पुनः स्वस्थ नहीं करना चाहूँगा? मुझे एक और पत्र लिखना पड़ा, इस बार उसके पति को, जिसमें मैंने लिखा कि शायद टेस्ट के बाद उसका कैंसर का निदान ग़लत निकले। मैंने सहानुभूति व्यक्त की कि उसकी पत्नी की गंभीर बीमारी को लेकर मैं उसके दुख को समझ सकता हूँ, परंतु अपने सुझाए गए नाम को वापस लेना मेरे लिए असंभव है। संसद ने मेरे सुझाए गए नाम को मंज़ूरी दे दी और उस पत्र के मिलने के दो दिन बाद ही हमने व्हाइट हाउस में एक संगीत समारोह का आयोजन किया। मिसेज़ टैफ़्ट और मुझे सबसे पहले इन्हीं पति-पत्नी ने बधाई दी, हालाँकि यह पत्नी हाल ही में गंभीर रूप से बीमार होकर बिस्तर पर पड़ी हुई थी।"

जिम मैग्नम ओक्लाहामा के टुलसा में लिफ़्ट मेंटेनेंस कंपनी का प्रतिनिधि थे। उनके पास टुलसा के एक बड़े होटल में लिफ़्ट के मेंटेनेंस का कॉन्ट्रैक्ट था। होटल का मैनेजर दो घंटे से ज़्यादा समय तक लिफ़्ट बंद करके होटल के ग्राहकों को परेशान नहीं करना चाहता था। मरम्मत के लिए कम से कम आठ घंटे का समय चाहिए था। और मेंटेनेंस कंपनी में एक विशेष रूप से प्रशिक्षित व्यक्ति हमेशा होटल की सुविधानुसार उपलब्ध नहीं रहता था।

जब मिस्टर मैग्नम ने इस काम के लिए अपने सबसे अच्छे मैकेनिक से समय तय कर लिया, तो उन्होंने होटल मैनेजर को फ़ोन किया और उससे अपना मनचाहा समय हासिल करने के लिए बहस करने के बजाय इस तरह की बातें कीं :

"रिक, मैं जानता हूँ कि आपका होटल बहुत व्यस्त रहता है और आप लिफ़्ट को ज़्यादा देर तक बंद रखकर अपने ग्राहकों को असुविधा नहीं पहुँचाना चाहते। हम आपकी समस्या को समझते हैं और हम आपकी बात रखने का हरसंभव प्रयास करते हैं। परंतु हमें लगता है कि अगर हमने अभी मरम्मत नहीं की, तो लिफ़्ट में गंभीर

नुक़सान हो सकता है और बाद में इसकी मरम्मत में बहुत ज़्यादा समय लग सकता है। मैं जानता हूँ कि आप यह नहीं चाहेंगे कि आपके ग्राहकों को कई दिनों तक असुविधा हो।"

मैनेजर को मानना पड़ा कि कई दिन तक लिफ़्ट बंद रहने से कुछ घंटों तक लिफ़्ट बंद रहना ज़्यादा अच्छा है। ग्राहकों को ख़ुश रखने की मैनेजर की इच्छा के साथ सहानुभूति प्रकट करके मिस्टर मैग्नम ने होटल के मैनेजर से अपनी बात मनवा ली और किसी तरह की कोई कटुता नहीं हुई।

जॉयस नॉरिस मिसूरी के सेंट लुई में पियानो टीचर थीं। उन्होंने बताया कि किस तरह उन्होंने एक ऐसी समस्या को सुलझाया जो पियानो टीचरों को किशोरियों के साथ अक्सर आती है। उनकी क्लास में एक लड़की थी बैबेट। उसके नाख़ून असाधारण लंबे थे। यदि किसी को पियानो बजाने का उचित प्रशिक्षण लेना है तो लंबे नाख़ून इसमें बहुत बड़ी बाधा साबित होते हैं।

मिसेज़ नॉरिस बताती हैं : "मैं जानती थी कि उसके लंबे नाख़ून उसके अच्छे पियानो बजाने में बाधक होंगे, जैसी कि उसकी ख़्वाहिश थी। पियानो सीखने से पहले मेरे साथ उसकी जो चर्चा हुई थी, उसमें मैंने उसके नाख़ूनों के बारे में कुछ नहीं कहा। मैं नहीं चाहती थी कि वह पियानो सीखने से पहले ही निराश हो जाए और मैं यह भी जानती थी कि वह अपने नाख़ून नहीं काटना चाहेगी जिन्हें उसने इतने जतन से बढ़ाया था और जिनकी सुंदरता पर उसे इतना गर्व था।

"पहले सबक़ के बाद जब मुझे लगा कि समय सही है तो मैंने उससे कहा, 'बैबेट, तुम्हारे हाथ बहुत आकर्षक हैं और तुम्हारे नाख़ून बहुत सुंदर हैं। परंतु अगर ये नाख़ून थोड़े छोटे होते, तो तुम ज़्यादा अच्छी तरह पियानो बजा सकती थीं। इस बारे में सोचना, ठीक है ?' उसके चेहरे पर नकारात्मक भाव साफ़ दिख रहे थे। मैंने इस बारे में उसकी माँ से भी बात की और मैंने यह भी कहा कि उसके नाख़ून बहुत सुंदर थे। मुझे एक और नकारात्मक प्रतिक्रिया

देखने को मिली। यह स्पष्ट था कि बैबेट के सुंदर लंबे नाख़ून उसके लिए बहुत महत्वपूर्ण थे।

"अगले सप्ताह बैबेट अपने दूसरे सबक़ के लिए क्लास में आई। मुझे हैरानी हुई कि उसने अपने नाख़ून काट लिए थे। मैंने इस बात के लिए उसकी तारीफ़ की और कहा कि इतने सुंदर नाख़ून कटवाना उसके लिए किसी त्याग से कम नहीं था। मैंने उसकी माँ को भी धन्यवाद दिया कि उन्होंने बैबेट को नाख़ून काटने के लिए प्रेरित किया। माँ का जवाब था, 'अरे नहीं, मैंने कुछ नहीं किया। बैबेट ने ख़ुद ही यह फ़ैसला किया है और यह पहली बार है जब उसने किसी के कहने पर अपने नाख़ून छोटे किए हैं।'"

क्या मिसेज़ नॉरिस ने बैबेट को धमकाया? क्या उन्होंने यह कहा कि वे लंबे नाख़ून वाली स्टुडेंट को संगीत नहीं सिखाएँगी? नहीं, उन्होंने ऐसा कुछ नहीं किया। उन्होंने बैबेट को केवल यह बताया कि उसके नाख़ून बहुत सुंदर हैं और उन्हें काटना उसके लिए किसी बलिदान से कम नहीं है। उनका अर्थ था, "मुझे तुमसे सहानुभूति है- मैं जानती हूँ कि यह आसान नहीं होगा, परंतु इससे तुम्हें संगीत सीखने में आसानी होगी।"

सॉल हूरॉक शायद अमेरिका के नंबर वन इम्प्रेसेरियो थे। लगभग आधी सदी तक उनका पाला कलाकारों से पड़ा जिनमें चालियापिन, इसाडोरा डंकन और पाव्लोवा जैसे विश्वप्रसिद्ध कलाकार शामिल थे। मिस्टर हूरॉक ने मुझे बताया कि अपने सनकी सितारों के साथ व्यवहार करने में जो पहली चीज़ उसने सीखी वह यह थी कि उनके साथ सहानुभूति की ज़रूरत थी, उनकी सनक के प्रति सहानुभूति, बहुत अधिक सहानुभूति प्रदर्शित करने की ज़रूरत थी।

तीन सालों तक वे फ़्योदोर चालियापिन के इम्प्रेसेरियो थे, जिन्होंने अपनी संगीत प्रतिभा से सारे विश्व को रोमांचित कर दिया था। परंतु चालियापिन अपने आप में एक बहुत बड़ी समस्या थे। वे बिगड़े हुए बच्चे की तरह व्यवहार करते थे। मिस्टर हूरॉक के शब्दों में, "वे हर तरह से किसी तूफ़ान से कम नहीं थे।"

उदाहरण के तौर पर, चालियापिन मिस्टर हूरॉक को संगीत कार्यक्रम वाली दोपहर को बुलाकर कहते थे, "सॉल, मेरी तबियत ठीक नहीं है। मेरा गला किसी कच्चे हैमबर्गर की तरह हो रहा है। आज की रात गाना मेरे लिए असंभव है।" क्या मिस्टर हूरॉक उनके साथ बहस करते थे? बिलकुल नहीं। वे जानते थे कि कोई भी मैनेजर अपने कलाकारों के साथ इस तरह व्यवहार नहीं करता। इसलिए वे चालियापिन के होटल में भागे-भागे पहुँचते थे और चेहरे पर सहानुभूति लेकर अंदर जाते थे। वे अफ़सोस करते हुए कहते थे, "कितने अफ़सोस की बात है! कितने अफ़सोस की बात है कि आप आज गा नहीं सकते। मैं यह कार्यक्रम तत्काल कैंसल कर देता हूँ। इससे आपको दो हज़ार डॉलर का नुक़सान तो होगा, परंतु आपकी प्रतिष्ठा की तुलना में यह कुछ भी नहीं है।"

इस पर चालियापिन आह भरकर कहता था, "शायद तुम शाम तक इंतज़ार करके देख लो। पाँच बजे आओ और देखो शायद तब तक कुछ सुधार हो जाए।"

पाँच बजे, एक बार फिर मिस्टर हूरॉक होटल में भागे-भागे पहुँचते थे और सहानुभूति उनके चेहरे पर साफ़ झलकती थी। एक बार फिर वे कार्यक्रम कैंसल करने पर ज़ोर देते थे और एक बार फिर चालियापिन आह भरकर कहता था, "शायद तुम थोड़ी देर बाद आकर मेरा हाल देखो। शायद तब तक मेरी हालत सुधर जाए।"

साढ़े सात बजे महान गायक गाने के लिए तैयार हो जाता था, परंतु इस शर्त पर कि मिस्टर हूरॉक कार्यक्रम में मंच से यह घोषणा करेंगे कि चालियापिन को बहुत सर्दी है और इसलिए उनका गला ख़राब है। मिस्टर हूरॉक झूठ बोल देते थे कि वे ऐसा ज़रूर करेंगे क्योंकि वे जानते थे कि इस गायक को मंच पर लाने का यही एकमात्र तरीक़ा है।

डॉ. आर्थर आई. गेट्स ने अपनी शानदार पुस्तक एज्युकेशनल साइक्लॉजी में लिखा है, "पूरी मानव जाति सहानुभूति चाहती है। बच्चा अपनी चोट दिखाता है और कई बार तो जान-बूझकर चोट

लगा भी लेता है ताकि उसे सहानुभूति मिल सके। इसी कारण वयस्क लोग भी अपनी चोटें दिखाते हैं, अपनी दुर्घटनाओं के क़िस्से सुनाते हैं, अपनी बीमारी के दर्द बताते हैं, ख़ास तौर पर अपने ऑपरेशनों के। अपने वास्तविक या काल्पनिक दुर्भाग्यों के लिए 'आत्म-दया' दिखाना कुछ हद तक पूरी मानव जाति के स्वभाव में है।"

तो अगर आप लोगों से अपनी बात मनवाना चाहते हों, तो इस पर अमल करें।

सिद्धांत 9

सामने वाले व्यक्ति के विचारों और इच्छाओं के प्रति सहानुभूति प्रदर्शित करें।

10

हर व्यक्ति यह आग्रह
पसंद करता है

मैं मिसूरी में जेसी जेम्स के इलाक़े में बड़ा हुआ था। मैं मिसूरी के कियर्ने में जेम्स फ़ार्म गया, जहाँ जेसी जेम्स का पुत्र अब भी रहता था।

उसकी पत्नी ने मुझे क़िस्से सुनाए कि किस तरह जेसी ट्रेनों और बैंकों को लूटा करता था और लूटे हुए पैसे को ग़रीबों में बाँट दिया करता था ताकि वे अपनी गिरवी रखी हुई ज़मीन छुड़ा लें।

जेसी जेम्स ख़ुद को उसी तरह आदर्शवादी और परोपकारी समझता था, जैसा कि डच शुल्ट्ज़, "दुनाली बंदूक" क्रॉले या अल केपोन या कई और "गॉडफ़ादर" समझते हैं। सच तो यह है कि आप जिन लोगों से मिलते हैं उनमें से ज़्यादातर ख़ुद को अच्छा और निःस्वार्थ समझते हैं।

जे. पियरपोंट मॉरगन ने एक बार कहा था कि किसी भी काम को करने के पीछे आम तौर पर इंसान के पास दो कारण होते हैं : पहला कारण वास्तविक होता है और दूसरा कहने-सुनने में अच्छा लगता है।

यह कहने की ज़रूरत नहीं है कि हर इंसान वास्तविक कारण जानता है। परंतु चूँकि हम सभी लोग दिल से आदर्शवादी होते हैं, इसलिए हम उन कारणों के बारे में सोचना पसंद करते हैं जो कहने-सुनने में अच्छे लगते हैं। इसलिए अगर आप लोगों को

बदलना चाहते हैं, तो आदर्शवादी कारणों का सहारा लीजिए।

क्या यह आदर्शवादी तरीक़ा बिज़नेस में भी काम करता है? आइए, देखते हैं। ग्लेनोल्डन, पेनसिल्वेनिया में फ़ैरेल-मिशेल कंपनी के हैमिल्टन जे. फ़ैरेल का उदाहरण लें। फ़ैरेल के एक चिड़चिड़े किराएदार ने घर ख़ाली करके चले जाने की धमकी दी। हालाँकि समझौते के अनुसार उसे चार महीने तक वहीं रहना था, फिर भी उसने यह नोटिस थमा दिया कि वह तत्काल मकान ख़ाली करके जा रहा है, चाहे समझौता कुछ भी हुआ हो।

फ़ैरेल ने बताया, "ये लोग मेरे मकान में सर्दियाँ गुज़ार चुके थे, जब मकान साल भर में सबसे महँगे होते हैं। मैं जानता था कि शरद ऋतु के पहले नया किराएदार मिलना मुश्किल है। मैं साफ़ देख सकता था कि किराए की मेरी सारी आमदनी डूबने वाली है। और यक़ीन मानिए, मैं बुरी तरह पगला गया था।

"आम तौर पर मैंने यह किया होता कि मैंने उसके पास जाकर उसे लीज़ के समझौते को फिर से पढ़ने की सलाह दी होती। मैंने बताया होता कि अगर उसने मकान ख़ाली किया तो उसे पूरे का पूरा किराया एकमुश्त चुकाना पड़ेगा- और मैं क़ानूनी तरीक़ों का इस्तेमाल करके उससे पैसा वसूल कर सकता था और मैंने ऐसा ही किया होता।

"परंतु मैंने ग़ुस्से में आकर विवाद बढ़ाने के बजाय दूसरी तकनीक का इस्तेमाल करने का निश्चय किया। मैंने कहा, 'मिस्टर डो, मैंने आपकी बात सुन ली है और मुझे अब भी यक़ीन नहीं हो रहा है कि आप मकान ख़ाली करना चाहते हैं। वर्षों तक किराए पर मकान देने के कारण मुझे मानव स्वभाव का काफ़ी ज्ञान हो चुका है और आप जब यह मकान लेने आए थे तभी मैंने यह देख लिया था कि आप अपने वादे के पक्के इंसान हैं। मुझे अब भी यही लगता है इसलिए मैं आपके सामने यह जोखिम भरा प्रस्ताव रखना चाहता हूँ।

"'यह रहा मेरा प्रस्ताव। इस पर कुछ दिन सोचें और फिर जवाब दें। अगर आप पहली तारीख़ तक आकर मुझसे यह कहेंगे

कि आप अब भी मकान छोड़ना चाहते हैं तो मैं आपसे वादा करता हूँ कि मैं आपके निर्णय को अंतिम मान लूँगा। मैं आपको जाने दूँगा, और यह मान लूँगा कि आपके बारे में मेरी धारणा ग़लत थी। परंतु मेरा अब भी विश्वास है कि आप अपने वादे के पक्के हैं और आप समझौते का पालन करेंगे। हम या तो आदमी हैं या फिर बंदर- और विकल्प चुनना आम तौर पर हमारे अपने हाथ में होता है।'

"अगले महीने वह किराएदार आया और उसने मुझे ख़ुद किराया दिया। उसने कहा कि उसने और उसकी पत्नी ने इस बारे में चर्चा की- और रुकने का फ़ैसला किया। वे इस निष्कर्ष पर पहुँचे कि अपने सम्मान को बचाए रखने का उनके पास यही इकलौता तरीक़ा था कि वे लीज़ की शर्तों के अनुसार चलें।"

जब लॉर्ड नॉर्थक्लिफ़ नहीं चाहते थे कि एक अख़बार उनकी एक ख़ास तस्वीर प्रकाशित करे, तो उन्होंने संपादक को एक पत्र लिखा। क्या पत्र में उन्होंने यह लिखा, "कृपया मेरी वह तस्वीर मत छापिए, क्योंकि मैं उस तस्वीर को पसंद नहीं करता।" नहीं, उन्होंने एक आदर्शवादी बात कही। उन्होंने हर आदमी के दिल में मौजूद माँ के प्रति प्रेम और सम्मान की भावना का सहारा लिया। उन्होंने लिखा, "कृपया मेरी वह तस्वीर मत छापिए। वह तस्वीर मेरी माँ को पसंद नहीं है।"

जॉन डी. रॉकफ़ेलर, जूनियर नहीं चाहते थे कि अख़बार के कैमरामैन उनके बच्चों के फ़ोटो लें। उन्होंने यह नहीं कहा, "मैं नहीं चाहता कि मेरे बच्चों की तस्वीरें छपें।" नहीं, उन्होंने हमारे अंदर छुपी उस इच्छा का सहारा लिया जो बच्चों को नुक़सान से बचाना चाहती है। उन्होंने यह कहा, "आपमें से कई लोगों के बच्चे होंगे। और आप तो जानते ही हैं कि बच्चों को इतना प्रचार मिलना उनके लिए अच्छा नहीं होगा।"

मैन के ग़रीब लड़के साइरस एच. के. कर्टिस जब अपना करियर शुरू कर रहे थे जिसने उन्हें *द सैटरडे ईवनिंग पोस्ट* और *लेडीज़ होम जरनल* का मालिक बनाकर करोड़ों की कमाई दी, तो

वे अपने लेखकों को उतनी राशि नहीं दे सकते थे, जितनी उनके दूसरे प्रतिद्वंद्वी दे सकते थे। वे सिर्फ़ पैसे के लिए नामी लेखकों से लेख नहीं लिखवा सकते थे। इसलिए उन्होंने आदर्शवादी कारणों का सहारा लिया। उदाहरण के लिए, उन्होंने *लिटिल विमेन* की अमर लेखिका लुइसा मे अल्कॉट को भी अपने समाचारपत्र के लिए लिखने पर राज़ी कर लिया और उन्होंने यह काम उस समय किया जब वे अपनी प्रसिद्धि के शिखर पर थीं। उन्होंने यह किस तरह किया? सौ डॉलर का चेक देकर, जो उनके नहीं, बल्कि उनकी फ़ेवरिट चैरिटी के नाम पर था।

संदेहवादी व्यक्ति यहाँ पर कह सकता है : "यह सब नॉर्थक्लिफ़ और रॉकफ़ेलर या किसी भावुक उपन्यासकार के लिए सही हो सकता है। परंतु मैं यह देखना पसंद करूँगा कि यह उन कठोर लोगों के साथ कैसे सफल होगा, जिनसे मुझे वसूली करनी पड़ती है।"

आप सही हो सकते हैं। कोई भी सिद्धांत सभी मामलों में सफल नहीं होगा– हर व्यक्ति के साथ काम नहीं करेगा। अगर आप उन परिणामों से संतुष्ट हैं जो आपको आज मिल रहे हैं, तो आपको बदलने की क्या ज़रूरत है? परंतु अगर आप असंतुष्ट हैं, तो प्रयोग करके देखने में हर्ज ही क्या है?

चाहे जो हो, मुझे लगता है कि आपको मेरे पूर्व विद्यार्थी जेम्स एल. थॉमस की यह सच्ची कहानी पढ़ने में आनंद आएगा :

एक ऑटोमोबाइल कंपनी के छह ग्राहकों ने सर्विसिंग के बिल चुकाने से इंकार कर दिया। किसी भी ग्राहक ने पूरे बिल पर आपत्ति नहीं उठाई थी, परंतु सभी का यह कहना था कि उन्हें ज़रूरत से ज़्यादा बिल दिया गया था। बिल कार्ड पर हर ग्राहक के हस्ताक्षर थे, इसलिए कंपनी जानती थी कि उसका दावा सही था, और कंपनी ने यही बात ग्राहकों को पत्र में लिखकर भिजवा दी। यह पहली ग़लती थी।

क्रेडिट डिपार्टमेंट के आदमियों ने वसूली के लिए यह क़दम

उठाए। आपको क्या लगता है कि यह सफल हुए होंगे?

1. कंपनी के एजेंट हर ग्राहक के घर गए और उन्हें साफ़-साफ़ बता दिया कि वे उस बिल की वसूली के लिए आए हैं, जिसका भुगतान लंबे समय से अटका हुआ है।

2. उन्होंने यह स्पष्ट बता दिया कि कंपनी पूरी तरह सही थी, इसलिए ग्राहक पूरी तरह से ग़लत था।

3. उन्होंने यह बताया कि ऑटोमोबाइल की जितनी समझ ग्राहकों को है, उससे बहुत ज़्यादा समझ ऑटोमोबाइल कंपनी को है, इसलिए ग्राहकों को बहस नहीं करनी चाहिए।

4. परिणाम : बहस चलती रही।

क्या इनमें से किसी भी तरीक़े से ग्राहक मान गया और उसने अपने बिल का भुगतान कर दिया? आप इसका जवाब ख़ुद ही दे सकते हैं।

इस स्थिति में क्रेडिट मैनेजर क़ानूनी कार्यवाही करने के मूड में आ चुका था, तभी सौभाग्य से यह मामला जनरल मैनेजर की निगाह में आया। मैनेजर ने पैसे न चुकाने वाले ग्राहकों की जाँच-पड़ताल की और उससे यह पता चला कि यह सभी ग्राहक आम तौर पर अपने बिलों का तत्काल भुगतान करते हैं। इसलिए इस बात की संभावना थी कि कहीं न कहीं वसूली के तरीक़े में कुछ न कुछ गड़बड़ी हुई है। इसलिए उसने जेम्स एल. थॉमस को बुलाया और उससे कहा कि वह इन न वसूल होने वाले बिलों की वसूली करे।

मिस्टर थॉमस ने क्या क़दम उठाए, यह उन्हीं के शब्दों में सुनिए :

1. हर ग्राहक के पास मैं भी एक पुराना बिल वसूल करने गया था- एक ऐसा बिल जिसके बारे में हम जानते थे कि हम पूरी तरह सही हैं। परंतु मैंने इस बारे में एक भी शब्द नहीं कहा। मैंने बताया कि मैं यह जानने आया हूँ कि

कंपनी ने उनके लिए क्या किया है या क्या नहीं किया है।

2. मैंने यह स्पष्ट कर दिया कि जब तक मैं ग्राहक की पूरी बात नहीं सुन लेता, तब तक मैं इस बारे में अपनी राय नहीं बना सकता। मैंने उसे बताया कि कंपनी हमेशा सही नहीं होती और कंपनी से भी ग़लतियाँ होती हैं।

3. मैंने उसे बताया कि मेरी रुचि केवल उसकी कार में थी और वह अपनी कार के बारे में जितना जानता है, उतना कोई दूसरा नहीं जान सकता। अपनी कार के मामले में वह सबसे बड़ा विशेषज्ञ है।

4. मैंने उसे बोलने दिया और मैं पूरी रुचि और सहानुभूति से उसकी बात सुनता रहा। यही उसे चाहिए था।

5. आख़िरकार जब दोस्ताना माहौल बन गया, तो मैंने पूरे मामले को उसके विवेक और अंतरात्मा पर छोड़ दिया। मैंने आदर्शवादी कारणों का सहारा लिया। मैंने कहा, "पहले तो मैं आपको बताना चाहता हूँ कि मुझे लगता है कि कंपनी ने इस प्रकरण को ठीक से नहीं सँभाला। कंपनी के लोगों के कारण आपको बहुत परेशानी और असुविधा उठानी पड़ी है। ऐसा नहीं होना चाहिए था। मैं अपनी कंपनी की तरफ़ से माफ़ी माँगता हूँ। अभी तक की चर्चा में मैं जान गया हूँ कि आपमें काफ़ी धैर्य और समझ है, इसलिए अब मैं आपसे एक मदद चाहता हूँ। दूसरा कोई भी व्यक्ति यह काम आपसे बेहतर तरीक़े से नहीं कर सकता, क्योंकि इसके बारे में आप किसी भी दूसरे व्यक्ति से ज़्यादा जानते हैं। यह रहा आपका बिल। मैं आप पर भरोसा कर सकता हूँ। इसलिए मैं यह आप पर ही छोड़ देता हूँ कि आप हमें कितना भुगतान करें। यह आपका बिल है और आप इसमें से जितनी राशि का भुगतान करना चाहें, कर दें। आपका फ़ैसला हमें मान्य होगा।"

क्या ग्राहकों ने बिल की राशि पूरी नहीं चुकाई? चुकाई और

ऐसा करने में उन्हें रोमांच का अनुभव भी हुआ। बिल की राशि 150 डॉलर से लेकर 400 डॉलर के बीच थी– परंतु क्या ग्राहक ने स्वार्थपूर्ण रवैये का परिचय दिया ? हाँ, उनमें से एक ने ऐसा किया। एक आदमी ने विवादित राशि का भुगतान नहीं किया, परंतु बाक़ी पाँच ने विवादित राशि के अधिकांश हिस्से का भुगतान कर दिया। और इससे भी बड़ी बात यह कि इन सभी छह ग्राहकों ने अगले दो सालों में हमारी कंपनी से नई कारें ख़रीदीं।

थॉमस का कहना है, "अनुभव ने मुझे यह सिखाया है कि जब ग्राहक के बारे में कोई जानकारी हासिल न हो सके, तो यह मानना उचित है कि वह ईमानदार, गंभीर, सच्चा है और बिल का भुगतान करने का इच्छुक है, परंतु तभी जब उसे यह विश्वास हो जाए कि बिल सही है। इसे अलग तरह से और शायद अधिक स्पष्ट ढंग से इस तरह कहा जा सकता है कि ग्राहक आम तौर पर ईमानदार होते हैं और भुगतान करना चाहते हैं। इस नियम के बहुत कम अपवाद होते हैं और मुझे विश्वास है कि ऐसे लोगों को भी अगर आप यह एहसास दिला दें कि आप उन्हें ईमानदार समझते हैं, तो वे आपके साथ ईमानदारी से पेश आएँगे।"

सिद्धांत 10
आदर्शवादी सिद्धांतों का सहारा लें।

11

फ़िल्मों में यह होता है,
टीवी में यह होता है,
आपसे यह क्यों नहीं होता?

कई साल पहले फ़िलाडेल्फ़िया के अख़बार *ईवनिंग बुलेटिन* के ख़िलाफ़ एक ख़तरनाक अफ़वाह फैलाई जा रही थी। इस दुर्भावनापूर्ण अफ़वाह को तेज़ी से फैलाया जा रहा था। विज्ञापन देने वालों को यह बताया जा रहा था कि अब पाठक इस अख़बार में कम रुचि ले रहे हैं क्योंकि इसमें विज्ञापन बहुत होते हैं और पढ़ने की सामग्री बहुत कम होती है। अफ़वाह को दबाने के लिए तत्काल एक्शन लेना ज़रूरी था।

परंतु कैसे?

अख़बार ने अफ़वाह का जवाब इस तरह दिया।

बुलेटिन ने एक दिन के अख़बार से सभी तरह की ख़बरों को काटा, उसका वर्गीकरण किया और उसे पुस्तक के रूप में प्रकाशित किया। इस पुस्तक का नाम रखा गया *वन डे*। पुस्तक में 307 पेज थे और इसका आकार किसी हार्डकवर पुस्तक की ही तरह था। अगर इसे पुस्तक के रूप में बेचा जाता तो इसकी क़ीमत कुछ डॉलर होनी चाहिए थी, परंतु अख़बार ने यह सारी ख़बरें और लेख एक ही दिन में छापे थे और इनकी क़ीमत कुछ डॉलर नहीं, बल्कि सिर्फ़ कुछ सेंट थी।

पुस्तक छापने से यह तथ्य नाटकीय रूप से सामने आया कि *बुलेटिन* अपने पाठकों के लिए बहुत ज़्यादा रोचक जानकारी छापता है। इससे तथ्य अधिक उभरकर, अधिक रोचकता से, अधिक प्रभावी ढंग से सामने आए। आँकड़ों या कोरी बातों से इस अफ़वाह का इतनी अच्छी तरह से जवाब नहीं दिया जा सकता था।

यह नाटकीयता का दौर है। सिर्फ़ सच कहना ही काफ़ी नहीं है। सच को नाटकीय और रोचक तरीक़े से पेश किया जाना चाहिए। आपको शोमैनशिप का इस्तेमाल करना चाहिए। यह फ़िल्मों में होता है, टीवी में होता है, और अगर आप लोगों का ध्यान आकर्षित करना चाहते हैं तो आपको भी यही करना होगा।

विन्डो डिस्प्ले के विशेषज्ञ नाटकीयता की शक्ति को जानते हैं। उदाहरण के तौर पर एक नई चूहामार दवा के निर्माताओं ने अपने डीलर्स को विंडो डिस्प्ले का जो सामान दिया उसमें दो ज़िंदा चूहे भी शामिल थे। जिस सप्ताह ज़िंदा चूहों को शोकेस में रखा गया, बिक्री सामान्य से पाँच गुना ज़्यादा बढ़ गई।

टीवी पर आने वाले विज्ञापनों को देखिए, जिनमें सामान बेचने की नाटकीय तकनीकों का प्रयोग होता है। एक दिन शाम को अपने टेलीविज़न सेट के सामने बैठें और इस बात पर ध्यान दें कि विज्ञापन देने वाले किस तरह अपने प्रॉडक्ट का विज्ञापन करते हैं। आपको पता चलेगा कि एक एन्टैसिड दवा एक टेस्ट ट्यूब में एसिड का रंग बदल देती है, जबकि इसकी प्रतिद्वंद्वी दवा ऐसा नहीं कर पाती। साबुन या डिटर्जेन्ट का एक ब्रांड मटमैली शर्ट को चमकाकर सफ़ेद कर देता है, जबकि दूसरे ब्रांड की सफ़ाई में पीलापन होता है। आप यह भी देखेंगे कि एक कार कई बार घूमती और मुड़ती है- जो सिर्फ़ बताए जाने से कहीं बेहतर है। आपको सामान ख़रीदने वाले ख़ुश लोगों के हँसते-मुस्कराते चेहरे दिखाए जाते हैं। इस तरह से दर्शक के सामने लाभों का नाटकीय प्रदर्शन किया जाता है- और इसी वजह से लोग उस सामान को ख़रीदने के लिए प्रेरित होते हैं।

आप अपने विचारों को बिज़नेस या जीवन के किसी अन्य

पहलू में भी नाटकीयता के साथ प्रस्तुत कर सकते हैं। यह आसान है। जिम ईमैन्स रिकमंड, वर्जीनिया में एन.सी.आर. (नेशनल कैश रजिस्टर) कंपनी के सेल्समैन हैं। वे बताते हैं कि उन्होंने नाटकीय प्रदर्शन के द्वारा किस तरह एक बार अपना माल बेचा।

"पिछले सप्ताह मैं पड़ोस की एक ग्रॉसरी शॉप में गया और मैंने देखा कि वह अपने चेकआउट काउंटरों पर जो कैश रजिस्टर इस्तेमाल कर रहा था वे बहुत ही पुराने क़िस्म के थे। मैं मालिक के पास गया और उससे कहा : 'जब भी आपका सामना ग्राहक से होता है, तो हर बार दरअसल आप कुछ सिक्के गिरा रहे हैं।' यह कहते हुए मैंने फ़र्श पर कुछ सिक्के सचमुच फेंक दिए। तत्काल वह मेरी बात ध्यान से सुनने लगा। हालाँकि केवल शब्दों से भी उसकी दिलचस्पी जाग्रत हो जाती, परंतु फ़र्श पर सिक्कों के गिरने की आवाज़ ने तो उसे पूरी तरह बाँध लिया था। मैं आख़िरकार उससे उसकी सारी पुरानी मशीनें बदलने का ऑर्डर लेने में सफल हो गया।' "

यह घरेलू जीवन में भी काम करता है। पुराने ज़माने में जब कोई प्रेमी अपनी प्रेमिका के सामने प्रेम-प्रस्ताव रखता था, तो क्या वह सिर्फ़ शब्दों के माध्यम से ही अपने प्यार का इज़हार करता था? नहीं! वह अपने घुटनों के बल बैठ जाता था। इससे पता चलता था कि वह सचमुच गंभीर है और उसकी भावनाएँ सच्ची और प्रबल हैं। आजकल प्रेम-प्रस्ताव रखने के लिए प्रेमी घुटनों के बल नहीं बैठते, परंतु फिर भी वे रोमांटिक माहौल तो बनाते ही हैं, ताकि उनका प्रस्ताव स्वीकार कर लिया जाए।

आप जो चाहते हैं, उसकी नाटकीय प्रस्तुति बच्चों के साथ भी सफल होती है। बर्मिंघम, अलाबामा के जो बी. फ़ैंट जूनियर को बच्चों की तरफ़ से समस्या आ रही थी। उनका पाँच साल का पुत्र और तीन साल की पुत्री अपने खिलौने नहीं उठाते थे, इसलिए उन्होंने एक "ट्रेन" बनाई। जोई (कैप्टेन कैसी जोन्स) अपनी तिपहिया साइकिल पर इंजीनियर बन गए। जैनेट का वैगन जुड़ा हुआ था और शाम को वह सारे "कोयले" अपनी वैगन में रख देती

थी और फिर उसका भाई उसे पूरे कमरे में घुमाया करता था। इस तरह से कमरे की सफ़ाई होने लगी- बिना लेक्चर, बिना बहस या बिना धमकियों के।

मिशावाका, इंडियाना की मैरी कैथरीन वुल्फ़ को अपनी नौकरी में कुछ परेशानी थी, इसलिए उसने अपने बॉस से बातचीत करने का फ़ैसला किया। सोमवार की सुबह उसने उनसे अपॉइंटमेंट लेने का अनुरोध किया परंतु उसे बताया गया कि वे बेहद व्यस्त थे और उसे सप्ताह में बाद में किसी दिन अपॉइंटमेंट के लिए सेक्रेटरी से संपर्क करना चाहिए। सेक्रेटरी ने बताया कि बॉस का शेड्यूल बहुत ही टाइट है, परंतु वह किसी तरह उसे मिलवाने की कोशिश करेगी।

मिस वुल्फ़ ने बताया कि इसके बाद क्या हुआ :

"पूरे सप्ताह मुझे उसकी तरफ़ से जवाब नहीं मिला। जब भी मैं उससे पूछती थी, तो वह मुझे कोई न कोई कारण बता देती थी कि बॉस मुझसे क्यों नहीं मिल सकते थे। शुक्रवार की सुबह आ गई और मुझे कोई निश्चित जवाब नहीं मिला। मैं सचमुच उनसे मिलना चाहती थी और वीकएंड के पहले ही उनसे अपनी समस्याओं के संबंध में चर्चा करना चाहती थी इसलिए मैंने ख़ुद से पूछा कि मैं किस तरह कोशिश करूँ ताकि वे मुझसे मिलने के लिए तैयार हो जाएँ।

"अंत में मैंने यह किया। मैंने उन्हें एक औपचारिक पत्र लिखा। पत्र में मैंने लिखा कि मैं उनकी व्यस्तता समझती हूँ, परंतु मुझे उनसे बहुत महत्त्वपूर्ण काम से मिलना है। मैंने पत्र के साथ ख़ुद का पता लगा लिफ़ाफ़ा भी रख दिया और उस लिफ़ाफ़े में एक फ़ॉर्म भी रख दिया, जिसे वे ख़ुद भर सकते थे या अपनी सेक्रेटरी से भरवाकर मुझे पोस्ट कर सकते थे। फ़ॉर्म में मैंने लिखा था,

मिस वुल्फ़- मैं आपको .... को .... बजे .... मिनट का समय दे सकता हूँ।

"मैंने 11 बजे इस पत्र को अपने बॉस को भिजवाया और 2 बजे मैंने अपना मेलबॉक्स चेक किया। वहाँ पर मेरा पता लगा

लिफ़ाफ़ा आ चुका था। उन्होंने ख़ुद ही मेरा फ़ॉर्म भरा था और यह सूचित किया था कि वे मुझसे उसी दोपहर को मिल सकते थे और मुझे अपनी बात कहने के लिए दस मिनट का समय दिया गया था। मैं उनसे मिली और हमने एक घंटे से भी अधिक समय तक बैठकर मेरी समस्याओं को सुलझाया।

"अगर मैंने घटना को नाटकीय तरीक़े से व्यक्त करके उन्हें यह नहीं जताया होता कि मैं उनसे सचमुच मिलना चाहती हूँ तो शायद मैं अब भी अपॉइंटमेंट का इंतज़ार कर रही होती।"

जेम्स बी. बॉयन्टन को एक लंबी मार्केट रिपोर्ट देनी थी। उसकी फ़र्म ने अभी हाल कोल्ड क्रीम की एक अग्रणी ब्रांड का वृहद अध्ययन किया था। इस बाज़ार में प्रतियोगिता के बारे में डाटा तत्काल चाहिए थे। संभावित ग्राहक विज्ञापन जगत के सबसे बड़े और भयानक लोगों में से था।

और उसके शुरू करने से पहले ही उसकी पहली तरकीब नाकामयाब हो गई।

मिस्टर बॉयन्टन बताते हैं, "जब मैं पहली बार उससे मिलने गया तो मैं फ़ालतू की बहस में उलझ गया। हम शोध के तरीक़ों पर निरर्थक बहस करते रहे। न वह बहस में हार मानने को तैयार था, न ही मैं। उसने मुझे बताया कि मैं ग़लत था और मैंने यह सिद्ध करने की कोशिश की कि मैं सही था।

"आख़िरकार जीत मेरी हुई और मुझे इससे संतोष भी मिला- परंतु मेरा समय ख़त्म हो चुका था, इंटरव्यू ख़त्म हो चुका था और मैं अपने मक़सद में कामयाब नहीं हुआ था।

"दूसरी बार मैंने उसे आँकड़ों या डाटा के जाल में नहीं उलझाया। जब मैं इस आदमी से मिलने गया तो मैंने तथ्यों को नाटकीय तरीक़े से प्रस्तुत किया।

"जब मैं उसके ऑफ़िस में घुसा तो वह फ़ोन पर व्यस्त था। जब उसकी चर्चा ख़त्म हुई तो मैंने अपना सूटकेस खोला और कोल्ड

क्रीम के बत्तीस डिब्बे निकालकर उसकी टेबल पर रख दिए। सभी कंपनियों को वह जानता था, क्योंकि वे सभी उसकी क्रीम की प्रतिद्वंद्वी थीं।

"हर डिब्बे पर मैंने एक टैग लगा दिया था, जिसमें हमारे सर्वे के परिणाम लिखे हुए थे। और हर टैग अपनी कहानी संक्षेप में, नाटकीय तरीक़े से कह रहा था।

"फिर क्या हुआ?

"बहस की कोई गुंजाइश ही नहीं थी। यह कुछ नया था, कुछ हटकर था। उसने कोल्ड क्रीम पर लगे पहले टैग को उठाया, टैग पर लिखी जानकारी को पढ़ा और उसने सारे टैग पढ़ डाले। दोस्ताना चर्चा शुरू हो गई। इसके बाद उसने कुछ सवाल पूछे। उसकी दिलचस्पी जाग गई थी। उसने मुझे तथ्यों को बताने के लिए शुरुआत में सिर्फ़ दस मिनट का समय दिया था, परंतु दस मिनट गुज़र गए, बीस मिनट गुज़र गए, चालीस मिनट गुज़र गए और एक घंटे बाद भी हम लोग बातें कर रहे थे।

"मैं इस बार भी उन्हीं तथ्यों को प्रस्तुत कर रहा था जो मैंने पहली बार किए थे। परंतु इस बार मैं नाटकीयता का सहारा ले रहा था, शोमैनशिप का सहारा ले रहा था- और इससे कितना ज़्यादा फ़र्क़ पड़ा।"

सिद्धांत 11

अपने विचारों को नाटकीय तरीक़े से प्रस्तुत करें।

12

जब कुछ और काम न आए,
तो यह करें

चार्ल्स श्वाब का एक मिल मैनेजर था, जिसकी मिल में मज़दूर पर्याप्त उत्पादन नहीं कर रहे थे।

श्वाब ने मैनेजर से पूछा, "ऐसा क्यों है कि आप जैसा सक्षम मैनेजर होने के बावजूद यहाँ पर पर्याप्त उत्पादन नहीं हो रहा है।"

मैनेजर ने जवाब दिया, "मैं नहीं जानता। मैंने मज़दूरों को समझाया, प्रोत्साहित किया, उन्हें लालच भी दिया, मैंने उन्हें डराया-धमकाया, नौकरी से निकालने का डर भी दिखाया। परंतु कोई फ़ायदा नहीं हुआ। वे किसी तरह पर्याप्त उत्पादन नहीं कर रहे हैं।"

चर्चा शाम को हो रही थी और रात वाली शिफ़्ट काम पर आने वाली थी। श्वाब ने मैनेजर से चॉक का एक टुकड़ा लाने के लिए कहा। फिर उसने पास खड़े एक मज़दूर से पूछा, "आज तुम्हारी शिफ़्ट ने कितनी हीट्स कीं?"

"छह।"

बिना कुछ कहे, श्वाब ने चॉक से फ़र्श पर बड़े अक्षरों में "6" लिख दिया और चला गया।

जब रात वाली शिफ़्ट काम पर आई तो उन्होंने "6" लिखा देखा और पूछा कि इसका क्या मतलब है।

दिन की शिफ़्ट के लोगों ने बताया, "आज बड़े बॉस आए थे।

281

उन्होंने हमसे पूछा कि हमारी शिफ़्ट ने कितनी हीट्स कीं और हमने उन्हें बताया कि हमने 6 हीट्स की थीं। उन्होंने इसी को फ़र्श पर लिख दिया है।"

अगली सुबह जब श्वाब फिर से मिल पहुँचा, तो रात वाली शिफ़्ट ने "6" को मिटाकर उसकी जगह पर बड़े-बड़े अक्षरों में "7" लिख दिया था।

जब दिन की शिफ़्ट के लोग अगली सुबह काम पर आए, तो उन्होंने देखा कि फ़र्श पर बड़े-बड़े अक्षरों में "7" लिखा हुआ है। अच्छा, तो नाइट शिफ़्ट वाले समझते हैं कि वे हमसे ज़्यादा योग्य हैं। उन्हें सबक़ सिखाना ही पड़ेगा। डे शिफ़्ट वालों ने उत्साह से काम किया और जब शाम को वे घर जाने लगे तो जाते-जाते उन्होंने बड़े-बड़े अक्षरों में लिख दिया "10"। काम बहुत तेज़ी से होने लगा था।

कुछ ही समय में जिस मिल का उत्पादन पर्याप्त से बहुत कम हो रहा था, उसमें प्लांट की किसी और मिल से अधिक उत्पादन होने लगा।

इस घटना से हमें क्या शिक्षा मिलती है ?

श्वाब को ही यह अपने शब्दों में कहने दें, "काम करवाने का तरीक़ा है : प्रतियोगिता को प्रेरित करना। प्रतियोगिता से मेरा मतलब पैसे कमाने वाली घटिया प्रतियोगिता से नहीं है, बल्कि श्रेष्ठ होने की आकांक्षा से है।"

श्रेष्ठ होने की आकांक्षा! चुनौती! उत्साही लोगों को प्रेरित करने का अचूक तरीक़ा।

चुनौती के बिना थियोडोर रूज़वेल्ट कभी अमेरिका के राष्ट्रपति नहीं बने होते। क्यूबा से वापस लौटने के बाद उन्हें न्यूयॉर्क स्टेट के गवर्नर पद का उम्मीदवार बनाया गया। विपक्षी पार्टी ने यह खोज लिया कि वे इस राज्य के वैध नागरिक नहीं थे। इस पर रूज़वेल्ट घबरा गए और अपना नाम वापस लेने के बारे में सोचने लगे। तभी न्यूयॉर्क के अमेरिकी सीनेटर थॉमस कॉलियर प्लैट ने उनके सामने चुनौती पेश की। थियोडोर रूज़वेल्ट के सामने अचानक आकर

उन्होंने अपनी ज़ोरदार आवाज़ में कहा, "क्या सान जुआन हिल का हीरो डरपोक है, क़ायर है?"

रूज़वेल्ट ने मैदान नहीं छोड़ा- और बाक़ी इतिहास है। एक चुनौती ने न सिर्फ़ उनकी ज़िंदगी बदल दी, बल्कि उनके देश के भविष्य पर भी इसका बहुत अधिक प्रभाव पड़ा।

प्राचीन ग्रीस में किंग्स गार्ड का आदर्श वाक्य था, "डरते सभी हैं, परंतु बहादुर लोग अपने डर को एक तरफ़ रख देते हैं और आगे बढ़ जाते हैं। हालाँकि कई बार वे मर जाते हैं, परंतु जीत हमेशा उन्हीं की होती है।" अपने डर को जीतने के अवसर से बड़ी चुनौती और क्या हो सकती है?

जब अल स्मिथ न्यूयॉर्क के गवर्नर थे, तो उन्होंने भी चुनौती देने की तरकीब अपनाई। उस समय की सबसे कुख्यात *सिंग सिंग जेल* में कोई वॉर्डन नहीं था। जेल की दीवारों को लेकर कई अफ़वाहें और स्कैंडल हवा में थे। स्मिथ को *सिंग सिंग* के वॉर्डन के रूप में एक दमदार आदमी की ज़रूरत थी- एक लौहपुरुष की। परंतु कौन? उन्होंने न्यू हैम्प्टन के लुइस आर. लॉज़ को बुलवाया।

"*सिंग सिंग* के वॉर्डन बनने के बारे में आपका क्या विचार है?" उन्होंने मुस्कराते हुए लुइस से पूछा। "वहाँ पर किसी अनुभवी आदमी की ज़रूरत है।"

लुइस हक्का-बक्का रह गया। वह *सिंग सिंग* के ख़तरों से वाक़िफ़ था। यह एक राजनीतिक अपॉइंटमेंट था और राजनेताओं के मूड पर निर्भर करता था। बहुत से वॉर्डन आए थे और आकर चले गए थे- उनमें से एक तो सिर्फ़ तीन सप्ताह ही टिक पाया था। उसे अपने करियर के बारे में चिंता होना स्वाभाविक था। क्या यह ख़तरा मोल लिया जाना चाहिए?

स्मिथ ने उसकी झिझक को देख लिया। वह अपनी कुर्सी में पीछे की ओर टिका और मुस्कराया, "देखो यंग मैन, मैं तुम्हें दोष नहीं देता कि तुम डर रहे हो। काम बहुत कठिन है। वहाँ पर जाने और बने रहने के लिए एक बड़े दमदार आदमी की ज़रूरत है।"

इसलिए वह गया। और वह वहाँ बना रहा। वहीं बने रहते हुए वह अपने समय का सबसे प्रसिद्ध वॉर्डन बन गया। उसकी पुस्तक *20,000 इयर्स इन सिंग सिंग* की लाखों प्रतियाँ बिकीं। उनकी रेडियो वार्ताओं और जेल के जीवन की उनकी कहानियों ने दर्जनों फ़िल्मों को प्रेरित किया। अपराधियों के "मानवीयकरण" के उनके तरीक़े जेल सुधार के क्षेत्र में चमत्कारी साबित हुए।

महान *फ़ायरस्टोन टायर एंड रबर कंपनी* के संस्थापक हार्वे एस. फ़ायरस्टोन ने कहा है, "मैं यह नहीं मानता कि तनख़्वाह और केवल तनख़्वाह से अच्छे लोगों को अपनी कंपनी में लाया जा सकता है या फिर उन्हें वहाँ रखा जा सकता है। मुझे लगता है कि असली आकर्षण तो काम की प्रकृति है।"

महान बिहेवियरल साइंटिस्ट फ्रेडरिक हर्ज़बर्ग इस बात से सहमत हैं। उन्होंने हज़ारों लोगों के काम के नज़रिए का गहराई से अध्ययन किया जिनमें फ़ैक्ट्री के मज़दूरों से लेकर सीनियर एक्ज़ीक्यूटिव्ज़ तक शामिल थे। आपको क्या लगता है कि उनके शोध में कौन सा तत्व सबसे प्रेरक रहा होगा- उनके काम का कौन सा पहलू उन्हें सबसे अधिक आनंद देता होगा ? पैसा ? काम का अच्छा माहौल ? दीगर सुविधाएँ ? नहीं- इनमें से कोई नहीं। वह सबसे बड़ा तत्व जिससे लोगों को प्रेरणा मिलती थी वह था काम की प्रकृति। अगर काम रोचक और चुनौतीपूर्ण है तो लोग उस काम को करने के लिए प्रेरित होंगे और अच्छी तरह से करने के लिए प्रोत्साहित होंगे।

यही हर सफल व्यक्ति पसंद करता है : चुनौती। आत्म-अभिव्यक्ति का अवसर। वह अवसर जिससे वह अपना मूल्य, अपनी श्रेष्ठता सिद्ध कर सके, जीतकर दिखा सके। इसी वजह से तो प्रतियोगिताएँ इतनी लोकप्रिय हैं। श्रेष्ठ होने की आकांक्षा। महत्वपूर्ण होने की आकांक्षा।

सिद्धांत 12
चुनौती दें।

संक्षेप में
लोगों से अपनी बात
मनवाने के बारह तरीक़े

सिद्धांत 1
बहस से एक ही फ़ायदा हो सकता है
और वह है इससे बचना।

सिद्धांत 2
दूसरे व्यक्ति के विचारों के प्रति
सम्मान दिखाएँ।
यह कभी न कहें, "आप ग़लत हैं।"

सिद्धांत 3
अगर ग़लती आपकी हो,
तो तत्काल और पूरी तरह
अपनी ग़लती मान लें।

सिद्धांत 4
दोस्ताना तरीक़े से शुरू करें।

सिद्धांत 5
सामने वाले से तत्काल
"हाँ, हाँ" कहलवाएँ।

सिद्धांत 6
सामने वाले व्यक्ति को
ज़्यादा बातें करने दें।

सिद्धांत 7
दूसरे व्यक्ति को यह लगने दें कि
यह विचार उसी का है।

सिद्धांत 8
ईमानदारी से सामने वाले व्यक्ति का
नज़रिया समझने की कोशिश करें।

सिद्धांत 9

सामने वाले व्यक्ति के विचारों और इच्छाओं के प्रति सहानुभूति प्रदर्शित करें।

सिद्धांत 10

आदर्शवादी सिद्धांतों का सहारा लें।

सिद्धांत 11

अपने विचारों को नाटकीय तरीक़े से प्रस्तुत करें।

सिद्धांत 12

चुनौती दें।

खंड चार

ठेस पहुँचाए बिना
लोगों को कैसे बदलें

1

अगर ग़लती ढूँढ़नी ही है,
तो ऐसे ढूँढ़ें

जब कैल्विन कूलिज राष्ट्रपति थे, तब मेरा एक मित्र व्हाइट हाउस में अतिथि के रूप में गया। राष्ट्रपति के प्राइवेट ऑफ़िस में जाते समय उसने सुना कि कूलिज अपनी सेक्रेटरी से कह रहे थे, "तुमने आज बहुत अच्छी ड्रेस पहनी है। आज तुम बहुत सुंदर लग रही हो।"

मितभाषी राष्ट्रपति ने आज तक किसी सेक्रेटरी की इतनी ज़्यादा तारीफ़ नहीं की थी। यह तारीफ़ इतनी असामान्य और अनपेक्षित थी कि सेक्रेटरी शरमा गई। फिर कूलिज ने कहा, "अब फूलकर कुप्पा होने की ज़रूरत नहीं है। मैं तुमसे कोई अच्छी बात कहना चाहता था। आगे से मैं चाहूँगा कि तुम पत्रों में विरामचिन्ह की ग़लतियाँ कम किया करो।"

उनका तरीक़ा कुछ ज़्यादा ही स्पष्ट था, परंतु मनोविज्ञान बहुत बढ़िया था। अगर हम पहले अपनी अच्छाइयों की तारीफ़ सुन लेते हैं, तो फिर बाद में बुराई सुनना हमारे लिए हमेशा आसान होता है।

नाई भी दाढ़ी बनाने से पहले उस पर साबुन मलता है और यही मैकिन्ले ने 1896 में प्रेसिडेंट का चुनाव लड़ते समय किया। उस ज़माने के एक प्रसिद्ध रिपब्लिकन ने एक चुनावी भाषण लिखा जो उसकी नज़र में सिसरो, पैट्रिक हेनरी और डेनियल वेब्स्टर के भाषणों से बेहतर था। उस व्यक्ति ने बड़े गर्व के साथ इस अमर भाषण

को मैकिन्ले के सामने पढ़कर सुनाया। भाषण में कुछ अच्छी बातें थीं, परंतु यह उस मौक़े के हिसाब से ठीक नहीं था। मैकिन्ले उसकी भावनाओं को ठेस नहीं पहुँचाना चाहते थे। वे उसके उत्साह को ठंडा नहीं करना चाहते थे, परंतु उन्हें "ना" भी कहना था। इसलिए उन्होंने कूटनीति से काम लिया।

"मेरे दोस्त, यह बहुत बढ़िया भाषण है, बहुत ही शानदार। इससे अच्छा भाषण कोई लिख ही नहीं सकता। कई मौक़ों पर यह बिलकुल सही भाषण होता, परंतु क्या यह इस मौक़े के लिए ठीक रहेगा ? हालाँकि यह आपके नज़रिए से सही है, परंतु हमें इसे पार्टी के नज़रिए से देखना होगा। अब घर जाकर इस भाषण को मेरे सुझाए तरीक़े से लिखें और मुझे इसकी प्रति भिजवा दें।"

उसने यही किया। मैकिन्ले के संशोधनों और मार्गदर्शन ने उसे दुबारा भाषण लिखने में मदद की और वह उस अभियान का प्रभावी वक्ता बन गया।

यहाँ पर अब्राहम लिंकन का लिखा दूसरा सबसे प्रसिद्ध पत्र दिया जा रहा है। (उनका सबसे प्रसिद्ध पत्र मिसेज़ बिक्सबी को लिखा गया था, जिसमें उन्होंने युद्ध में उसके पाँच पुत्रों की मृत्यु पर अफ़सोस जताया था।) लिंकन ने शायद इस पत्र को पाँच मिनट में ही लिख दिया होगा। परंतु 1926 में हुई सार्वजनिक नीलामी में यह बारह हज़ार डॉलर में बिका और मैं आपको बता दूँ कि यह रक़म उस राशि से ज़्यादा थी जो लिंकन पचास सालों की कड़ी मेहनत के बाद बचा पाए थे। यह पत्र 26 अप्रैल, 1863 को गृहयुद्ध के निराशाजनक दौर में जनरल जोसेफ़ हुकर को लिखा गया था। अठारह महीनों से लिंकन की सेनाएँ लगातार एक के बाद एक मोर्चों पर हार रही थीं। सारे प्रयास व्यर्थ और मूर्खतापूर्ण साबित हो रहे थे और सैनिक मारे जा रहे थे। देश स्तब्ध था। नौबत यहाँ तक आ गई कि सीनेट के रिपब्लिकन सदस्यों ने भी विद्रोह कर दिया और वे भी लिंकन को व्हाइट हाउस से बाहर निकालना चाहते थे। "हम आज विनाश के कगार पर हैं," लिंकन ने कहा। "मुझे लगता है कि ईश्वर भी हमारे ख़िलाफ़ है। मुझे आशा की छोटी सी किरण

भी दिखाई नहीं देती।" इतने घने अँधेरे और अराजकता के दौर में यह पत्र लिखा गया था।

मैं यहाँ पर यह पत्र छाप रहा हूँ क्योंकि इससे पता चलता है कि लिंकन ने किस तरह एक हठधर्मी जनरल को बदलने की कोशिश की, जबकि देश का भाग्य उस जनरल के कार्यों पर निर्भर था।

राष्ट्रपति बनने के बाद शायद लिंकन का लिखा गया यह सबसे तीखा पत्र था। परंतु आप देखेंगे कि उन्होंने जनरल हुकर की गंभीर ग़लतियों की आलोचना करने से पहले उसकी तारीफ़ की।

हाँ, ग़लतियाँ गंभीर थीं, परंतु लिंकन ने ऐसा नहीं कहा। लिंकन अधिक उदार और कूटनीतिज्ञ थे। लिंकन ने लिखा : "कुछ बातें हैं जिनको लेकर मैं आपसे पूरी तरह संतुष्ट नहीं हूँ।" क्या कूटनीति थी! क्या व्यवहारकुशलता थी!

यह रहा जनरल हुकर को लिखा हुआ पत्र :

मैंने आपको पोटोमैक की सेना का सेनापति बनाया है। ज़ाहिर है कि मैंने ऐसा इसलिए किया क्योंकि मेरे पास पर्याप्त कारण थे। इसके बावजूद मुझे लगता है कि आपके लिए यह जानना बेहतर होगा कि कुछ बातें हैं जिनको लेकर मैं आपसे पूरी तरह संतुष्ट नहीं हूँ।

मुझे यक़ीन है कि आप बहादुर और कुशल सैनिक हैं, जिसकी मैं प्रशंसा करता हूँ। मुझे यह भी यक़ीन है कि आप राजनीति और अपने प्रोफ़ेशन को एक साथ नहीं मिलाते, और आप बिलकुल सही करते हैं। आपमें आत्मविश्वास है, जो अनिवार्य नहीं तो बहुमूल्य गुण तो है ही।

आप महत्वाकांक्षी हैं, जो सीमित मात्रा में हो तो हानिकारक न होकर फ़ायदेमंद साबित होता है। परंतु मुझे लगता है कि जनरल बर्नसाइड की कमान में आपने ज़रूरत से ज़्यादा महत्वाकांक्षा का परिचय दिया था और उसके साथ यथासंभव असहयोग किया था। इस तरह आपने अपने देश के साथ

अन्याय किया है और एक योग्य व सम्मानित सैनिक साथी के साथ भी।

मैंने सुना है, और मैंने विश्वस्त सूत्रों से सुना है कि आपने हाल ही में कहा है कि सेना और सरकार दोनों को ही तानाशाह की ज़रूरत है। ज़ाहिर है, कि मैंने आपको इस कारण नहीं, बल्कि इसके बावजूद सेना की कमान सौंपी है।

केवल वही जनरल तानाशाह बन सकते हैं जो सफलता हासिल करते हैं। मैं अब आपसे सैनिक सफलता चाहता हूँ और मैं तानाशाही का ख़तरा मोल लेने के लिए तैयार हूँ।

सरकार आपको अपनी तरफ़ से पूरा समर्थन देगी, जो यह अपने सभी सेनापतियों को देती है। मुझे डर है कि आपने अपनी सेना में ग़लत भावनाओं को बढ़ावा दिया है। अपने कमांडर की आलोचना करने और उसमें अविश्वास करने की वही आदत अब आपको झेलनी होगी। जहाँ तक हो सकेगा, मैं इस आदत को दूर करने में आपका सहयोग करूँगा।

अगर सेना का मनोबल इस तरह का हो, तो न तो आप न ही नेपोलियन (अगर वह फिर से ज़िंदा हो जाए तो) इस सेना से कोई बड़ी सफलता हासिल कर सकते हैं। और जल्दबाज़ी की आदत से सावधान रहें। जल्दबाज़ी की आदत से सावधान रहें, परंतु पूरी ऊर्जा और जाग्रत सतर्कता से आगे बढ़ें और हमें जीत दिलाएँ।

आप कूलिज, या मैकिन्ले या लिंकन नहीं हैं। आप जानना चाहते हैं कि क्या यह फ़िलॉसफ़ी आपके रोज़ाना के बिज़नेस में आपकी मदद करेगी। आइए देखें। हम फ़िलाडेल्फ़िया की वार्क कंपनी के डब्ल्यू. पी. गॉ का उदाहरण लें।

वार्क कंपनी को फ़िलाडेल्फ़िया में एक निश्चित तारीख़ तक एक ऑफ़िस बनवाना और पूरा करना था। सब कुछ तय कार्यक्रम के हिसाब से चल रहा था। इमारत लगभग तैयार हो चुकी थी। परंतु तभी इस इमारत के बाहर का काम कर रहे ब्रॉन्ज़ सबकॉन्ट्रैक्टर ने

कहा कि वह निश्चित तारीख़ तक माल नहीं भिजवा पाएगा। क्या? पूरी बिल्डिंग का काम रुक जाएगा? भारी जुर्माना होगा! भारी नुक़सान होगा! और यह सब सिर्फ़ एक आदमी की वजह से होगा!

लंबी टेलीफ़ोन चर्चाओं और गर्म बहसों से कोई फ़ायदा नहीं हुआ। फिर मिस्टर गॉ को उस सबकॉन्ट्रैक्टर से मिलने के लिए न्यूयॉर्क भेजा गया ताकि वे शेर की माँद में जाकर उसे पकड़ लें।

जैसे ही मिस्टर गॉ उस सबकॉन्ट्रैक्टिंग फ़र्म के प्रेसिडेंट से मिले, गॉ ने कहा, "क्या आप जानते हैं कि अपने नाम के ब्रुकलिन में आप अकेले ही आदमी हैं?" प्रेसिडेंट को हैरत हुई, "नहीं, मुझे पता नहीं था।"

मिस्टर गॉ ने कहा, "जब मैं आज सुबह ट्रेन से उतरा तो मैंने आपका पता देखने के लिए टेलीफ़ोन डायरेक्टरी देखी और मैंने यह पाया कि ब्रुकलिन की टेलीफ़ोन डायरेक्टरी में आप ही अपने नाम वाले इकलौते व्यक्ति हैं।"

"मुझे यह नहीं मालूम था," सबकॉन्ट्रैक्टर ने कहा। उसने टेलीफ़ोन डायरेक्टरी उठाकर दिलचस्पी से इस तथ्य की जाँच की। इसके बाद उसने गर्व से कहा, "हाँ, यह नाम सामान्य नहीं है। मेरे पूर्वज दो सौ साल पहले हॉलैंड से आए थे और न्यूयॉर्क में बस गए थे।" फिर वह कई मिनट तक अपने परिवार और पूर्वजों के बारे में बातें करता रहा। जब उसकी बात ख़त्म हुई, तो मिस्टर गॉ ने प्रशंसा करते हुए कहा कि यह प्लांट कितना बड़ा है और उसके देखे हुए बाक़ी प्लांट्स की तुलना में यह किस तरह बेहतर है। "यह मेरे द्वारा देखी गई सबसे साफ़-सुथरी ब्रॉन्ज़ फ़ैक्ट्री है।"

सबकॉन्ट्रैक्टर ने कहा, "इसे बनाने में मैंने अपना जीवन लगा दिया है और मुझे इस पर गर्व है। क्या आप पूरी फ़ैक्ट्री घूमना पसंद करेंगे?"

फ़ैक्ट्री घूमते हुए मिस्टर गॉ ने निर्माण संबंधी कई बातों की सच्ची तारीफ़ की और बताया कि कैसे और क्यों उसकी निर्माण प्रक्रिया उसके प्रतिद्वंद्वियों से बेहतर थी। गॉ ने कई ऐसी मशीनों को

देखकर हैरानी ज़ाहिर की, जो उसने किसी और फ़ैक्ट्री में नहीं देखी थीं। सबकॉन्ट्रैक्टर ने कहा कि यह मशीनें उसी की बनाई हुई हैं। उसने गॉ को मशीनों के काम करने की प्रक्रिया समझाने में काफ़ी वक़्त लगाया ताकि उसे अंदाज़ा हो जाए कि इनसे कितना बेहतर काम होता है। उसने गॉ को लंच का न्यौता दिया। आपने ध्यान दिया होगा कि अब तक गॉ ने अपनी मुलाक़ात के असली उद्देश्य के बारे में एक शब्द भी नहीं कहा था।

लंच के बाद सबकॉन्ट्रैक्टर ने कहा, "अब बिज़नेस की बातें करने का वक़्त आ गया है। ज़ाहिर है कि मैं जानता हूँ आप यहाँ क्यों आए हैं। मुझे आशा नहीं थी कि हमारी मुलाक़ात इतनी सुखद होगी। अब आप निश्चिंत होकर फ़िलाडेल्फ़िया जा सकते हैं। मैं आपसे वादा करता हूँ कि आपका माल समय पर पहुँच जाएगा चाहे इसके लिए मुझे दूसरे ग्राहकों का माल भेजने में देर ही क्यों न करनी पड़े!'

मिस्टर गॉ को बिना माँगे सब कुछ मिल गया था। सामान समय पर पहुँच गया और इमारत का काम भी उसी समय पर हो गया जो कि कॉन्ट्रैक्ट में निर्धारित था।

अगर मिस्टर गॉ ने भी हथौड़े और डाइनामाइट वाली वही शैली अपनाई होती जो ज़्यादातर लोग आम तौर पर अपनाते हैं, तो क्या ऐसा संभव था?

न्यू जर्सी के फ़ोर्ट मॉनमाउथ में फ़ेडरल क्रेडिट यूनियन की एक ब्रांच मैनेजर ने हमारी क्लास में यह बताया कि किस तरह उसने अपनी एक कर्मचारी को अधिक कुशल बनाने में मदद की :

"हमने एक लड़की को टेलर की ट्रेनिंग पर रखा था। ग्राहकों के साथ उसका व्यवहार बहुत अच्छा था। पूरे दिन उसे कामकाज में कोई दिक़्क़त नहीं आती थी, परंतु दिन के अंत में उसे समस्या आती थी क्योंकि उसे बैलेंस मिलाने में बहुत देर लगती थी।

"हेड टेलर मुझसे मिलने आया और उसने मुझसे साफ़ कह दिया कि इस लड़की को नौकरी से निकाल देना चाहिए। 'उसके

कारण सबको देर हो जाती है। उसका काम बहुत धीमा है। मैंने उसे बार-बार समझाया है, परंतु उसे समझ में ही नहीं आता। उसे निकालने के अलावा और कोई रास्ता ही नहीं है।'

"अगले दिन मैंने उसे काम करते हुए देखा। ग्राहकों के साथ उसका व्यवहार सचमुच बहुत अच्छा था, और सामान्य कामकाज में उसकी रफ़्तार भी अच्छी थी।

"दिन के अंत में बैलेंस मिलाते समय मैंने उसे देखा और मुझे समझ में आ गया कि उसे देर क्यों हो जाती है। ऑफ़िस बंद होने के बाद मैं उससे मिलने गई। वह नर्वस और परेशान सी थी। मैंने ग्राहकों से उसके व्यवहार की तारीफ़ की और उसके काम की गति की भी सराहना की। फिर मैंने उसे कैश का बैलेंस मिलाने का आसान तरीक़ा बताया। एक बार उसे यह पता चल गया कि मुझे उसमें भरोसा है तो उसने मेरे सुझावों को बेहिचक मान लिया और वह जल्दी ही मेरे बताए तरीक़े से बैलेंस मिलाने लगी। इसके बाद न तो उसे कोई समस्या आई, न ही उसको लेकर हमें कोई समस्या आई।"

तारीफ़ से अपनी बात शुरू करना दाँतों के उस डॉक्टर की तरह है जो अपने काम की शुरुआत नोवोकैन से करता है। मरीज़ का दाँत तो उखड़ता है, परंतु नोवोकैन के कारण उसे दर्द नहीं होता। किसी लीडर को इस सिद्धांत का पालन करना चाहिए...

सिद्धांत 1

तारीफ़ और सच्ची प्रशंसा से बात शुरू करें।

2

आलोचना करें, पर ऐसे कि
सब आपकी तारीफ़ करें

चार्ल्स श्वाब एक दिन अपनी स्टील मिल में घूम रहे थे, कि तभी उन्होंने कुछ कर्मचारियों को सिगरेट पीते देखा। उनके सिर के ठीक ऊपर एक बोर्ड लगा हुआ था, "धूम्रपान वर्जित है।" क्या श्वाब ने उस बोर्ड की तरफ़ इशारा करके उनसे यह कहा, "क्या तुम इसे नहीं पढ़ सकते ?" नहीं, नहीं, यह श्वाब का तरीक़ा नहीं था। श्वाब उन लोगों के पास गए। उन्हें एक-एक सिगार दिया और कहा, "देखो, मैं चाहूँगा कि तुम लोग इन सिगारों को बाहर जाकर पियो।" कर्मचारी जानते थे कि श्वाब ने उन्हें नियम तोड़ते हुए देख लिया है- परंतु वे श्वाब से इसलिए प्रभावित थे क्योंकि उन्होंने उन्हें एक छोटा सा तोहफ़ा दिया था, उन्हें डाँटा नहीं था और उन्हें उनके महत्व का एहसास कराया था। ऐसे आदमी को कौन पसंद नहीं करेगा ?

जॉन वानामेकर ने भी इसी तकनीक का इस्तेमाल किया। वानामेकर फ़िलाडेल्फ़िया में दिन में कई बार अपने बड़े स्टोर का चक्कर लगाते थे। एक बार उन्होंने अपने स्टोर में एक ग्राहक को काउंटर पर इंतज़ार करते देखा। कोई भी सेल्स क्लर्क उस ग्राहक की तरफ़ ध्यान नहीं दे रहा था। सेल्समैन एक कोने में खड़े होकर गपशप और हँसी-मज़ाक़ कर रहे थे। वानामेकर ने किसी से कुछ नहीं कहा। उन्होंने चुपचाप काउंटर के पीछे जाकर उस महिला को

सामान दिया और जाते हुए उस सामान को सेल्समैन को पैक करने के लिए दे गए।

सरकारी अधिकारियों से मिलना आम लोगों के लिए आसान नहीं होता। वे लोग व्यस्त होते हैं और कई बार तो अति उत्साही कर्मचारी अपने बॉस की व्यस्तता को देखते हुए ज़्यादा लोगों को अपने अधिकारी तक पहुँचने से रोकते हैं। ऑरलैन्डो, फ़्लोरिडा के मेयर कार्ल लैंगफ़ोर्ड ने कई वर्षों तक अपने स्टाफ़ को निर्देश दिए कि वे जनता को मिलने से न रोकें। उनका दावा "खुले दरवाज़े" की नीति का था। इसके बावजूद सेक्रेटरी और प्रशासक लोग उनके समुदाय के नागरिकों को उनसे मिलने नहीं देते थे।

आख़िरकार मेयर ने इस समस्या का हल ढूँढ़ ही लिया। उन्होंने अपने ऑफ़िस का दरवाज़ा ही हटवा दिया! उनके स्टाफ़ को संदेश मिल गया और जिस दिन से दरवाज़ा प्रतीकात्मक रूप से हटा, उसी दिन से मेयर का प्रशासन सचमुच "खुले दरवाज़े" की नीति पर चलने लगा।

कई बार तो सिर्फ़ तीन अक्षरों के एक शब्द को बदलने से ही बहुत फ़र्क़ पड़ जाता है। इस एक शब्द के हेरफेर से आप लोगों के क्रोध, चिढ़ इत्यादि से बच सकते हैं और इसी वजह से आप सफल या असफल हो सकते हैं। उदाहरण के तौर पर बच्चे के पढ़ाई के प्रति दृष्टिकोण को लेकर हम कहते हैं, "हमें तुम पर सचमुच गर्व है जॉनी, कि तुम परीक्षा में अच्छे नंबर लाए। परंतु अगर तुमने गणित में ज़्यादा मेहनत की होती तो तुम्हारे नंबर और अच्छे होते।" यह बात सुनकर जॉनी तब तक उत्साहित रहता है जब तक कि वह "परंतु" नहीं सुनता। इसके बाद वह मूल प्रशंसा पर भी संदेह करने लगता है। उसे लगता है कि यह तारीफ़ दरअसल उसकी असफलता की ओर एक छुपा हुआ इशारा है। इस तरह हमारी विश्वसनीयता ख़त्म हो जाएगी और हम पढ़ाई के प्रति जॉनी के रवैये को बदलने के अपने मक़सद में कभी कामयाब नहीं हो पाएँगे।

पर अगर हम "परंतु" के बजाय "और" शब्द का प्रयोग करें

तो जॉनी को ऐसा नहीं लगेगा। "हमें तुम पर गर्व है, जॉनी कि तुम परीक्षा में अच्छे नंबर लाए। *और* अगर तुम इसी तरह से मेहनत करते रहे, तो अगली बार बाक़ी विषयों के साथ तुम गणित में भी अच्छे नंबर लाओगे।"

अब जॉनी को अपनी तारीफ़ स्वीकार करने में कोई हिचक नहीं होगी, क्योंकि इसमें असफलता की मिलावट नहीं की गई है। हमने अप्रत्यक्ष रूप से यह बताया है कि हम उसमें क्या बदलाव देखना चाहते हैं और इस बात की काफ़ी संभावना है कि वह हमारी अपेक्षाओं पर खरा उतरेगा।

अप्रत्यक्ष रूप से आलोचना करना तब भी उचित रहता है, जबकि आपका पाला किसी ऐसे संवेदनशील व्यक्ति से हो जो सीधी या कटु आलोचना से बुरी तरह चिढ़ सकता है। वूनसॉकेट, रोड आइलैंड की मार्ज़ जैकब ने हमारी क्लास को बताया कि किस तरह उन्होंने लापरवाह मज़दूरों से सफ़ाई करवाई जब वे लोग उसके घर में अतिरिक्त बिल्डिंग बना रहे थे।

काम के शुरुआती दिनों में जब मिसेज़ जैकब ऑफ़िस से लौटती थीं, तो वे देखती थीं कि उनके लॉन में ढेर सारा कचरा और मलबा पड़ा हुआ है। वे मज़दूरों या निर्माताओं को नाराज़ नहीं करना चाहती थीं, क्योंकि उनका काम बेहतरीन था। इसलिए जब मज़दूर घर चले गए तो उन्होंने और उनके बच्चों ने सारे मलबे को इकट्ठा करके एक कोने में जमा दिया। अगली सुबह उन्होंने फ़ोरमैन को एक तरफ़ बुलाकर उससे कहा, "मैं ख़ुश हूँ कि कल रात आपने लॉन को अच्छी तरह से साफ़ कर दिया था। यह सुंदर और साफ़ है और इससे पड़ोसियों को भी कोई दिक़्क़त नहीं होती।" उस दिन के बाद से मज़दूर जाते समय सारे मलबे को एक तरफ़ इकट्ठा करके रखने लगे और फ़ोरमैन हर दिन यह प्रशंसा सुनने के लिए आता था कि काम के बाद लॉन को कितनी अच्छी स्थिति में छोड़ा गया था।

सैन्य प्रशिक्षुओं और सैन्य प्रशिक्षकों के बीच बाल काटने के

विषय में अक्सर विवाद होता है। प्रशिक्षु अपने आपको सिविलियन समझते हैं (जो वे अधिकांश समय रहते हैं) और अपने बाल छोटे नहीं करवाना चाहते।

542वें यू.एस.ए.आर. स्कूल के मास्टर सार्जेन्ट हार्ले कैसर ने इस समस्या का सामना तब किया जब वे रिज़र्व नॉन-कमीशंड ऑफ़िसरों के एक समूह के साथ काम कर रहे थे। पुराने सैन्य मास्टर सार्जेन्ट के रूप में उसे इन लोगों को डाँटना-फटकारना और धमकाना चाहिए था। इसके बजाय उसने अपनी बात को अप्रत्यक्ष रूप से कहने का फ़ैसला किया।

उसने कहा, "सज्जनों, आप लोग लीडर्स हैं। आप लोग तब सबसे अधिक प्रभावी होंगे, जब आप उदाहरण पेश करेंगे। आपको ऐसे उदाहरण पेश करने चाहिए कि आपके लोग आपका अनुसरण करें। आप जानते हैं कि बाल कटवाने के बारे में सेना के नियम क्या हैं। मैं आज अपने बाल कटवाने जा रहा हूँ, हालाँकि यह आपमें से कुछ लोगों से काफ़ी छोटे हैं। आप भी अपने सिर को शीशे में देखें और अगर आपको लगे कि आपको अच्छा उदाहरण पेश करने के लिए बाल कटवाने की ज़रूरत है तो हम नाई की व्यवस्था करवा देंगे।"

परिणाम वही निकला, जिसकी आशा थी। कुछ प्रशिक्षुओं ने शीशे में देखा और वे लोग दोपहर में नाई की दुकान में गए और वहाँ पर "रेगुलेशन" हेयरकट करवाई। सार्जेन्ट कैसर ने अगली सुबह टिप्पणी की कि वे देख सकते हैं कि उनके स्क्वाड के कुछ सदस्यों में लीडरशिप के गुण विकसित हो रहे हैं।

8 मार्च, 1887 को हेनरी वार्ड बीचर की मृत्यु हो गई। लाइमैन एबट को आमंत्रित किया गया कि वे अगले रविवार को बीचर की मृत्यु के बारे में चर्च में बोलें। वे अपना श्रेष्ठतम प्रदर्शन करना चाहते थे, इसलिए उन्होंने भाषण लिखा, दुबारा लिखा और फ़्लॉबेयर की तरह पूरी सावधानी से उसे तराशा। फिर उन्होंने इसे अपनी पत्नी को पढ़कर सुनाया। भाषण दमदार नहीं था, जैसा कि ज़्यादातर लिखे हुए भाषणों के साथ होता है। उनकी पत्नी में अगर कम बुद्धि

होती तो वह स्पष्ट रूप से यही बात कह देती, "लाइमैन, यह तो बहुत बेकार भाषण है। इससे काम नहीं चलेगा। लोग इसे सुनकर सो जाएँगे। यह किसी एन्साइक्लोपीडिया की तरह लगता है। सालों के अनुभव के बाद तो तुम्हें यह पता होना चाहिए कि अच्छा भाषण कैसे दिया जाता है। भगवान के लिए, तुम आम आदमियों की तरह बात क्यों नहीं करते? तुम स्वाभाविक शैली का इस्तेमाल क्यों नहीं करते? अगर तुम इस भाषण को पढ़ोगे, तो लोग-बाग तुम्हारी हँसी उड़ाएँगे और तुम्हारा नाम मिट्टी में मिल जाएगा।"

वह यह बात कह *सकती थी*। परंतु आप जानते हैं कि अगर वह ऐसा कहती तो इसका परिणाम क्या होता। वह भी यह बात जानती थी। इसलिए उसने इतना ही कहा कि यह *नॉर्थ अमेरिकन रिव्यू* के लिए बहुत बढ़िया लेख हो सकता है। दूसरे शब्दों में, उसने इस भाषण की तारीफ़ की और साथ ही बड़ी चतुराई से यह सुझाव भी दे दिया कि भाषण के रूप में यह बहुत अच्छा नहीं होगा। लाइमैन एबट ने इस छुपे हुए संकेत को समझ लिया। उसने अपने लिखे हुए भाषण को फाड़ दिया और बिना लिखे ही भाषण दिया।

दूसरों की ग़लती सुधारने का बढ़िया तरीक़ा यह है...

सिद्धांत 2
लोगों की ग़लतियाँ सीधे तरीक़े से न बताएँ।

3

पहले अपनी ग़लतियाँ बताएँ

मेरी भतीजी जोसेफ़ाइन कारनेगी मेरी सेक्रेटरी बनने न्यूयॉर्क आई। वह उन्नीस साल की थी और उसने तीन साल पहले हाई स्कूल पास किया था। उसका बिज़नेस अनुभव नहीं के बराबर था। बाद में वह अमेरिका की सबसे बेहतरीन सेक्रेटरियों में से एक बन गई, परंतु शुरुआत में... अगर सच कहें तो... उसमें सुधार की काफ़ी गुंजाइश थी। एक दिन जब मैं उसकी आलोचना कर रहा था, तो मैंने ख़ुद से कहा, "एक मिनट, डेल कारनेगी, एक मिनट। तुम जोसेफ़ाइन से दुगुनी उम्र के हो। तुम्हारे पास उससे दस हज़ार गुना बिज़नेस अनुभव है। तुम उससे यह उम्मीद कैसे कर सकते हो कि उसके पास भी तुम्हारे जैसा नज़रिया होगा, तुम्हारे जितनी बुद्धि होगी, तुम्हारे जितनी पहल करने की क्षमता होगी– चाहे तुम्हारी यह विशेषताएँ कितनी ही दोयम दर्जे की क्यों न हों! और एक मिनट, डेल, उन्नीस साल की उम्र में तुम्हारी हालत क्या थी? याद करो तुमने उस समय कितनी बड़ी ग़लतियाँ की थीं, तुमने यह ग़लती की थी... और वह ग़लती...?"

इस तरह ईमानदारी और निष्पक्ष रूप से सोचने के बाद मैं इस नतीजे पर पहुँचा कि जोसेफ़ाइन की आलोचना करना इसलिए ठीक नहीं था, क्योंकि उन्नीस साल की उम्र में मैं जोसेफ़ाइन से ज़्यादा मूर्ख था– वैसे जोसेफ़ाइन के लिए यह कोई तारीफ़ की बात नहीं थी।

इसके बाद जब भी मैं जोसेफ़ाइन को कोई ग़लती बताता था, तो मैं अपनी बात इस तरह शुरू करता था, "तुमसे यह ग़लती हुई

है, जोसेफ़ाइन, परंतु ईश्वर जानता है मैंने तुमसे भी बड़ी ग़लतियाँ की हैं। कोई भी व्यक्ति पैदाइशी समझदार नहीं होता। उसे समझदारी अनुभव से मिलती है और तुममें तो उससे ज़्यादा बुद्धि है जितनी तुम्हारी उम्र में मुझमें थी। मैंने ख़ुद इतनी बड़ी और मूर्खतापूर्ण ग़लतियाँ की हैं, कि मैं तुम्हारी या किसी और की बुराई नहीं कर सकता। परंतु क्या तुम्हें नहीं लगता कि अगर तुमने इस काम को इस तरह से किया होता, तो यह बेहतर होता?"

अपनी आलोचना सुनना ज़्यादा कठिन नहीं होता, अगर सामने वाला शुरुआत में ही विनम्रता से हमें यह बता दे कि उससे भी ग़लतियाँ होती हैं।

ई. जी. डिलिस्टोन कैनेडा के ब्रान्डन, मैनिटोबा में इंजीनियर थे। उन्हें अपनी नई सेक्रेटरी से समस्या आ रही थी। वे जो पत्र डिक्टेट करते थे, उनकी सेक्रेटरी उन पत्रों को टाइप करते समय हर पेज पर स्पेलिंग की दो-तीन ग़लतियाँ कर देती थी। मिस्टर डिलिस्टोन ने बताया कि किस तरह उन्होंने इस परिस्थिति का सामना किया :

"ज़्यादातर इंजीनियरों की तरह मेरी अँग्रेज़ी या मेरी स्पेलिंग बहुत अच्छी नहीं है। बहुत समय से मैं अपने साथ एक छोटी सी काली नोटबुक रखता हूँ जिसमें मैं वे शब्द नोट कर लेता हूँ जिनकी स्पेलिंग में मुझे कठिनाई होती है। जब यह स्पष्ट हो गया कि केवल ग़लतियाँ बताने से मेरी सेक्रेटरी डिक्शनरी चेक करने और प्रूफ़रीडिंग करने का कष्ट नहीं करेगी, तो मैंने दूसरा तरीक़ा आज़माने का फ़ैसला किया। जब अगली बार मेरे सामने एक पत्र आया जिसमें ग़लतियाँ थीं, तो मैं टाइपिस्ट के पास बैठा और कहा :

'मुझे लगता है यह शब्द सही नहीं है। यह उन शब्दों में से एक है, जिनकी स्पेलिंग में मुझे हमेशा बहुत दिक़्क़त आती है। इसी कारण मैंने अपनी स्पेलिंग बुक को साथ में रखना शुरू किया है। (मैंने उचित पेज पर स्पेलिंग बुक को खोलकर भी दिखाया।) हाँ, यह रहा वह शब्द। मैं अपनी स्पेलिंग का ध्यान इसलिए रखता हूँ क्योंकि ज़्यादातर लोग हमारे पत्रों को पढ़कर हमारे बारे में राय बनाते हैं और

ग़लत स्पेलिंग से हमारी व्यावसायिक छवि पर बुरा प्रभाव पड़ता है।'

"मैं नहीं जानता कि उसने मेरे सिस्टम का अनुसरण किया या नहीं, बहरहाल उस चर्चा के बाद उसकी ग़लतियाँ काफ़ी कम हो गईं।"

1909 में सुसंस्कृत प्रिंस बर्नहाड वॉन बुलो ने भी यही सबक़ सीखा। वॉन बुलो तब जर्मनी के इम्पीरियल चांसलर थे और सिंहासन पर विल्हेम द्वितीय बैठे थे- विल्हेम जो तुनकमिज़ाज थे, अक्खड़ थे, अंतिम जर्मन कैसर थे जो ऐसी सेना और नौसेना बना रहे थे जिसके बारे में उन्हें दंभ था कि वह किसी को भी धूल चटा सकती है।

तभी एक आश्चर्यजनक घटना हुई। कैसर ने कुछ बातें कहीं, कुछ अविश्वसनीय बातें, जिनकी वजह से महाद्वीप में तूफ़ान आ गया और दुनिया भर में आक्रोश का विस्फोट होने लगा। स्थिति को और ख़राब करते हुए कैसर ने सार्वजनिक रूप से मूर्खतापूर्ण, दंभपूर्ण और अतिशयोक्तिपूर्ण वक्तव्य दिए। उन्होंने यह वक्तव्य तब दिए जब वे इंग्लैंड में अतिथि थे और उन्होंने *डेली टेलीग्राफ़* को इन वक्तव्यों को छापने की शाही अनुमति भी दे दी। उदाहरण के तौर पर, उन्होंने घोषणा की कि पूरी जर्मनी में वही एक आदमी है जो अँग्रेज़ों के प्रति दोस्ताना रवैया रखता है, कि वह जापान के ख़तरे से निबटने के लिए नौसेना बना रहा है, कि उसने और केवल उसी ने इंग्लैंड को रूस और फ्रांस के हाथों मात खाने से बचाया था, कि उसी की युद्ध की योजना की बदौलत इंग्लैंड के लॉर्ड रॉबर्ट्स ने दक्षिण अफ्रीका में बोअर्स को हराया था इत्यादि।

पिछले सौ सालों से शांति के समय में इस तरह के आश्चर्यजनक शब्द किसी यूरोपियन सम्राट ने नहीं कहे थे। पूरा महाद्वीप आक्रोश से भर उठा। इंग्लैंड आगबबूला हो गया। जर्मन राजनेता स्तब्ध रह गए। और इस तूफ़ान के उठने के बाद कैसर घबरा गया और उसने अपने इम्पीरियल चांसलर प्रिंस वॉन बुलो को यह सुझाव दिया कि वे इस ग़लती का दोष अपने सिर पर ले लें।

हाँ, वह चाहता था कि वॉन बुलो यह घोषणा करें कि इसके लिए वही ज़िम्मेदार हैं, कि उन्हीं ने अपने सम्राट को इस तरह की अविश्वसनीय बातें कहने की सलाह दी थी।

"परंतु महामहिम," वॉन बुलो ने प्रतिरोध किया, "जर्मनी या इंग्लैंड में कोई भी यह कभी नहीं मानेगा कि मैं आपको ऐसी बातें कहने की सलाह दे सकता हूँ।"

जिस पल वॉन बुलो के मुँह से यह शब्द निकले, उसी वक़्त वह समझ गया कि उससे एक गंभीर ग़लती हो गई है। कैसर फट पड़ा।

"तुम मुझे गधा समझते हो," वह चिल्लाया, "यानी कि मैं इतनी बड़ी मूर्खताएँ कर सकता हूँ, जो तुमसे नहीं हो सकतीं।"

वॉन बुलो जानता था कि उसे आलोचना करने से पहले प्रशंसा करनी चाहिए थी। परंतु चूँकि अब बहुत देर हो चुकी थी, इसलिए उसने अगली सर्वश्रेष्ठ चीज़ की। उसने आलोचना करने के बाद प्रशंसा की। और इसने जादू कर दिया।

"मेरा कहने का यह अर्थ नहीं था," उसने सम्मान के साथ कहा। "महामहिम बहुत से क्षेत्रों में मुझसे अधिक योग्य और बुद्धिमान हैं। न सिर्फ़ नौसैनिक और सैनिक ज्ञान में, बल्कि सबसे बढ़कर नैचुरल साइंस में। मैंने अक्सर मंत्रमुग्ध होकर सुना है जब महामहिम ने बैरोमीटर या वायरलेस टेलीग्राफ़ी या रोन्टजेन किरणों के बारे में बताया है। मैं नैचुरल साइंस की सभी शाखाओं के बारे में निपट अज्ञानी हूँ, मुझे रसायन शास्त्र या भौतिक शास्त्र का कोई ज्ञान नहीं है, और मैं प्रकृति के रहस्यों से पूरी तरह अनजान हूँ। परंतु," वॉन बुलो ने आगे कहा, "इसके एवज में मुझमें कुछ ऐतिहासिक ज्ञान और शायद कुछ कूटनीतिक कुशलता है।"

कैसर का चेहरा खिल गया। वॉन बुलो ने उसकी तारीफ़ की थी। वॉन बुलो ने उसे महान बनाया था और ख़ुद को बौना बनाया था। इसके बाद कैसर बड़ी से बड़ी ग़लती भी माफ़ कर सकता था। उसने उत्साह भरे स्वर में कहा, "क्या मैंने तुम्हें नहीं बताया है कि हम एक दूसरे के सर्वश्रेष्ठ पूरक हैं? हमें एक साथ रहना चाहिए

और हम रहेंगे!"

उसने वॉन बुलो से हाथ मिलाया, एक बार नहीं, बल्कि कई बार। और उस दिन बाद में वह इतना उत्साही हो गया कि उसने मुट्ठी तानकर कहा, "अगर किसी ने मुझसे प्रिंस वॉन बुलो के ख़िलाफ़ एक शब्द भी कहा, *तो मैं उसकी नाक तोड़ दूँगा।*"

वॉन बुलो ने अपने आपको समय रहते बचा लिया। परंतु कुशल कूटनीतिज्ञ होने के बावजूद उससे एक ग़लती तो हो ही गई : उसे अपनी कमियों और विल्हेम की ख़ूबियों से अपनी बात शुरू करनी चाहिए थी- और यह नहीं बताना चाहिए था कि कैसर का दिमाग़ कमज़ोर था और उसे पागलख़ाने में होना चाहिए था।

अपनी कमियों और सामने वाले की ख़ूबियों को बताने वाले कुछ वाक्यों से अगर एक क्रोधित और अपमानित कैसर अच्छे दोस्त में बदल सकता है तो कल्पना कीजिए कि विनम्रता और प्रशंसा आपके और मेरे लिए हमारे रोज़मर्रा के जीवन में क्या कुछ नहीं कर सकतीं?

चाहे हम अपनी ग़लती सुधार पाए हों या नहीं, अपनी ख़ुद की ग़लती मान लेने से हमें सामने वाले का व्यवहार बदलने में मदद मिलती है। इसका उदाहरण हमें टिमोनियम, मैरीलैंड के क्लैरेंस ज़रहसेन के उदाहरण से मिलता है। क्लैरेंस को पता चला कि उसका पंद्रह साल का लड़का डेविड सिगरेट पीने लगा है।

ज़रहसेन ने हमें बताया, "ज़ाहिर है, मैं नहीं चाहता था कि वह सिगरेट पिए। परंतु उसकी माँ और मैं दोनों ही सिगरेट पीते थे। इस तरह हम हर समय उसके सामने एक बुरा उदाहरण पेश कर रहे थे। मैंने डेविड को समझाया कि मैंने उसकी उम्र से सिगरेट पीना चालू कर दिया था और निकोटीन के सामने मैं हार गया हूँ। अब इसे छोड़ना मेरे लिए असंभव हो चुका है। मैंने उसे बताया कि सिगरेट पीने के कारण ही मुझे कफ़ की इतनी अधिक समस्या होती थी और मैंने उसे यह भी बताया कि वह ख़ुद मुझे सिगरेट छोड़ने की सलाह कई बार दे चुका था।

"मैंने उसे सिगरेट छोड़ने के विषय में कोई लंबा लेक्चर नहीं

दिया, इसके ख़तरों के बारे में कोई चेतावनी नहीं दी, न ही उसे सिगरेट पीने से मना किया। मैंने सिर्फ़ उसे इतना बताया कि मैं किस तरह सिगरेट का आदी हुआ था और मुझे इसका कितना नुक़सान झेलना पड़ा।

"उसने इस बारे में कुछ समय सोचा और फिर फ़ैसला किया कि वह कॉलेज छोड़ने तक सिगरेट नहीं पिएगा। इस बात को सालों गुज़र चुके हैं, परंतु डेविड ने अब तक सिगरेट पीना शुरू नहीं किया है, और उसका ऐसा कोई इरादा भी नहीं है।

"इस चर्चा के बाद मैंने भी सिगरेट छोड़ने का फ़ैसला किया और अपने परिवार की मदद से मैं ऐसा करने में कामयाब हो गया।"

एक अच्छा लीडर इस सिद्धांत का पालन करता है :

सिद्धांत 3
किसी की आलोचना करने से पहले अपनी ग़लतियाँ बताएँ।

4

कोई नहीं चाहता कि
आप उस पर हुक्म चलाएँ

एक बार मुझे *अमेरिकन बायोग्राफ़र्स* की डीन मिस इडा टारबेल के साथ डिनर करने का मौक़ा मिला। मैंने उन्हें बताया कि मैं यह पुस्तक लिख रहा हूँ। इसके बाद हम इस अति महत्वपूर्ण विषय पर चर्चा करने लगे कि लोगों को किस तरह प्रभावित किया जाना चाहिए। उन्होंने मुझे बताया कि जब वे ओवेन डी. यंग की जीवनी लिख रही थीं, तो उन्होंने उस आदमी का इंटरव्यू लिया जो तीन सालों से उसी ऑफ़िस में बैठ रहा था, जिसमें मिस्टर यंग बैठते थे। इस व्यक्ति का कहना था कि इन तीन सालों में उसने ओवेन डी. यंग को किसी को सीधे आदेश देते नहीं सुना।

वे हमेशा सुझाव देते थे, आदेश नहीं। ओवेन डी. यंग कभी नहीं कहते थे, "ऐसा करो या यह करो," या "यह मत करो या ऐसा मत करो।" इसके बजाय वे कहते थे, "आप इस पर विचार कर सकते हैं," या "क्या आपको लगता है कि यह काम करेगा?" अक्सर पत्र डिक्टेट करने के बाद वे अपने अधीनस्थ कर्मचारी से पूछते थे, "आपको यह कैसा लगा?" अपने किसी अधीनस्थ द्वारा लिखे गए पत्र को पढ़ने के बाद वे कहते थे, "शायद इस वाक्यांश को इस तरह लिखना बेहतर रहेगा।" वे हमेशा लोगों को ख़ुद अपनी ग़लती सुधारने का मौक़ा देते थे। उन्होंने कभी अपने अधीनस्थों को काम करने का आदेश नहीं दिया। वे लोगों को अपना काम करने

देते थे, ताकि वे अपनी ग़लतियों से ख़ुद सीख सकें।

इस तरह की तकनीक से सामने वाले के लिए अपनी ग़लती सुधारना आसान होता है। इससे उसके सम्मान को ठेस नहीं पहुँचती और उसमें महत्वपूर्ण होने की भावना जाग्रत होती है। इससे विद्रोह की नहीं, सहयोग की भावना को बल मिलता है।

सख़्त आदेश के कारण उत्पन्न आक्रोश कई बार बहुत लंबे समय तक बना रहता है- चाहे वह आदेश किसी स्पष्ट रूप से ग़लत चीज़ को ठीक करने के लिए दिया गया हो। डैन सांतारैली व्यॉमिंग, पेनसिल्वेनिया के एक वोकेशनल स्कूल में टीचर थे। उन्होंने हमारी क्लास में बताया कि उनके एक विद्यार्थी ने एक बार स्कूल के बाहर अपनी कार ग़लत जगह पर खड़ी कर दी थी, जिस वजह से आने-जाने में असुविधा हो रही थी। एक दूसरा शिक्षक क्लासरूम में तेज़ी से आया और उसने डाँटते हुए पूछा, "किसकी कार रास्ते में खड़ी है?" जब कार वाला लड़का खड़ा हुआ, तो शिक्षक ने चिल्लाकर कहा, "उस कार को वहाँ से तत्काल हटा दो, नहीं तो मैं उसके चारों तरफ़ चेन बाँधकर उसे बाहर फिंकवा दूँगा।"

ग़लती विद्यार्थी की ही थी। उसे वहाँ कार खड़ी नहीं करनी चाहिए थी। परंतु उस दिन के बाद से न सिर्फ़ वह विद्यार्थी उस शिक्षक से चिढ़ने लगा, बल्कि उस क्लास के सभी विद्यार्थी उसके प्रति द्वेष रखने लगे। इस घटना के बाद उन्होंने अपनी तरफ़ से पूरी कोशिश की कि वे उस शिक्षक को तंग करें और उसके सामने परेशानियाँ खड़ी करें।

इस बात को दूसरी तरह से भी कहा जा सकता था। वह दोस्ताना तरीक़े से भी पूछ सकता था, "रास्ते में खड़ी कार किसकी है?" और उसके बाद यह सुझाव दे सकता था कि अगर कार वहाँ से हटा ली जाए तो दूसरी कारों को आने-जाने में सुविधा होगी। यह सुनकर विद्यार्थी ख़ुशी-ख़ुशी कार हटा लेता और वह और उसके सहपाठी उस शिक्षक से बिलकुल भी नहीं चिढ़ते।

प्रश्न पूछने से न सिर्फ़ आदेश अधिक आनंददायक हो जाता

है, बल्कि इससे अक्सर सामने वाले की रचनात्मकता भी प्रेरित होती है। अगर लोगों को यह लगे कि उस निर्णय को लेने में उनका हाथ है, तो वे अधिक अच्छे ढंग से उस काम को करेंगे।

जोहान्सबर्ग, अफ़्रीका के इयान मैक्डॉनल्ड मशीन के पार्ट बनाने की फ़ैक्ट्री के जनरल मैनेजर थे। उन्हें एक बहुत बड़ा ऑर्डर मिलने वाला था। शर्त यह थी कि उन्हें माल बहुत कम समय में सप्लाई करना था। वे जानते थे कि वे इतने कम समय में माल सप्लाई नहीं कर पाएँगे। फ़ैक्ट्री में पहले मिले ऑर्डरों का माल बन रहा था। और इस बड़े ऑर्डर की समयसीमा इतनी कम थी कि इयान को यह काम असंभव लग रहा था।

इयान ने मज़दूरों को तेज़ रफ़्तार से काम करने और उत्पादन बढ़ाने के लिए नहीं कहा। इसके बजाय उसने सबको इकट्ठा किया और उन्हें पूरी स्थिति बताई। उसने बताया कि अगर यह ऑर्डर उन्हें मिल जाता है तो इससे कंपनी को बहुत लाभ होगा और अगर वे इसे समय पर दे पाते हैं तो इससे उन्हें भी लाभ होगा। फिर उसने सवाल पूछना शुरू किया,

"क्या हम ऐसा कुछ कर सकते हैं कि हमें यह ऑर्डर मिल जाए?"

"क्या किसी के दिमाग़ में ऐसा कोई तरीक़ा है जिससे यह ऑर्डर लेना और उसे समय पर पूरा करना संभव है?"

"क्या कोई तरीक़ा है जिससे हम अपने काम के समय में बदलाव करके इसे समयसीमा में कर सकें?"

कर्मचारियों ने कई सुझाव दिए और उन्होंने ज़ोर देकर कहा कि ऑर्डर ले लेना चाहिए। उन्होंने "हम यह कर सकते हैं" की भावना के साथ काम किया और ऑर्डर न सिर्फ़ मिल गया, बल्कि माल का उत्पादन और डिलीवरी भी समयसीमा में हो गए।

प्रभावी लीडर यह करता है...

सिद्धांत 4
सीधे आदेश देने के बजाय प्रश्न पूछें।

5

सामने वाले व्यक्ति को अपनी लाज रखने दें

कई साल पहले की बात है। *जनरल इलेक्ट्रिक कंपनी* को चार्ल्स स्टीनमेट्ज़ को विभाग प्रमुख के पद से हटाने का संवेदनशील काम करना था। स्टीनमेट्ज़ बिजली के मामले में तो उस्ताद था, परंतु कैल्कुलेटिंग विभाग के प्रमुख के रूप में असफल सिद्ध हुआ था। परंतु कंपनी उसे नाराज़ भी नहीं करना चाहती थी। वह बहुत काम का आदमी था, और बहुत संवेदनशील भी। इसलिए उन्होंने उसे एक नया पद दे दिया। उन्होंने उसे जनरल इलेक्ट्रिक कंपनी का कंसल्टिंग इंजीनियर बना दिया। हालाँकि उसका काम वही था, जो वह अभी कर रहा था, परंतु उसका पदनाम बदल गया। और इसके बाद उसकी जगह किसी और आदमी को विभाग प्रमुख बना दिया।

स्टीनमेट्ज़ ख़ुश था। जी. ई. कंपनी के अफ़सर भी ख़ुश थे। उन्होंने अपने संवेदनशील सितारे को बिना चोट पहुँचाए विभाग प्रमुख के पद से हटा दिया था और उसे अपनी लाज रखने दी थी।

लोगों को अपनी लाज रखने देना! यह कितना, कितना अधिक महत्वपूर्ण है! और हममें से कितने कम लोग इस बारे में सोचते हैं या इसका ध्यान रखते हैं! हम दूसरों की भावनाओं को अपने क़दमों तले रौंदते चले जाते हैं, अपनी मनमानी करते हैं, लोगों की ग़लतियाँ निकालते हैं, धमकियाँ देते हैं, दूसरों के सामने अपने बच्चे या कर्मचारी की आलोचना करते हैं, और कभी यह

सोचते ही नहीं हैं कि हम उनके आत्मसम्मान को ठेस पहुँचा रहे हैं। अगर हम कुछ मिनट विचार करें, तो सामने वाले के नज़रिए को समझने और शांति से बात करने से समस्या सुलझ सकती है!

जब हम किसी कर्मचारी को डाँट रहे हों या नौकरी से निकालने का अप्रिय काम कर रहे हों, तो हमें यह याद रखना चाहिए।

"कर्मचारियों को नौकरी से निकालने के काम में किसी को मज़ा नहीं आता। नौकरी से हटाए जा रहे कर्मचारी को तो इसमें और भी कम मज़ा आता है।" (मैं यहाँ पर एक सर्टिफ़ाइड पब्लिक अकाउंटेंट मार्शल ए. ग्रैन्जर के पत्र के अंश दे रहा हूँ।) "हमारा बिज़नेस ज़्यादातर सीज़नल है। इसलिए जब इन्कम टैक्स की भीड़ छँट जाती है, तो हमें बहुत से लोगों को काम पर से हटाना पड़ता है।

"हमारे व्यवसाय में यह कहावत है कि किसी को भी कुल्हाड़ी चलाने में आनंद नहीं आता। परिणामस्वरूप, यह परंपरा विकसित हो गई है कि इस काम को जितनी जल्दी संभव हो, कर लिया जाए और आम तौर पर निम्नलिखित तरीक़े से किया जाए : 'बैठिए, मिस्टर स्मिथ। सीज़न ख़त्म हो गया है और अब हमारे पास आपके लिए कोई काम नहीं है। ज़ाहिर है कि आप भी जानते थे कि आपको इस बिज़ी सीज़न के लिए काम पर रखा गया था, इत्यादि, इत्यादि।'

"इन लोगों पर इसका प्रभाव निराशा का होता था और उन्हें लगता था कि उन्हें 'नीचा दिखाया' गया है। उनमें से अधिकांश लोग ज़िंदगी भर अकाउंटिंग फ़ील्ड से जुड़े लोग होते हैं और वे ऐसी फ़र्म के प्रति विशेष अनुराग नहीं रखते जो उन्हें इतने सामान्य ढंग से काम पर से हटाती हो।

"मैंने हाल ही में फ़ैसला किया कि हमारे सीज़नल कर्मचारियों को हटाते समय हमें अधिक कूटनीति और बुद्धिमानी का प्रयोग करना चाहिए। इसलिए मैं जाड़े के दौरान हर आदमी के द्वारा किए गए काम पर सावधानीपूर्वक चिंतन करता था। और मैं उससे इस तरह की बात कहता था : 'मिस्टर स्मिथ, आपका काम सचमुच

अच्छा है (अगर वह सचमुच अच्छा है तो)। जब हमने आपको नेवार्क भेजा था तो आपका काम कठिन था। आपने वहाँ पर बहुत ही बढ़िया तरीक़े से काम किया और अपनी श्रेष्ठता साबित की और हम आपको यह बताना चाहते हैं कि फ़र्म को आप पर गर्व है। आपमें क्षमता और योग्यता है- आप बहुत आगे तक जाएँगे, चाहे आप जहाँ भी काम करें। यह फ़र्म आप पर भरोसा करती है और आपको छोड़ना नहीं चाहती और हम चाहते हैं कि आप यह बात न भूलें।'

"परिणाम ? लोग नौकरी छूटने के बाद भी अच्छा अनुभव करते हुए जाते थे। उन्हें यह नहीं लगता था कि उन्हें 'नीचा दिखाया' गया है। वे जानते थे कि अगर हमारे पास उनके लिए काम होता, तो हम निश्चित रूप से उन्हें नहीं निकालते। और जब हमें उनकी दुबारा ज़रूरत पड़ती है, तो वे हमारे पास व्यक्तिगत प्रेम के साथ आते हैं।"

हमारे कोर्स के एक सत्र में क्लास के दो सदस्य चर्चा कर रहे थे। चर्चा का विषय था ग़लती ढूँढ़ने के नकारात्मक प्रभाव और सामने वाले को लाज बचाने का अवसर देने के सकारात्मक प्रभाव।

हैरिसबर्ग, पेनसिल्वेनिया के फ्रेड क्लार्क ने हमें अपनी कंपनी की एक घटना सुनाई : "हमारी कंपनी की एक प्रॉडक्शन मीटिंग में वाइस प्रेसिडेंट उत्पादन की प्रक्रिया को लेकर एक सुपरवाइज़र से सीधे-सीधे सवाल पूछ रहे थे। उनकी आवाज़ का लहज़ा आक्रामक था और उनका लक्ष्य यह बताना था कि सुपरवाइज़र से ग़लती हुई थी। चूँकि वह अपने समकक्षों के सामने डाँट खाने से बचना चाहता था, इसलिए वह सीधे-सीधे जवाब नहीं दे रहा था। इससे वाइस प्रेसिडेंट को ग़ुस्सा आ गया और उन्होंने सुपरवाइज़र को बहुत डाँटा, और उस पर झूठ बोलने का आरोप भी लगाया।

"इस मुठभेड़ से पहले के कामकाजी रिश्ते कुछ ही क्षणों में ख़त्म हो गए। हालाँकि सुपरवाइज़र बहुत अच्छा कर्मचारी था और बहुत मेहनती था, परंतु उस घटना के बाद वह हमारी कंपनी के

लिए किसी काम का नहीं रहा। कुछ महीनों बाद वह हमारी कंपनी छोड़कर प्रतिद्वंद्वी कंपनी में काम करने लगा, जहाँ वह बेहतरीन काम कर रहा है।"

हमारी क्लास की एक और सदस्य आन्ना मैज़ोन ने भी अपनी कंपनी में हुई इसी तरह की एक घटना सुनाई- परंतु तरीक़े और परिणाम कितने अलग थे! मिस मैज़ोन एक फ़ूड पैक करने वाली कंपनी में मार्केटिंग स्पेशलिस्ट थीं। उन्हें पहला बड़ा काम सौंपा गया था जिसमें उन्हें एक नए प्रॉडक्ट की टेस्ट-मार्केटिंग रिपोर्ट प्रस्तुत करनी थी। उन्होंने क्लास को बताया, "जब टेस्ट की रिपोर्ट आई, तो मेरे हाथ-पैर फूल गए। मैंने योजना बनाने में एक बहुत बड़ी ग़लती कर दी थी, जिस वजह से मुझे पूरा टेस्ट दुबारा करना होगा। यही नहीं, मेरे पास मीटिंग से पहले यह बात अपने बॉस को बताने का वक़्त भी नहीं था, क्योंकि जिस मीटिंग में मुझे रिपोर्ट प्रस्तुत करनी थी, वह मीटिंग शुरू ही होने वाली थी।

"जब मुझसे रिपोर्ट प्रस्तुत करने के लिए कहा गया, तो मैं डर के मारे थरथर काँप रही थी। मैंने यह निश्चय किया कि मैं आँसू नहीं बहाऊँगी और लोगों को इस तरह की बात करने का मौक़ा नहीं दूँगी कि औरतें अधिक भावुक होने के कारण मैनेजमेंट का काम अच्छी तरह से नहीं कर सकतीं। मैंने अपनी रिपोर्ट को संक्षेप में प्रस्तुत किया और यह भी कहा, कि मुझसे एक ग़लती हो गई थी, जिस वजह से मुझे अगली मीटिंग से पहले इस टेस्ट को एक बार फिर करना होगा। मैं बैठ गई और मुझे उम्मीद थी कि मेरे बॉस आगबबूला हो जाएँगे।

"परंतु इसके बजाय उन्होंने मुझे मेरे काम के लिए धन्यवाद दिया। उन्होंने कहा कि नए प्रोजेक्ट में ग़लती होना एक आम बात है। उन्होंने यह भी कहा कि उन्हें पूरा विश्वास है कि मैं दुबारा जो टेस्ट करूँगी वह सफल और सही होगा और कंपनी के बहुत काम आएगा। उन्होंने अपने साथियों के सामने मुझे आश्वस्त किया कि उन्हें मुझ पर पूरा भरोसा है और वे जानते हैं कि मैंने अपनी सर्वश्रेष्ठ क्षमता के हिसाब से अपना काम किया है। उन्होंने यह भी

कहा कि ग़लती का कारण यह नहीं था कि मुझमें योग्यता कम थी, बल्कि यह था कि मुझमें अनुभव कम था।

"मैं मीटिंग से लौटते वक़्त सातवें आसमान पर थी और हवा में उड़ रही थी। मैंने यह संकल्प कर लिया था कि मैं अपने इतने अच्छे बॉस को कभी नीचा नहीं देखने दूँगी।"

चाहे हम सही हों, और सामने वाला ग़लत हो तो भी हमें उसके अहं को ठेस पहुँचाने का क्या हक़ है। हम उसे अपनी इज़्ज़त बचाने का मौक़ा क्यों नहीं देते? फ़्रांसीसी एविएशन पायोनियर और लेखक एंतोनियो द सेंट एग्जुपरी ने लिखा था, "मुझे ऐसी बात कहने या करने का हक़ नहीं है जो किसी आदमी को उसकी नज़रों में छोटा कर दे। इस बात से कोई फ़र्क़ नहीं पड़ता कि मैं उसके बारे में क्या सोचता हूँ, परंतु इस बात से फ़र्क़ पड़ता है कि वह अपने बारे में क्या सोचता है। किसी व्यक्ति के आत्मसम्मान को ठेस पहुँचाना बहुत बड़ा अपराध है।"

एक सच्चा लीडर हमेशा इस सिद्धांत का पालन करेगा...

सिद्धांत 5

सामने वाले व्यक्ति को अपनी लाज रखने दें।

6

सफलता के लिए लोगों को प्रेरित करने की विधि

पीट बारलो मेरा पुराना दोस्त था। वह सर्कस में काम करता था। उसने अपनी पूरी ज़िंदगी सर्कस और मनोरंजक शो करने में गुज़ार दी थी। जब पीट नए कुत्तों को प्रशिक्षण देता था, तो मुझे वह दृश्य देखना अच्छा लगता था। मैं देखता था कि जब कुत्ते में ज़रा सा भी सुधार होता था, तो पीट उसकी पीठ थपथपाता था, उसकी तारीफ़ करता था और उसे गोश्त का टुकड़ा देता था।

यह कोई नई बात नहीं थी। जानवरों को प्रशिक्षित करने वाले लोग सदियों से इसी तकनीक का इस्तेमाल करते आ रहे हैं।

मुझे हैरत होती है कि हम कुत्तों को बदलने वाली इसी कॉमनसेंस भरी तकनीक का इस्तेमाल इंसानों को बदलने में क्यों नहीं करते। हम कोड़े के डर के बजाय गोश्त का इस्तेमाल क्यों नहीं करते? हम आलोचना के बजाय प्रशंसा का इस्तेमाल क्यों नहीं करते? हमें थोड़े से सुधार की भी तारीफ़ करना चाहिए। इससे सामने वाले व्यक्ति को सुधरने में प्रोत्साहन और प्रेरणा मिलती है।

अपनी पुस्तक *आई हैवन्ट मच, बेबी - बट आई एम ऑल आई गॉट* में मनोवैज्ञानिक जेस लायर लिखते हैं, "प्रशंसा मनुष्य के हृदय के लिए सूर्य के सुखद प्रकाश की तरह है। इसके बिना हमारे व्यक्तित्व का पुष्प नहीं खिल सकता। और फिर भी हममें से ज़्यादातर लोग दूसरे लोगों के साथ अपने व्यवहार में आलोचना की

ठंडी हवाओं को बढ़ावा देते हैं और अपने साथियों को प्रशंसा की धूप से वंचित रखना चाहते हैं।"

मैं अपनी ज़िंदगी में जब पीछे की तरफ़ देखता हूँ तो मैं पाता हूँ कि प्रशंसा के कुछ शब्दों ने मेरे पूरे भविष्य को बदल दिया था। क्या आप यही बात अपने जीवन के बारे में नहीं कह सकते? इतिहास में ऐसे उदाहरण भरे पड़े हैं जब प्रशंसा की जादुई छड़ी ने किसी व्यक्ति के जीवन को बदलकर रख दिया।

उदाहरण के तौर पर कई साल पहले, दस साल का एक बच्चा नेपल्स की एक फ़ैक्ट्री में काम कर रहा था। वह एक गायक बनना चाहता था, पर उसके पहले संगीत शिक्षक ने उसके उत्साह को ठंडा करते हुए कहा, "तुम कभी गायक नहीं बन सकते। तुम्हारी आवाज़ में दम नहीं है। ऐसा लगता है जैसे हवा से शटर गिर रहे हों।"

परंतु उस बालक की माँ ने, जो एक ग़रीब किसान महिला थी, उसे अपनी बाँहों में भर लिया। उसने उसकी तारीफ़ की और उसे बताया कि वह जानती है कि वह गायक बन सकता है और उसमें सुधार हो रहा है। यही नहीं, अपने बच्चे के संगीत प्रशिक्षण की फ़ीस जुटाने के लिए वह नंगे पैर रही। ग़रीब माँ की तारीफ़ और प्रोत्साहन ने उस बच्चे की ज़िंदगी बदलकर रख दी। उसका नाम एनरिको कैरुसो था और वह अपने ज़माने का सबसे महान और प्रसिद्ध ऑपेरा गायक बना।

उन्नीसवीं सदी की शुरुआत में लंदन का एक युवक लेखक बनना चाहता था। परंतु उसे लगता था कि हर चीज़ उसके ख़िलाफ़ थी। वह सिर्फ़ चार साल तक ही स्कूल गया था। उसके पिता क़र्ज़ न चुकाने के कारण जेल में थे और यह युवक अक्सर भूखा रहा करता था। आख़िरकार, उसे चूहों से भरे एक वेअरहाउस में बोतलों पर लेबल लगाने का काम मिल गया। दो और बच्चों के साथ- जो लंदन की झुग्गियों और गटर के माहौल से आए थे- वह रात को उसी दड़बे में सोया करता था। उसे लेखन की अपनी योग्यता में इतना कम विश्वास था कि उसने अपनी पहली पांडुलिपि रात के

अँधेरे में डाक के डिब्बे में डाली ताकि कोई उसकी हँसी न उड़ाए। कहानी के बाद कहानी रिजेक्ट होती गई। आख़िरकार वह महान दिन आया जब उसकी एक कहानी स्वीकार कर ली गई। यह सच है कि उसे इसके बदले में एक भी पैसा नहीं मिला, परंतु एक संपादक ने उसकी तारीफ़ की। एक संपादक ने उसे सम्मान दिया। वह इतना रोमांचित था कि वह सड़कों पर बौराया हुआ घूमता रहा, और उसके गालों पर ख़ुशी के आँसू बह रहे थे।

अपनी एक कहानी के छपने से मिली इस प्रशंसा, इस सम्मान ने उसकी ज़िंदगी बदल दी। क्योंकि अगर उसे यह प्रोत्साहन न मिला होता, तो वह सारी ज़िंदगी चूहों से भरी फ़ैक्ट्रियों में बोतलों पर लेबल ही लगाता रहता। आपने शायद उस युवक का नाम सुना होगा। उसका नाम था चार्ल्स डिकेंस।

लंदन का ही एक और किशोर ड्राई-गुड्स स्टोर में क्लर्क था। उसे सुबह पाँच बजे उठना पड़ता था, स्टोर में झाड़ू लगानी पड़ती थी और वह हर दिन चौदह घंटे बुरी तरह काम करता था। दो साल तक उस घटिया काम को करते-करते वह उकता गया। एक दिन वह सुबह उठा और बिना नाश्ते का इंतज़ार किए वह पंद्रह मील पैदल चलकर अपनी माँ से मिलने गया, जो हाउसकीपर का काम करती थी।

वह बेहद दुखी था। उसने माँ को अपना दुखड़ा सुनाया। वह रोया। उसने यह भी क़सम खाई कि अगर उसे स्टोर में कुछ समय और काम करना पड़ा तो वह आत्महत्या कर लेगा। फिर उसने अपने पुराने स्कूल टीचर को एक लंबा और दुखद पत्र लिखा। उस पत्र में लिखा था कि उसका दिल टूट चुका है और अब वह जीना नहीं चाहता। उसके पुराने स्कूल टीचर ने जवाब में उसकी तारीफ़ की और उसे आश्वस्त किया कि वह सचमुच बहुत बुद्धिमान है और बेहतर ज़िंदगी का हक़दार है। उन्होंने उसे स्कूल टीचर का काम देने का भी प्रस्ताव रखा।

इस प्रशंसा ने उस बच्चे का भविष्य बदल दिया और अँग्रेज़ी

साहित्य के इतिहास पर भी अमिट प्रभाव डाला। क्योंकि बाद में इसी किशोर ने ढेरों बेस्टसेलिंग पुस्तकें लिखीं और अपनी कलम की दम पर लाखों-करोड़ों डॉलर कमाए। आपने शायद इनका भी नाम सुना होगा। इनका नाम था एच. जी. वेल्स।

आलोचना के बजाय प्रशंसा बी. एफ़. स्किनर की शिक्षा की मूल अवधारणा थी। इस महान समकालीन मनोवैज्ञानिक ने जानवरों और इंसानों पर हुए प्रयोगों से यह साबित किया कि जब आलोचना कम और प्रशंसा अधिक होती है तो लोगों को अच्छे काम की प्रेरणा मिलती है और ध्यान के अभाव के कारण बुरे काम कुम्हला जाते हैं।

रॉकी माउंट, नॉर्थ कैरोलिना के जॉन रिंगेल्सपॉ ने अपने बच्चों के साथ इसी तकनीक का प्रयोग किया। जैसा ज़्यादातर परिवारों में होता है, इस परिवार में भी माँ-बाप का बच्चों से संवाद अक्सर चिल्लाते समय ही होता था। और जैसा ज़्यादातर मामलों में होता है हर ऐसे प्रकरण के बाद बच्चे बेहतर होने के बजाय बदतर हो जाते थे- और माँ-बाप भी। इस समस्या का कोई हल नज़र नहीं आ रहा था।

मिस्टर रिंगेल्सपॉ ने इस स्थिति को सुलझाने के लिए हमारे कोर्स में सीखे गए सिद्धांतों को अपनाने का निश्चय किया। उन्होंने बताया : "हमने उनकी ग़लतियों पर उँगली रखने के बजाय प्रशंसा करने का फ़ैसला किया। यह आसान नहीं था क्योंकि वे अक्सर गड़बड़ काम करते थे। हमें तारीफ़ करने के क़ाबिल काम ढूँढ़ने में भी बहुत मुश्किल आई। हमने ऐसी बातें ढूँढ़ लीं और एक-दो दिन में ही उनकी शैतानियाँ कम हो गईं। जो गड़बड़ काम वे करते थे, उनमें कमी आई। फिर कुछ और ग़लतियाँ कम हो गईं। वे हमारी तारीफ़ के क़ाबिल बनने की कोशिश कर रहे थे। वे सही काम करने के लिए काफ़ी मेहनत भी कर रहे थे। हम दोनों को ही इस पर यक़ीन नहीं हो रहा था। ज़ाहिर है कि यह हमेशा नहीं चला, परंतु एक बार इस तरह का बदलाव होने के बाद उनका जो सामान्य व्यवहार विकसित हुआ वह पहले से बेहतर था। अब हमें उन पर चीख़ने-चिल्लाने की ज़रूरत नहीं थी। बच्चे ग़लत कामों के बजाय

सही काम कर रहे थे।" और यह सब कैसे हुआ? इसलिए क्योंकि बच्चों के ग़लत काम की आलोचना करने के बजाय बच्चों में हुए हल्के से सुधार की प्रशंसा की गई।

यह नौकरी में भी सही है। वुडलैंड हिल्स, कैलिफ़ोर्निया के कीथ रोपर ने इस सिद्धांत को अपनी कंपनी में एक परिस्थिति में आज़माकर देखा। उसकी प्रिंट शॉप में ऐसा काम आया जो बेहद अच्छी क्वालिटी का था। जिस प्रिंटर ने उस काम को किया था, उसके यहाँ एक नया कर्मचारी आया था जिसे नौकरी से तालमेल बिठाने में मुश्किलों का सामना करना पड़ रहा था। उसका सुपरवाइज़र उसके नकारात्मक रवैये को लेकर परेशान था और गंभीरता से सोच रहा था कि उसकी सेवाएँ समाप्त कर दी जाएँ।

जब मिस्टर रोपर को इस स्थिति की जानकारी दी गई तो वे व्यक्तिगत रूप से प्रिंट शॉप में गए और उस युवक से बात की। उन्होंने बताया कि वे उसके काम को देखकर कितने ख़ुश हुए थे और उन्होंने यह भी बताया कि पिछले कुछ समय में उनकी दुकान में होने वाला यह सबसे अच्छा काम है। उन्होंने यह स्पष्ट किया कि उसका काम क्यों श्रेष्ठ था और कंपनी के लिए युवक का योगदान कितना महत्वपूर्ण था।

क्या आपको लगता है कि इससे कंपनी के प्रति युवा प्रिंटर के रवैये में बदलाव आया होगा? कुछ ही दिनों में चमत्कार हो गया। उसने अपने कई सहकर्मियों को इस चर्चा के बारे में बताया और कहा कि कंपनी में कोई है जो अच्छे काम की क़द्र करता है। और उस दिन के बाद से वह एक वफ़ादार और समर्पित कर्मचारी है।

मिस्टर रोपर ने युवा प्रिंटर की चापलूसी करते हुए यह नहीं कहा, "तुम्हारा काम अच्छा है।" उन्होंने स्पष्ट रूप से बताया कि उसका काम क्यों अच्छा था। चूँकि उसे सामान्य चापलूसी भरी बातों के बजाय किसी विशिष्ट उपलब्धि के लिए सराहा गया था, इसलिए यह तारीफ़ उस प्रिंटर के लिए अधिक अर्थपूर्ण बन गई थी। हर व्यक्ति तारीफ़ पसंद करता है, परंतु जब यह तारीफ़ किसी ख़ास

बात को लेकर की जाती है तब हमें पता चलता है कि तारीफ़ सच्ची है- कि सामने वाला व्यक्ति हमें मूर्ख नहीं बना रहा है या हमें सिर्फ़ ख़ुश करने के लिए यह बात नहीं कह रहा है।

याद रखिए, हम सब प्रशंसा और सम्मान के भूखे हैं और इन्हें पाने के लिए कुछ भी कर सकते हैं। परंतु हममें से कोई भी झूठी तारीफ़ पसंद नहीं करता। कोई भी चापलूसी पसंद नहीं करता।

मुझे यह बात दोहराने दें : इस पुस्तक में सिखाए गए सिद्धांत तभी काम करेंगे जब आप सच्चे दिल से अपनी बात कहें। मैं आपको चालाकियों की कोई पुड़िया नहीं दे रहा हूँ। मैं जीवन को नए तरीक़े से जीने के सिद्धांत सिखा रहा हूँ।

क्या आप लोगों को बदलने के बारे में सोच रहे हैं? अगर आप और मैं उन लोगों को प्रेरित कर सकें जिनके हम संपर्क में आते हैं, तो हम जान जाएँगे कि उनमें कितनी संभावनाएँ, कितने ख़ज़ाने छुपे हुए हैं और हम उन्हें बदलने से अधिक कुछ कर सकते हैं। हम शब्दशः उनकी कायापलट कर सकते हैं।

अतिशयोक्ति ? तो विलियम जेम्स के बुद्धिमत्तापूर्ण शब्द सुनिए जो अमेरिका के सर्वश्रेष्ठ मनोवैज्ञानिकों और दार्शनिकों में से एक हैं :

हम जो हो सकते हैं, उसकी तुलना में हम सिर्फ़ आधे जागे हुए ही होते हैं। हम अपनी क्षमताओं का बहुत कम हिस्सा ही हासिल कर पाते हैं। हम अपनी शारीरिक और मानसिक योग्यताओं का बहुत थोड़ा हिस्सा ही इस्तेमाल करते हैं। इंसान अपनी संभावनाओं का पूरा दोहन नहीं करते। उनके पास बहुत सी ऐसी क्षमताएँ या शक्तियाँ होती हैं, जिनका उपयोग करने में वे आम तौर पर असफल रहते हैं।

हाँ, आप जो इस पुस्तक में लिखी इन पंक्तियों को पढ़ रहे हैं, आपमें भी ऐसी शक्तियाँ और क्षमताएँ हैं जिनका उपयोग करने में आप आम तौर पर असफल रहते हैं। और जिन शक्तियों का आप पूरी तरह उपयोग नहीं कर रहे हैं, उनमें से एक है लोगों की तारीफ़

करने की और उन्हें प्रेरित करने की जादुई क्षमता, जिससे उनकी निहित संभावनाओं का दोहन किया जा सके।

योग्यताएँ आलोचना के तुषार से कुम्हला जाती हैं, परंतु प्रोत्साहन की खाद मिलने से वे फलने-फूलने लगती हैं। लोगों का अधिक प्रभावी लीडर बनने के लिए आपको यह करना चाहिए...

सिद्धांत 6

थोड़े से सुधार की भी तारीफ़ करें और
हर सुधार पर तारीफ़ करें।
"दिल खोलकर तारीफ़ करें और
मुक्त कंठ से सराहना करें।"

7

बुरे को भला नाम दे दें

अगर कोई अच्छा कर्मचारी काम में लापरवाही करने लगे या ख़राब काम करने लगे तो आप क्या करेंगे? आप उसे नौकरी से निकाल सकते हैं, परंतु इससे समस्या हल नहीं होगी। आप उसकी आलोचना कर सकते हैं, परंतु इससे उसका मन खट्टा हो जाएगा। हेनरी हैंक लॉवेल, इंडियाना में एक बड़ी ट्रक डीलरशिप का सर्विस मैनेजर था। वह अपने एक मैकेनिक बिल से परेशान था जिसका काम इन दिनों संतोषजनक नहीं था। मिस्टर हैंक ने उसे अपने ऑफ़िस में बुलाया और उससे खुलकर चर्चा की।

"बिल, तुम एक अच्छे मैकेनिक हो। तुम कई सालों से यहाँ काम कर रहे हो। तुमने ग्राहकों के बहुत से वाहनों की अच्छी रिपेयरिंग की है। तुम्हारा काम इतना बढ़िया है कि कई ग्राहक तुम्हारी तारीफ़ कर चुके हैं। परंतु पिछले कुछ दिनों से तुम अपने काम को करने में ज़्यादा समय लगा रहे हो और तुम्हारा काम पहले जितना बढ़िया नहीं हो रहा है। चूँकि तुम इतने अच्छे मैकेनिक हो, इसलिए मैं तुम्हें यह बताना चाहता हूँ कि मैं इस स्थिति से ख़ुश नहीं हूँ और शायद हम लोग मिलकर इस समस्या का हल ढूँढ़ सकते हैं।"

बिल ने जवाब दिया कि उसे यह मालूम ही नहीं था कि वह पहले जितना बढ़िया काम नहीं कर रहा है। उसने अपने बॉस को आश्वस्त किया कि वह अब भी उतना ही बढ़िया काम कर सकता है और वह भविष्य में सुधार करने की कोशिश करेगा।

क्या उसने ऐसा किया ? आप बिलकुल मान सकते हैं कि उसने ऐसा ही किया। वह एक बार फिर से तेज़ और कुशल मैकेनिक बन गया। मिस्टर हैंक ने अतीत के उसके काम की उसके सामने जो इमेज बना दी थी, बिल को उस इमेज पर खरा उतरना ही था।

बाल्डविन लोकोमोटिव वर्क्स के प्रेसिडेंट सेम्युअल वॉक्लैन ने कहा था, "आम आदमी को आसानी से प्रेरित किया जा सकता है, अगर वह आपका सम्मान करता हो और अगर आप उसे यह बताएँ कि आप उसकी किसी ख़ास योग्यता के लिए उसका सम्मान करते हैं।"

संक्षेप में, अगर आप किसी व्यक्ति की किसी बात को सुधारना चाहते हों, तो इस तरह जताएँ जैसे वह उसका श्रेष्ठ गुण हो। शेक्सपियर ने कहा था, "अगर आपमें कोई गुण नहीं है, तो ऐसे व्यवहार करें जैसे वह गुण आपमें पहले से ही हो।" और लोगों को भी आप साफ़-साफ़ बता दें कि आप सामने वाले व्यक्ति में जो गुण देखना चाहते हैं वह उनमें पहले से ही है। उनकी अच्छी इमेज बना दें और वे उस इमेज को सही साबित करके दिखाने के लिए बहुत ज़्यादा कोशिश करेंगे।

जॉर्जेट लेब्लांक ने अपनी पुस्तक *सॉवेनियर्स, माई लाइफ़ विथ मैटरलिंक* में बताया है कि उन्होंने किस तरह एक बेल्जियन सिन्ड्रैला की अद्भुत कायापलट की।

"पड़ोस की होटल से एक नौकरानी मेरा भोजन लाती थी," वे लिखती हैं। "उसे 'मैरी द डिशवॉशर' कहा जाता था क्योंकि उसने अपना करियर बर्तन माँजने वाली असिस्टेंट के रूप में शुरू किया था। वह बदसूरत सी दिखती थी, जिसकी आँखें ज़रा भेंगी थीं और जिसके पैर किसी सलाख़ की तरह पतले थे। उसका शरीर दुबला था और उसमें आत्मविश्वास भी कम था।

"एक दिन जब वह अपने लाल हाथ में मेरी मैकरॉनी की प्लेट लिए खड़ी थी, तो मैंने उससे बिना भूमिका बनाए यह कहा, 'मैरी,

तुम नहीं जानतीं कि तुममें कितने बहुमूल्य ख़ज़ाने छुपे हुए हैं।'

"मैरी को अपनी भावनाओं को छुपाकर रखने की आदत थी, इसलिए वह कुछ पल ठहरी। उसने विपत्ति के डर के मारे कोई प्रतिक्रिया नहीं की। उसने डिश को मेज़ पर रखा और फिर भोलेपन से कहा, 'मैडम, मुझे इस बात का विश्वास नहीं होता।' उसे इस बारे में कोई संदेह नहीं था, उसने एक भी सवाल नहीं पूछा। वह किचन तक गई और उसने मेरी कही बात को दोहराया और उसकी आस्था में इतनी शक्ति थी कि किसी ने भी उसका मज़ाक़ नहीं उड़ाया। उस दिन के बाद से लोग उसके प्रति विशेष व्यवहार करने लगे। परंतु सबसे अजीब परिवर्तन विनम्र मैरी में हुआ था। चूँकि उसे यक़ीन हो चुका था कि उसके भीतर कई चमत्कार छुपे हुए हैं, इसलिए वह अपने चेहरे और शरीर का ख़ास ध्यान रखने लगी। इस वजह से उसकी सोई हुई जवानी खिल उठी और उसकी बदसूरती ग़ायब हो गई।

"दो महीने बाद उसने घोषणा की कि वह शेफ़ के भतीजे के साथ शादी कर रही है। 'मैं एक लेडी बनने जा रही हूँ,' उसने कहा और मुझे धन्यवाद दिया। एक छोटे से वाक्य ने उसका पूरा जीवन बदल दिया था।"

जॉर्जेट लेब्लांक ने "मैरी द डिशवॉशर" को एक इमेज दी थी जिसके हिसाब से वह व्यवहार कर सके– और इस इमेज ने उसकी कायापलट कर दी।

बिल पार्कर डेटोना बीच, फ़्लोरिडा में एक फ़ूड कंपनी के सेल्स रिप्रज़ेंटेटिव थे। वे अपनी कंपनी द्वारा लाए जा रहे नए उत्पादों को लेकर बहुत रोमांचित थे। उन्हें यह जानकर बहुत दुख हुआ कि एक बड़े फ़ूड मार्केट के मैनेजर ने इन प्रॉडक्ट्स को अपने स्टोर में रखने से मना कर दिया। बिल पूरे दिन इस इंकार के बारे में सोचता रहा और उस शाम को घर जाने से पहले उसने दुबारा स्टोर जाकर कोशिश करने का फ़ैसला किया।

"जैक," उसने कहा, "जब मैं सुबह गया था तो मैंने यह

महसूस किया कि मैंने आपको हमारे नए प्रॉडक्ट्स के बारे में पूरी जानकारी नहीं दी थी। मैं आपका कुछ समय लेना चाहूँगा ताकि मैं आपको वे जानकारियाँ दे सकूँ, जो मुझसे पहले छूट गई थीं। मैंने हमेशा इस तथ्य का सम्मान किया है कि आप हमेशा सुनने के इच्छुक रहते हैं और अगर आप तथ्यों से सहमत हो जाते हैं तो अपना फ़ैसला बदलने के लिए तैयार रहते हैं।"

क्या जैक इसके बाद भी सुनने से इंकार कर सकता था? बिलकुल नहीं, क्योंकि उसे अपनी इमेज पर खरा उतरना था।

एक सुबह की बात है। डब्लिन, आयरलैंड के एक दंत चिकित्सक डॉ. मार्टिन फ़िट्ज़ह्यू स्तब्ध रह गए। उनके एक मरीज़ ने बताया कि जिस धातु के कप के होल्डर से वह अपना मुँह साफ़ कर रहा था, वह गंदा था। सच तो यह था कि मरीज़ पेपर कप से पी रहा था, होल्डर से नहीं, परंतु निश्चित रूप से यह प्रोफ़ेशनल नहीं था कि गंदे होल्डर का प्रयोग किया जाए।

जब मरीज़ चला गया तो डॉ. फ़िट्ज़ह्यू ने अपने प्राइवेट ऑफ़िस में जाकर सफ़ाई करने वाली महिला ब्रिजिट को एक नोट लिखा। ब्रिजिट उसके ऑफ़िस की सफ़ाई के लिए सप्ताह में दो बार आती थी। उन्होंने लिखा :

प्रिय ब्रिजिट,

मैं आपसे बहुत कम मिल पाता हूँ। मैंने सोचा कि मैं आपके सफ़ाई के इतने बढ़िया काम के लिए आपको धन्यवाद देने का समय निकाल लूँ। वैसे मुझे लगता है कि सप्ताह में दो दिन, दो घंटे का समय सफ़ाई के लिए बहुत कम होता है। अगर आपको यह महसूस होता हो कि आपको "कभी-कभार" साफ़ करने वाली चीज़ों जैसे कप होल्डर इत्यादि को चमकाने में अधिक समय की ज़रूरत है तो आप कृपया आधा घंटा ज़्यादा काम करने का कष्ट करें। ज़ाहिर है, मैं आपको इस अतिरिक्त कार्य का अतिरिक्त भुगतान करूँगा।

डॉ. फ़िट्ज़ह्यू बताते हैं, "जब मैं अगले दिन अपने ऑफ़िस में

आया तो मेरी मेज़ शीशे की तरह चमक रही थी और मेरी कुर्सी भी इतनी चिकनी हो गई थी कि मैं उसमें से लगभग फिसलकर बाहर ही आ गया। जब मैं ट्रीटमेंट रूम में गया तो मैंने देखा कि क्रोमप्लेटेड कप होल्डर चमक रहा था। मैंने अब तक जितने भी कप होल्डर देखे थे, यह उन सबसे चमकता हुआ और साफ़ कप था। मैंने सफ़ाई करने वाली के सामने उसकी एक इमेज बना दी थी और इस छोटे से प्रयास की वजह से उसने अपना सर्वश्रेष्ठ प्रदर्शन किया। उसने इस काम में कितना अतिरिक्त समय लगाया? आप ठीक सोच रहे हैं- बिलकुल भी नहीं।"

एक पुरानी कहावत है, "किसी कुत्ते को बुरा नाम दे दो और वह इतना बुरा बर्ताव करेगा कि आप उसे जान से मार देना चाहेंगे।" परंतु अगर आप उसे अच्छा नाम दे दें- तो फिर देखिए वह क्या कुछ नहीं कर देता।

मिसेज़ रूथ हॉपकिन्स ब्रुकलिन, न्यूयॉर्क में चौथी क्लास की टीचर थीं। स्कूल में पहले दिन उन्होंने अपनी क्लास के उपस्थिति रजिस्टर को देखा और नए सत्र को शुरू करने का उनका उत्साह और रोमांच ठंडा पड़ गया। इस साल उनकी क्लास में टॉमी टी. आ गया था जो स्कूल का सबसे कुख्यात "शैतान बच्चा" था। तीसरी क्लास की टीचर हमेशा अपने सहकर्मियों, प्रिंसिपल इत्यादि से उसकी शिकायत करती रहती थीं। वह सिर्फ़ शैतान ही नहीं था, वह क्लास में गंभीर अनुशासनात्मक समस्याएँ भी पैदा करता था। वह सब लड़कों से लड़ता था, लड़कियों को छेड़ता था और टीचर को भी परेशान करता था। उम्र के साथ-साथ उसकी यह हरकतें भी बढ़ती जा रही थीं। उसमें एक ही बात अच्छी थी और वह यह कि वह बहुत तेज़ी से सीखता था और पढ़ाई में होशियार था।

मिसेज़ हॉपकिंस ने तत्काल "टॉमी की समस्या" से निबटने का फ़ैसला किया। जब वे अपने नए विद्यार्थियों का स्वागत कर रही थीं तो उन्होंने हर एक से इस तरह की बात कही, "रोज़, तुम्हारी ड्रेस बहुत सुंदर है," "एलिसिया, मैंने सुना है कि तुम बहुत अच्छी ड्रॉइंग बनाती हो।" जब वे टॉमी के पास आईं। तो उन्होंने उसकी आँखों

में देखते हुए कहा, "टॉमी, मुझे लगता है कि तुम नैचुरल लीडर हो। मैं चाहती हूँ कि तुम इस क्लास के मॉनीटर बन जाओ। बच्चों को सँभालने में तुम मेरी मदद करो ताकि इस साल चौथी क्लास स्कूल की सबसे अच्छी क्लास बन जाए।" शुरुआती कुछ दिनों में टीचर ने टॉमी के हर काम की बार-बार तारीफ़ की और यह बताया कि वह कितना अच्छा विद्यार्थी है। इस तरह की इमेज बनने के बाद तो नौ साल का यह बच्चा भी अपनी इमेज पर खरा उतरने के लिए मजबूर हो गया- और उसने अपनी टीचर की इमेज को बदलने नहीं दिया।

अगर आप दूसरे लोगों का व्यवहार या रवैया बदलने की कठिन लीडरशिप चुनौती में निपुण होना चाहते हों, तो यह करें...

सिद्धांत 7

सामने वाले व्यक्ति को एक ऐसी इमेज दे दें, जिसे वह सही साबित करना चाहे।

8

ग़लती सुधारना
आसान लगना चाहिए

मेरे एक चालीस वर्षीय मित्र की सगाई हुई। जिस लड़की से उसकी सगाई हुई, उसके अनुरोध पर वह डांस सीखने गया। "ईश्वर जानता है कि मुझे डांस सीखने की बहुत ज़रूरत थी," उसने अपनी कहानी सुनाते हुए कहा, "मैं चालीस साल की उम्र में भी उसी तरह डांस करता था जिस तरह कि बीस साल पहले करता था, जब मैंने इसे सीखना शुरू किया था। यानी कि मुझे डांस बिलकुल नहीं आता था। मैं जिस पहली टीचर के पास गया, शायद उसने मुझसे सच कहा था कि मुझे डांस बिलकुल नहीं आता। मुझे अपना सीखा हुआ सब कुछ भूलना होगा और नए सिरे से डांस सीखना होगा। परंतु उसकी यह बात सुनकर मेरा पूरा दिल टूट गया। मुझमें सीखने की इच्छा ही नहीं बची। इसलिए मैंने टीचर बदल ली।

"दूसरी टीचर ने शायद मेरा दिल रखने के लिए मुझे झूठी तसल्ली दी, परंतु मुझे उसकी बातें अच्छी लगीं। उसने निर्विकार भाव से कहा कि मेरा डांस हालाँकि कुछ पुराने पैटर्न का है, परंतु मुझमें डांस की मूलभूत समझ है और मुझे अपना डांस सुधारने में ज़्यादा मुश्किल नहीं आएगी। पहली टीचर ने मेरी ग़लतियों पर ज़ोर दिया था और इसलिए मेरा उत्साह ठंडा पड़ गया था। दूसरी टीचर ने बिलकुल उल्टा किया था। वह मेरे सही कामों की तारीफ़ करती थी और मेरी ग़लतियों को कम करके बताती थी। वह मुझसे अक्सर

कहती थी, 'आप एक जन्मजात डांसर हैं, आपमें ताल और लय की स्वाभाविक समझ है।' हालाँकि कॉमन सेंस से मैं जानता हूँ कि मैं चौथे दर्जे का घटिया डांसर हूँ और हमेशा रहूँगा, परंतु फिर भी मुझे यह सोचना अच्छा लगता है कि शायद वह सच कह रही हो। यह बात तो तय है कि उसे यह कहने के पैसे मिल रहे हैं, परंतु ऐसा सोचने से क्या फ़ायदा?

"चाहे जो भी हो, मैं जानता हूँ कि मैं अब एक बेहतर डांसर बन गया हूँ जो बिना उसकी इस तारीफ़ के नहीं बन सकता था कि मुझमें लय की स्वाभाविक समझ है। इससे मुझे आशा बँधी। इससे मुझे प्रेरणा मिली। इससे मुझमें ख़ुद को सुधारने की इच्छा जागी।"

अपने बच्चे, अपने पुत्र या अपने कर्मचारी को यह बताएँ कि वह किसी चीज़ में मूर्ख या अज्ञानी है, कि उसमें बिलकुल भी प्रतिभा नहीं है और वह जो करता है सब ग़लत करता है, तो इस तरह आप सुधार की हर गुंजाइश को ख़त्म कर देते हैं। परंतु अगर आप इससे बिलकुल उल्टी तकनीक का इस्तेमाल करें- अपने प्रोत्साहन में उदार रहें, उस चीज़ को आसान बनाकर दिखाएँ, सामने वाले को यह बताएँ कि आपको उसकी क्षमता में विश्वास है, कि उसमें यह करने की अविकसित योग्यता है- तो इसका नतीजा यह होगा कि वह दिन-रात मेहनत करके अपने प्रदर्शन को सुधार लेगा।

लॉवेल थॉमस, जो मानवीय संबंधों में बेहद निपुण हैं, इसी तकनीक का प्रयोग करते थे। वे आपमें आत्मविश्वास जगाते थे, आपको साहस और आस्था के माध्यम से प्रेरित करते थे। उदाहरण के लिए, मैंने मिस्टर और मिसेज़ थॉमस के साथ वीकएंड गुज़ारा। शनिवार की रात को उन्होंने मुझे जलती हुई आग के सामने बैठकर दोस्ताना ब्रिज गेम खेलने का आमंत्रण दिया। ब्रिज? अरे, नहीं! नहीं! मैं नहीं। मुझे ब्रिज की ज़रा भी समझ नहीं थी। यह खेल मुझे हमेशा एक गोपनीय रहस्य की तरह लगता था। नहीं! नहीं! असंभव!

लॉवेल ने जवाब दिया, "अरे, डेल, इसमें कोई पेंच नहीं है। ब्रिज में सिर्फ़ याददाश्त और कॉमनसेंस की ज़रूरत होती है। आप

स्मरण शक्ति पर कई लेख लिख चुके हैं और आपकी बुद्धि का तो हम सभी लोहा मानते हैं। ब्रिज तो आपके लिए बाएँ हाथ का खेल है। आप इसे कुशलता से खेल सकते हैं।"

और इससे पहले कि मैं कुछ समझ पाता, मैं ज़िंदगी में पहली बार ब्रिज की टेबल पर बैठा हुआ था। सिर्फ़ इसलिए क्योंकि लॉवेल ने मुझे यह बता दिया था कि ब्रिज खेलना मेरे लिए बाएँ हाथ का खेल है।

ब्रिज की बात से मुझे एली कल्बर्टसन की याद आती है, जिनकी ब्रिज पर लिखी पुस्तकों का दर्जनों भाषाओं में अनुवाद हो चुका है और जिनकी दस लाख से अधिक प्रतियाँ बिक चुकी हैं। परंतु उन्होंने मुझे बताया कि उन्होंने इस खेल को कभी अपना व्यवसाय नहीं बनाया होता अगर किसी युवा महिला ने उन्हें आश्वस्त नहीं किया होता कि उनमें इसकी प्रतिभा थी।

जब वे अमेरिका में 1922 में आए तो उन्होंने फ़िलॉसफ़ी और समाज शास्त्र में टीचर की नौकरी ढूँढ़ने की कोशिश की, परंतु उन्हें ऐसी कोई नौकरी नहीं मिली।

इसके बाद उन्होंने कोयला बेचने की कोशिश की, और वे उसमें भी असफल हुए।

इसके बाद उन्होंने कॉफ़ी बेचने की कोशिश की और वे उसमें भी असफल हुए।

उन्होंने थोड़ा-बहुत ब्रिज खेला था, परंतु उन्हें उस वक़्त यह एहसास नहीं हुआ कि किसी दिन वे इसे सिखा भी सकते हैं। वे न सिर्फ़ ब्रिज के एक ख़राब खिलाड़ी थे, बल्कि बहुत ज़िद्दी भी थे। वे इतने सारे सवाल पूछते थे और खेल के बाद इतने पोस्टमार्टम करते थे कि कोई उनके साथ खेलना पसंद नहीं करता था।

फिर वे एक सुंदर ब्रिज टीचर जोसेफ़ाइन डिल्लन से मिले। दोनों में प्रेम हुआ और उन्होंने शादी कर ली। जोसेफ़ाइन ने देखा कि वह अपने पत्तों का कितनी सावधानी से विश्लेषण करता है और

उसने अपने पति को यह विश्वास दिलाया कि उसमें कार्ड टेबल की संभावित प्रतिभा छुपी हुई है। कल्बर्टसन ने मुझे बताया कि इस प्रोत्साहन के कारण, और सिर्फ़ इसी प्रोत्साहन के कारण उसने ब्रिज को अपने व्यवसाय के रूप में चुना।

क्लेरेंस एम. जोन्स सिनसिनाटी, ओहियो में हमारे कोर्स के प्रशिक्षक थे। उन्होंने बताया कि किस तरह प्रोत्साहन देने और ग़लतियों को सुधारना आसान करके बताने से उनके पुत्र का जीवन पूरी तरह बदल गया।

"1970 में मेरा 15 साल का पुत्र डेविड मेरे साथ रहने के लिए सिनसिनाटी आया। उसने जीवन में बहुत सी समस्याओं का सामना किया था। 1958 में एक कार एक्सीडेंट में उसका सिर फट गया था और उसके माथे पर आज भी एक बुरा सा निशान बना हुआ है। 1960 में उसकी माँ और मुझमें तलाक़ हो गया। इसके बाद डेविड अपनी माँ के साथ डल्लास, टैक्सास में रहने लगा। पंद्रह साल की उम्र तक उसने अपना अधिकांश स्कूली जीवन उन स्कूलों में गुज़ारा जहाँ धीमे सीखने वालों के लिए विशेष कक्षाएँ आयोजित की जाती हैं। शायद माथे के निशान के कारण स्कूल वालों ने यह फ़ैसला किया कि उसके दिमाग़ को चोट पहुँची है और उसका मस्तिष्क सामान्य स्तर पर काम नहीं कर सकेगा। वह अपनी उम्र के बाक़ी लड़कों से दो साल पीछे चल रहा था, इसलिए वह सातवीं कक्षा में ही था। परंतु उसे अब तक पहाड़े याद नहीं हुए थे, वह अपनी उँगलियों पर गिन नहीं सकता था और वह कठिनाई से पढ़ भर सकता था।

"एक अच्छी बात ज़रूर थी। उसे रेडियो और टीवी सेट पर काम करना बहुत पसंद था। वह टीवी टेक्नीशियन बनना चाहता था। मैंने इस क्षेत्र में उसे प्रोत्साहित किया और उसे यह बताया कि इसकी ट्रेनिंग में सफल होने के लिए उसका गणित अच्छा होना चाहिए। मैंने यह फ़ैसला किया कि मैं इस विषय में पारंगत होने में उसकी मदद करूँगा। हम फ़्लैश कार्ड के चार सेट लेकर आए : गुणा करने, भाग करने, जोड़ने और घटाने के सेट। जब हम कार्डों का उपयोग करते थे, तो हम सही जवाबों को एक अलग जगह

रखते थे। जब डेविड किसी कार्ड का सही जवाब नहीं दे पाता था, तो हम उस कार्ड को फिर से रिपीट करने वाले ढेर में रख देते थे। यह प्रक्रिया तब तक चलती थी, जब तक कि कोई कार्ड नहीं बचता था। हर बार सही जवाब देने पर मैं उसकी बहुत अधिक तारीफ़ करता था, ख़ासकर तब जब वह पिछले कार्ड का सही जवाब न दे पाया हो। हर रात हम रिपीट करने वाले ढेर से गुज़रते थे, तब तक जब तक कि उसके सारे कार्ड ख़त्म न हो जाएँ। हर रात हम एक स्टॉप वॉच लेकर इस काम का रिकॉर्ड रखते थे। मैंने उससे वादा किया कि जब वह सभी कार्डों का सही जवाब आठ मिनट में दे देगा और उसका एक भी जवाब ग़लत नहीं होगा, तो हम इसे हर रात करना बंद कर देंगे। यह डेविड के लिए असंभव लक्ष्य था। पहली रात को इस प्रक्रिया में 52 मिनट लगे, दूसरी रात को 48, फिर 45, फिर 44, 41 और फिर 40 मिनट। कम होते समय का हम हर बार जश्न मानते थे। मैं अपनी पत्नी को फ़ोन पर यह बताता था। मैं अपने पुत्र को गले से लगा लेता था और हम डांस करने लगते थे। महीने के आख़िर में वह सभी कार्डों के सही जवाब आठ मिनट से कम समय में देने लगा। जब उसमें कोई छोटा सुधार होता तो वह उसे एक बार फिर दोहराने के लिए कहने लगा। उसने यह अद्‌भुत खोज की कि सीखना आसान और मज़ेदार है।

"स्वाभाविक था कि गणित में उसके नंबर बहुत अधिक आए। यह आश्चर्यजनक है कि जब आपको गुणा करना आता है, तो गणित कितना आसान हो जाता है। जब गणित में उसका बी ग्रेड आया तो वह आश्चर्यचकित था। ऐसा आज तक नहीं हुआ था। उसमें बाक़ी बदलाव भी इतनी ही अविश्वसनीय तेज़ी से आए। उसकी पढ़ने की गति काफ़ी तेज़ हो गई और वह ड्रॉइंग की अपनी जन्मजात प्रतिभा का बेहतर प्रयोग करने लगा। स्कूली सत्र के अंतिम महीनों में उसके विज्ञान के शिक्षक ने उसे एक मॉडल बनाने का काम सौंपा। उसने लीवर के प्रभाव को दर्शाने वाले जटिल मॉडल को बनाने का चुनाव किया। इसके लिए न सिर्फ़ ड्रॉइंग और मॉडल बनाने की दक्षता चाहिए थी, बल्कि एप्लाइड मैथ्स की निपुणता भी

चाहिए थी। स्कूल के विज्ञान मेले में उसके मॉडल को प्रथम पुरस्कार मिला और उसे शहर की प्रतियोगिता में भी रखा गया जहाँ उसे पूरे सिनसिनाटी शहर में तीसरा पुरस्कार मिला।

"इससे पूरा नक़्शा ही बदल गया। यह वही बच्चा था, जो दो ग्रेड पीछे चल रहा था, जिसे 'दिमाग़ी रूप से कमज़ोर' कहा जाता था, जिसके सहपाठी उसे 'फ़्रैंकेंस्टीन' कहकर चिढ़ाते थे और यह कहते थे कि सिर पर घाव होने के बाद उसका दिमाग़ बहकर बाहर निकल गया होगा। अचानक उसे यह पता चला कि वह चीज़ें सचमुच सीख सकता है, कुछ करके दिखा सकता है। परिणाम? आठवीं क्लास के अंतिम हिस्से से लेकर पूरे हाई स्कूल में उसे हमेशा ऑनर्स रोल मिले। हाई स्कूल में उसे नेशनल ऑनर सोसाइटी के लिए चुना गया। एक बार उसे पता चल गया कि सीखना आसान था, इसके बाद तो उसका पूरा जीवन ही बदल गया।"

अगर आप दूसरों को सुधारने में मदद करना चाहते हैं, तो याद रखें...

सिद्धांत 8

प्रोत्साहित करें। यह बताएँ कि ग़लती सुधारना आसान है।

9

वह तरीक़ा जिससे लोग
आपका काम ख़ुशी-ख़ुशी कर दें

1915 में अमेरिका में दहशत का माहौल था। विश्वयुद्ध एक साल से भी अधिक समय से चल रहा था। यूरोप के देश एक दूसरे को बुरी तरह से मार-काट रहे थे। मानव जाति के इतिहास में इतने बड़े पैमाने पर हिंसा कभी नहीं हुई थी। क्या शांति का माहौल एक बार फिर स्थापित हो सकता था? कोई नहीं जानता था। परंतु वुडरो विल्सन ने एक कोशिश करने का निश्चय किया। उन्होंने यूरोप के शासकों और सेनापतियों के पास शांति का संदेश लेकर एक व्यक्तिगत प्रतिनिधि, एक शांतिदूत भेजने का फ़ैसला किया।

विलियम जेनिंग्स ब्रायन, जो सेक्रेटरी ऑफ़ स्टेट थे, शांतिदूत बनकर जाने के इच्छुक थे। वे चाहते थे कि वे मानवता की सेवा करें और इतिहास में अपना नाम अमर कर दें। परंतु विल्सन ने अपने क़रीबी मित्र और सलाहकार कर्नल एडवर्ड एम. हाउस को शांतिदूत बनाकर भेज दिया। इस ख़बर को ब्रायन को इस तरह से सुनाने की ज़िम्मेदारी भी कर्नल हाउस को सौंपी गई जिससे उन्हें बुरा न लगे।

कर्नल हाउस ने अपनी डायरी में लिखा है, "जब ब्रायन ने सुना कि मुझे शांतिदूत बनाकर यूरोप भेजा जा रहा है तो वे स्पष्टतः निराश हुए। उन्होंने मुझसे कहा कि वे यह काम ख़ुद करना चाहते थे...

"इस पर मैंने जवाब दिया कि राष्ट्रपति के विचार से इस काम

को आधिकारिक रूप से करना उचित नहीं था। और शांतिदूत के रूप में अगर ब्रायन जाते तो सारी दुनिया का ध्यान इस तरफ़ आकर्षित हो जाता और लोग आश्चर्य करते कि वे वहाँ क्यों गए...”

आप इशारा समझ गए? हाउस ने ब्रायन को एक तरह से यह बता दिया था कि वह काम इतना महत्त्वपूर्ण नहीं था, कि उन्हें सौंपा जाए- और ब्रायन इस बात से संतुष्ट हो गए।

कर्नल हाउस के पास दुनियादारी की समझ थी, अनुभव था और कूटनीति का ज्ञान भी था। वे यह स्वर्णिम नियम जानते थे : *सामने वाले व्यक्ति को कोई काम इस तरह सौंपें कि वह ख़ुश होकर आपका कहा काम करे।*

वुडरो विल्सन ने जब विलियम गिब्स मैकाडू को अपनी कैबिनेट का सदस्य बनाया, तो उन्होंने भी यह नीति अपनाई। यह वह सर्वोच्च सम्मान था जो वे किसी को दे सकते थे, परंतु विल्सन ने इस प्रस्ताव को इस तरह से रखा जिससे मैकाडू को दुगुना महत्व मिल जाए। मैकाडू के ख़ुद के ही शब्दों में यह कहानी सुनिए : “उन्होंने (विल्सन ने) कहा कि वे अपना कैबिनेट बना रहे हैं और अगर मैं वित्त मंत्री बन जाऊँ तो उन्हें बहुत ख़ुशी होगी। उनका बात कहने का अंदाज़ बहुत आनंददायक था। उन्होंने यह जताया मानो उनके प्रस्ताव को स्वीकार करके मैं उन पर एहसान कर रहा हूँ।”

दुर्भाग्य से, विल्सन ने हमेशा इस तरह की व्यवहारकुशलता का परिचय नहीं दिया। अगर उन्होंने ऐसा किया होता, तो आज इतिहास कुछ अलग ही होता। उदाहरण के तौर पर, अमेरिका को लीग ऑफ़ नेशन्स में शामिल करने का मामला लें। विल्सन ने सीनेट और रिपब्लिकन पार्टी को इस प्रकरण में ख़ुश नहीं रखा। विल्सन शांति वार्ता में प्रख्यात रिपब्लिकन नेताओं जैसे एलिहू रूट या चार्ल्स इवान्स ह्यूज़ या हेनरी कैबॉट लॉज़ को अपने साथ लेकर नहीं गए। इसके बजाय वे अपनी पार्टी के अनजान सदस्यों को शांति वार्ता में ले गए। उन्होंने रिपब्लिकन्स को अपमानित किया और उन्हें इस बात का एहसास कराया कि लीग का विचार रिपब्लिकन पार्टी का न

होकर स्वयं विल्सन का है। विल्सन ने उन्हें केक को छूने तक नहीं दिया। और मानवीय संबंधों को इतने अपरिष्कृत ढंग से लेने के कारण उन्होंने अपना करियर चौपट कर लिया, अपना स्वास्थ्य ख़राब कर लिया, अपनी ज़िंदगी छोटी कर ली। इसी वजह से अमेरिका को लीग के बाहर रहना पड़ा और विश्व का इतिहास बदल गया।

केवल राजनेता और कूटनीतिज्ञ ही सामने-वाले-व्यक्ति-को-कोई-काम-इस-तरह-सौंपें-कि-वह-खुश-होकर-आपका-कहा-काम-करे की नीति का प्रयोग नहीं करते। फ़ोर्ट वेन, इंडियाना के डेल ओ. फ़ेरियर ने हमें बताया कि किस तरह उन्होंने अपने छोटे बच्चे से ख़ुशी-ख़ुशी सौंपा गया काम करवाया।

"जेफ़ को पेड़ से गिरी हुई नाशपातियाँ इकट्ठी करने का काम सौंपा गया था ताकि लॉन तराशने वाले को रुककर उन्हें उठाना न पड़े। उसे यह काम पसंद नहीं था और अक्सर या तो यह काम होता ही नहीं था या फिर यह इतने ख़राब ढंग से होता था कि लॉन तराशने वाले को कई बार रुककर छूटी हुई नाशपातियाँ उठानी पड़ती थीं। सीधे-सीधे मुठभेड़ करने के बजाय मैंने एक दिन उससे कहा, 'जेफ़, मैं तुमसे एक समझौता करना चाहता हूँ। नाशपातियों से भरी हुई एक टोकरी उठाने पर मैं तुम्हें एक डॉलर दूँगा। परंतु तुम्हारा काम ख़त्म होने के बाद अगर मुझे एक भी नाशपाती ज़मीन पर दिखी तो मैं तुमसे हर नाशपाती के हिसाब से एक डॉलर ले लूँगा। बोलो, सौदा मंज़ूर है?' जैसा आप समझ ही गए होंगे, कि इसके बाद मुझे ज़मीन पर एक भी नाशपाती नहीं मिली। वह न सिर्फ़ ज़मीन पर पड़ी सारी नाशपातियाँ बीन लेता था, बल्कि मुझे उस पर नज़र रखनी पड़ती थी कि वह कहीं पेड़ से नाशपातियाँ तोड़कर उन्हें अपनी टोकरी में न भर ले।"

मैं एक ऐसे व्यक्ति को जानता हूँ जो भाषण के आग्रहों को, दोस्तों के आमंत्रणों को इस तरह से अस्वीकार करता था कि लोग संतुष्ट हो जाते थे और किसी को बुरा नहीं लगता था। उसका तरीक़ा क्या था? वह यह तथ्य नहीं बताता था कि वह बहुत व्यस्त था और उसे यह काम करना था और यह भी। नहीं, पहले तो वह

आमंत्रण के लिए धन्यवाद देता था, फिर यह बताता था कि वह आमंत्रण स्वीकार करने में असमर्थ है और इसके बाद वह वैकल्पिक वक्ता का नाम सुझा देता था। दूसरे शब्दों में वह सामने वाले व्यक्ति को अपनी अस्वीकृति को लेकर अप्रसन्न होने का मौक़ा ही नहीं देता था। वह तत्काल सामने वाले व्यक्ति के विचारों को किसी दूसरे वक्ता की तरफ़ मोड़ देता था, जो उसके आमंत्रण को स्वीकार करने की स्थिति में था।

गुन्टर शिमट ने पश्चिम जर्मनी में हमारे कोर्स में भाग लिया। उन्होंने अपने फ़ूड स्टोर के एक कर्मचारी का प्रकरण बताया। यह कर्मचारी उन शेल्फ़ों पर सही प्राइस टैग लगाने के काम में लापरवाही कर रही थी, जहाँ आइटम डिस्प्ले किए जाते थे। इससे दुविधा हो जाती थी और ग्राहक शिकायत करते थे। बार-बार समझाने, डाँटने, और बहस करने से ज़्यादा फ़ायदा नहीं हुआ। आख़िरकार, मिस्टर शिमट ने उसे अपने ऑफ़िस में बुलाया और उससे कहा कि वे उसे स्टोर में सुपरवाइज़र ऑफ़ प्राइस टैग पोस्टिंग के पद पर नियुक्त कर रहे हैं और भविष्य में उसी को इस बात का ध्यान रखना होगा कि सभी शेल्फ़ों पर सही टैग लगे हों। इस नई ज़िम्मेदारी और बदले हुए पदनाम से उसका रवैया पूरी तरह बदल गया और इसके बाद वह अपने कार्य को संतोषजनक ढंग से करने लगी।

बचकाना? शायद। परंतु यही नेपोलियन से कहा गया था जब नेपोलियन ने *लीजियन ऑफ़ ऑनर* का ख़िताब रचा, अपने सिपाहियों में 15,000 क्रॉस बाँटे, अपने अठारह जनरलों को "मार्शल्स ऑफ़ फ़्रांस" का ख़िताब दिया और अपनी सेना को "ग्रांड आर्मी" का संबोधन दिया। नेपोलियन की यह कहकर आलोचना की गई कि उसने युद्ध की आग में तपे सैनिकों के हाथ में खिलौने या झुनझुने थमा दिए थे। इस पर नेपोलियन ने जवाब दिया, "मनुष्यों पर खिलौनों से ही शासन किया जा सकता है।"

पदवी देना नैपोलियन के काम आया था, यह आपके भी काम आ सकता है। उदाहरण के तौर पर स्कार्सडेल, न्यूयॉर्क में रहने वाली

मेरी एक दोस्त अर्नेस्ट जेंट परेशान थी कि कुछ बच्चे उसके लॉन पर दौड़कर लॉन बर्बाद कर जाते हैं। उसने बच्चों को धमकाया, लालच दिया, परंतु कोई फ़र्क़ नहीं पड़ा। फिर उसने गैंग के लीडर को बुलाया और उसे एक पदनाम देकर उसे महत्वपूर्ण अनुभव कराया। उसने उसे अपना "जासूस" नियुक्त किया। उसने "जासूस" से कहा कि वह लॉन की रखवाली करे और अनधिकृत लोगों को इसमें घुसने की अनुमति न दे। इससे उसकी समस्या सुलझ गई। उसके "जासूस" ने पिछवाड़े में आग जलाकर एक सलाख़ गर्म की जिससे वह लॉन पर आने वाले बच्चे को भूनकर रखने की धमकी देता था।

जब भी लोगों का व्यवहार या रवैया बदलने की ज़रूरत हो, तो प्रभावशाली लीडर को इन नियमों का ध्यान रखना चाहिए :

1. ईमानदार रहें। ऐसा कोई वादा न करें, जिसे आप पूरा न कर पाएँ। अपने फ़ायदों पर ध्यान केंद्रित न करें, बल्कि सामने वाले के फ़ायदों पर ध्यान दें।

2. आपको यह पता होना चाहिए कि आप सामने वाले से क्या करवाना चाहते हैं।

3. अपनी बात को ज़ोर देकर कहें। ख़ुद से पूछें कि सामने वाला दरअसल क्या चाहता है।

4. इस पर विचार करें कि आपके सुझाए काम को करने से सामने वाले को क्या फ़ायदा होगा।

5. इन फ़ायदों को उसकी इच्छाओं से जोड़ दें।

6. जब आप आग्रह करें, तो सामने वाले को इस तरीक़े से बताएँ कि यह उसके लिए कितना फ़ायदेमंद होगा। हम इस तरह का संक्षिप्त आदेश दे सकते हैं : "जॉन कल ग्राहक आने वाले हैं और मुझे स्टॉकरूम साफ़ चाहिए। इसलिए अच्छी तरह झाड़ू लगा लो, स्टॉक को सफ़ाई से शेल्फ़ पर जमा लो और काउंटर को चमका दो।" या फिर

> हम इसी विचार को इस तरह से व्यक्त कर सकते हैं कि जॉन को वे लाभ समझ में आ जाएँ जो उसे इस काम को करने से प्राप्त होंगे : "जॉन, हमारे पास एक काम है जिसे तत्काल किया जाना है। अगर इसे तत्काल कर लिया जाए, तो हम बाद में इस मुसीबत से बच सकते हैं। मैं कल कुछ ग्राहकों को अपनी सुविधाएँ दिखाने के लिए ला रहा हूँ। मैं उन्हें स्टॉकरूम दिखाना चाहता हूँ, परंतु इसकी हालत अभी ठीक नहीं है। अगर तुम इसे झाड़ दो, स्टॉक को शेल्फ़ पर ठीक से जमा दो और काउंटर को चमका दो तो इससे हर चीज़ सही दिखेगी और कंपनी की अच्छी इमेज बनाने में तुम अपनी तरफ़ से पूरा योगदान दोगे।"

क्या जॉन आपके सुझाए गए कार्य को करके ख़ुश होगा? शायद बहुत ख़ुश नहीं होगा। परंतु उस संक्षिप्त आदेश से अधिक ख़ुश तो अवश्य होगा, जब आपने उसे लाभ नहीं बताए थे। अगर हम यह मान लें कि जॉन को अपने स्टॉक रूम की छवि पर गर्व है और वह कंपनी की अच्छी इमेज बनाने में योगदान देने का इच्छुक है तो इस बात की अधिक संभावना है कि उसका रवैया अधिक सहयोगपूर्ण होगा। जॉन को यह भी बताना होगा कि उस काम को देर-सबेर करना ही है, और अगर उस काम को अभी कर लिया जाएगा तो उसे बाद में नहीं करना पड़ेगा।

यह विश्वास करना नादानी है कि इन सिद्धांतों का प्रयोग करने के बाद आपके सभी मिलने वालों की प्रतिक्रिया हमेशा सकारात्मक होगी। बहरहाल, अधिकांश व्यक्तियों का अनुभव बताता है कि इन सिद्धांतों का प्रयोग करने से आपकी सफलता की संभावना बढ़ जाती है- और अगर आप इन सिद्धांतों पर चलकर अपनी सफलता को दस प्रतिशत भी बढ़ा लेते हैं, तो आप पहले से दस प्रतिशत अधिक प्रभावी लीडर होंगे- और *आपको* यह लाभ होगा।

लोग आपका कहा काम तभी करेंगे जब आप इस सिद्धांत का प्रयोग करेंगे :

सिद्धांत 9

सामने वाले व्यक्ति को कोई काम इस तरह सौंपें कि वह आपका कहा काम ख़ुशी-ख़ुशी कर दे।

संक्षेप में
लीडर बनें

एक लीडर के कार्य में अक्सर अपने लोगों के रुख और व्यवहार में बदलाव करना शामिल रहता है। इससे संबंधित कुछ सुझाव ये हैं :

सिद्धांत 1
तारीफ़ और सच्ची प्रशंसा से
बात शुरू करें।

सिद्धांत 2
लोगों की ग़लतियाँ
सीधे तरीक़े से न बताएँ।

सिद्धांत 3
किसी की आलोचना करने से पहले
अपनी ग़लतियाँ बताएँ।

सिद्धांत 4
सीधे आदेश देने के बजाय प्रश्न पूछें।

सिद्धांत 5
सामने वाले व्यक्ति को
लाज बचाने दें।

सिद्धांत 6
थोड़े से सुधार की भी तारीफ़ करें और
हर सुधार पर तारीफ़ करें।
"दिल खोलकर तारीफ़ करें और
मुक्त कंठ से सराहना करें।"

सिद्धांत 7
सामने वाले व्यक्ति को
एक ऐसी इमेज दे दें,
जिसे वह सही साबित करना चाहे।

सिद्धांत 8

प्रोत्साहित करें। यह बताएँ कि
ग़लती सुधारना आसान है।

सिद्धांत 9

सामने वाले व्यक्ति को कोई काम
इस तरह सौंपें कि वह आपका कहा काम
ख़ुशी-ख़ुशी कर दे।